NACHTEN IN BOMBAY

EEN DEEL UIT DE NBC-SELECTIE

LOUIS BROMFIELD

NACHTEN IN BOMBAY

NEDERLANDSE BOEKENCLUB – 'S-GRAVENHAGE

Oorspronkelijke Engelse titel:
NIGHT IN BOMBAY

Vertaling:

J. J. A. HANHART

Bandontwerp:

PIET MARÉE

BILL WAINWRIGHTS BAGAGE STOND GEREED OM TE WORDEN ontscheept. Hij stond op het bovendek tegen de verschansing geleund en sloeg de vliegende vissen gade, die uit elke aanrollende golf van de Arabische Zee als zilverflitsen over het smaragdgroene water schoten en weer in het als een fontein van glinsterende droppels verstuivende water verdwenen. Hij was een lange, knappe man met vierkante schouders. Aan zijn kleding zou men hebben gezegd dat hij uit Londen kwam, maar zijn voorkomen verried dat hij een Amerikaan was.
Er was iets in de blauwe ogen, de wijze waarop hij de kin omhoog stak, de volle, enigszins zinnelijke lippen die hem als zodanig karakteriseerden. Hij was een afstammeling van een volk van gokkers, dat vaak tot roekeloosheid verviel, maar ook een volk dat de kunst van lachen verstond. Hij was het type van de Amerikaan die weet wat er in de wereld te koop is, en in verschillende opzichten was hij dus een gevaarlijk man – wellicht nog meer voor zichzelf dan voor anderen.
Hij vond dat hij zijn wilde haren kwijt was, dat hij bezadigd was geworden. Hij was er zelfs min of meer trots op dat hij vóór in de dertig plotseling tot inkeer was gekomen en verstandig was geworden. Dat was dan ook de reden waarom hij zelf netjes zijn koffers had gepakt, in plaats van de hutjongen ermee te belasten. Hij had het beschouwd als een soort discipline – om zichzelf op de rechte weg te houden en en het bewijs te leveren dat hij nu een bezadigd man was, die wist hoe het moest en doelmatig te werk ging.
Het gaf hem het gevoel dat hij zich iets eigen had gemaakt

dat zijn vader „karakter" noemde – waaronder werd verstaan dat je tot tien moest tellen voordat je iets deed, en dat je niet op hol sloeg, zodra er een of ander vermaak in zicht kwam. Hij had zich vast voorgenomen zich op deze reis rustig te gedragen; het was een proef. Hij wilde zijn vader laten zien dat hij bekeerd was.

Daarom voelde hij zich op dit ogenblik deugdzaam en zelfs trots, en koel en lekker, hoewel de hitte reeds voelbaar begon te worden: de eigenaardige, onbeweeglijke, vochtige hitte die over Bombay en de Arabische Zee hing, zelfs in het winterseizoen. Nee, hij was nu een echte zakenman, koel, uitgerekend, serieus, op een inspectietocht door het Oosten, om agentschappen te bezoeken van de maatschappij van zijn vader, in Bombay, Singapore, Medan, Batavia, Soerabaja, Makassar en Tonkin.

Hij hoorde een stem naast zich zeggen: „Goedemorgen!"; en toen hij zich omkeerde, stond mevrouw Trollope naast hem. Zij was klein en tenger, maar stevig; zij kwam uit Sydney en was nu op weg van Londen naar Bombay, waar zij veertien dagen zou blijven, om dan door te gaan naar Australië. Dit had zij hem verteld, meer niet.

Het kon hem weinig schelen wat zij van plan was, maar het hinderde hem een beetje dat zij scheen te denken dat hij er benieuwd naar was. Zij kon naar zijn mening zowat veertig jaar zijn, doch met haar glansloos bruin haar en tanige huid kon ze onverschillig welke leeftijd hebben. Ze droeg tamelijk versleten dure kleren, maar ze wist blijkbaar niet hoe ze behoorlijk te dragen. Zij speelde uitstekend bridge en nog beter poker.

„Goedemorgen," antwoordde hij. „Wat een prachtige ochtend!"

„Ja," zei mevrouw Trollope. „Maar om deze tijd van het jaar is het hier altijd prachtig."

„Grappig, die vliegende vissen."

„Ja." Mevrouw Trollope gaf niet veel om natuur; zij snoof de lucht op. „Ha," zei zij, „je kunt het ruiken – de echte Bombay-lucht."
Thans snoof hij de lucht eveneens op en toen trof hem een geur die hij onmiddellijk wist thuis te brengen – een eigenaardig mengsel van geuren, waar bovenuit flauw de lucht van gedroogde vis was te onderscheiden.
„Visstank."
„Ja."
De geur was meer dan dat. Men rook er de meest verschillende specerijen en houtrook in, jasmijn en goudsbloemen en kopra en rook van gedroogde koemest. Voor Wainwright betekende die lucht nog veel meer: herinneringen aan slemppartijen, gemakkelijke veroveringen; herinneringen aan onvergelijkelijke nachten onder een hemel van blauw fluweel, waarin de sterren schitterden als diamanten; aan rijtoeren in gharries – ponywagentjes – van een der tuinen die tegen de helling van de Malabar Hill lagen, naar het Taj Mahal Hotel; aan een grote, koele kamer van wit marmer, hoog boven de baai.
De man die zich zo kort tevoren nog deugdzaam had gevoeld, sidderde even bij de gedachte aan wat er nog zou kunnen gebeuren. Het was beslist een gevaarlijke geur, doch aangenaam prikkelend, en ondanks de hitte voelde hij een huivering door zijn leden gaan. Nergens anders ter wereld rook het zoals hier.
„Heb je de spion vanmorgen gezien?" vroeg mevrouw Trollope.
„Nee."
„Ik ook niet; maar ik denk niet dat ze erg naar mij zal uitkijken na het voorgevallene van gisteravond."
Bill grinnikte. „Dat denk ik ook niet."
Hij glimlachte bij de herinnering aan de scène in de rooksalon, hoewel hij er toen niet om gelachen had. De spion had zich in een spelletje poker gedrongen dat mevrouw Trollope

speelde met de kleine maharadja van Jellapore, Gibson, de trainer van de paarden van de maharadja, Joey, de aide-decamp van de maharadja, en Bill zelf. En toen ze aan hun tafel zat met haar tanige gezicht, haar glurende blik en haar valse diamanten, had zij met iedereen ruzie gekregen en zelfs de arme, onschuldige, aangeschoten Joey van vals spel beschuldigd. Er scheen geen kans op te bestaan om van haar af te komen, tot mevrouw Trollope eindelijk haar geduld had verloren en haar had gezegd zo gauw mogelijk op te hoepelen. Bij de herinnering aan dit toneel begon Bill weer te lachen – mevrouw Trollope die als een nijdige kleine terriër tekeer was gegaan tegen de barones, die eruitzag als een oude, dikke mopshond. En tenslotte had de terriër het pleit gewonnen, want de mops was overrompeld door de aanval, had haar tassen, sigarettenkokers, haar rinkelende armbanden en verdere sieraden bijeengepakt en was afgezakt naar haar hut. Er was slechts één ding geweest dat het effect van het dwaze toneel had bedorven: de gestalte van de barones, die met haar waggelende gang de rooksalon verliet, had, ondanks haar ongewenste aanwezigheid, plotseling de indruk gemaakt van een jammerlijk verslagen vrouw, gebroken en vooral eenzaam. Bill had gedacht: Zo is het nu haar leven lang gegaan. Ze moet al lelijk en onaantrekkelijk en hatelijk zijn geweest als baby. Voordat ze goed en wel verdwenen was, hadden de anderen haar al vergeten en pokerden rustig door.
„Denk je dat ze werkelijk een spion is?" klonk weer de stem van mevrouw Trollope.
„Nee. Daarvoor maakt ze te veel de indruk van een spion."
„Ik zou weleens willen weten waar ze eigenlijk vandaan komt," zei mevrouw Trollope schamper.
„Ze beweert dat ze in Praag is geboren."
„Het kan zijn dat ze uit Midden-Europa afkomstig is."
„Ze heeft in elk geval een heerlijk Duits accent voor een Egyptische barones."

Mevrouw Trollope begon hard te lachen en stak een sigaret op; ze deed dit als een man, vlug, handig en zonder onnodige bewegingen. Als ze poker speelde, rookte ze de ene sigaret na de andere. De rook uitblazend, zei ze: „Vreemd, dat ze zo alleen naar Bombay gaat – alleen maar voor de reis."
„Misschien heeft ze dat haar leven lang gedaan."
„Ik ben verscheidene malen in Egypte geweest, maar heb nooit van haar gehoord."
„Caïro is een grote stad; je zou er een mensenleven moeten slijten om de hele uitgaande wereld daar te leren kennen."
„In ieder geval bestaan er geen baronnen in Egypte. Die Egyptenaren houden er geen titels op na."
„Nee, maar ze nemen ze soms over van Italianen die geld nodig hebben."
Mevrouw Trollope zweeg en wijdde al haar aandacht aan het toneel op het dek beneden hen. Wat kunnen vrouwen elkaar toch fel haten, ging het Bill door het hoofd. De mannen die zaten te pokeren, hadden de barones uit hun hoofd gezet zodra haar dikke gestalte verdwenen was, maar mevrouw Trollope bleef haar er niet minder om haten en als ze er gelegenheid toe kreeg, zou ze haar zeker nog eens een lelijke poets bakken. Het was maar goed dat de reis ten einde was, de mensen aan boord kregen genoeg van elkander en begonnen te roddelen.
Op het voordek beneden werd alles in gereedheid gebracht om te debarkeren. Wainwright sloeg de drukte met zekere spijtigheid gade. Zolang je aan boord was, was het leven eenvoudig en weinig ingewikkeld, niemand kon je lastig vallen met telefoontjes en je kon geen slippertjes maken, waarvoor je eigenlijk ook niets voelde. Maar zodra je aan land was, zouden er weer moeilijkheden komen, de een of andere ongelofelijke complicatie, waarvan je nooit had kunnen dromen.
Hij had er zich eigenlijk nooit rekenschap van gegeven dat hij zich niet alleen allerlei dwaze avonturen op de hals haalde,

doch dat hij er speciaal naar op zoek ging. Dat was misschien wel de reden waarom hij reeds lang geleden als het zwarte schaap te boek stond.
De inlandse bemanning beneden hen haalde touwen te voorschijn, wierp luiken open en zette de winches aan; kettingen ratelden. De derdeklaspassagiers – Levantijnen, drie of vier zuinige Schotten, een paar bebrilde Indische studenten en enkele mohammedanen, die hun baard fel rood hadden geverfd ten bewijze dat zij terugkwamen uit Mekka – waren achter een afsluiting gedreven en stonden thans, dicht op elkaar gedrongen in de hitte, te kijken naar de vage omtrekken van het vasteland en de eilanden die uit de nevel opdoemden.
„Zo," zei mevrouw Trollope, „nu zal ik tenminste niet meer genoodzaakt zijn te luisteren naar Jelly's grammofoon, als hij de plaat ‚Alone' opzet."
Wainwright lachte. „Ik zal de kleine Jelly missen."
„O, u zult hem nog weleens ontmoeten."
Avond aan avond waren zij bijeengekomen in de hut van de maharadja van Jellapore om champagne te drinken, en iedere avond hadden ze toegeluisterd, terwijl de kleine donkere man met tranen in de ogen steeds weer het sentimentele lied op zijn kostbare elektrische grammofoon had laten spelen. De bijnaam „Jelly" beviel hem wel. Het was een naam die men in heel Indië kende, evengoed als in al de casino's, nachtclubs en renbanen in Europa.
„Het is geen slecht lied, als het maar niet word afgezaagd."
„Ik ben erachter gekomen waarom hij huilt als het gespeeld wordt; het zijn tranen van zelfbeklag."
„Zelfbeklag? Hij heeft alles wat zijn hart begeert."
„Nee, niet waar. Hij heeft een zwak voor ‚Alone', omdat hij al zes maanden impotent is. Hij heeft het me zelf verteld."
Mevrouw Trollope grinnikte. „Zo," zei ze. Het klonk hatelijk, vijandig. Ze draaide zich om en wees met haar sigaret. „Kijk,

daar zijn de palmen van Joehoe al." En naar de andere kant wijzend: „En daar ligt Elephanta."
Aan bakboord vertoonden zich flauw, boven de wazige warmte, de kokospalmen als een luchtspiegeling boven de modderige oppervlakte van de baai, terwijl aan stuurboord als een brede rotsmassa het eiland Elephanta verrees.
„Bent u goed bekend in Bombay?" vroeg Bill, haar van terzijde aanziend.
Over haar trekken zweefde een schaduw van innerlijk vermaak, alsof ze voornemens was hem iets te vertellen dat hem erg zou interesseren. Hij wist reeds dat wanneer een dergelijke uitdrukking zich op mevrouw Trollopes gelaat vertoonde, zij op het punt stond een of andere dubbelzinnige geschiedenis of een schandaaltje te vertellen.
Ditmaal echter verdween de uitdrukking bijna onmiddellijk weer en ze antwoordde toonloos: „O ja, zeker." Een tijdje bleven zij het gedoe op het dek beneden hen gadeslaan. Plotseling vroeg zij: „Hoe noemen je vrienden je eigenlijk?"
„Bill. Zo kunt u me ook noemen. We zullen elkaar wel meer ontmoeten in Bombay."
„Misschien wel."
„Waarom niet? We kunnen elkaar niet mislopen, in de Willingdon Club, de Taj-bar en op de wedrennen."
Met een bruuske beweging wendde zij zich om en keek hem vlak in het gezicht.
„Ik kan het je wel dadelijk zeggen. Als je veel met Engelsen omgaat, zul je mij wel niet zien."
„Dat zal ik wel niet. Ik reis niet de halve wereld rond om mijn tijd te verliezen met Engelsen met wie ik in Engeland nooit zou omgaan."
„Ken je veel Indiërs?"
„Ja, nogal."
„Mag je hen wel?"
„Zeker. Het zijn heel gewone mensen, net als de anderen."

Haar blik dwaalde weer af naar het modderige water van de baai. „Ik heb je immers verteld dat ik naar mijn zuster toe ging? Nu, die is getrouwd met een Indiër. Om te beginnen is ze een Australische, zodat we weinig omgang met Engelsen hebben – om beide redenen."
„O juist," sprak Bill. „Wat is hij. . . koopman, of professor?"
„Hij is niets meer. Hij was een radja, maar hij is dood. Zij bewoont een paleis op de Malabar Hill, naast het paleis van de nizam."
„Leeft ze teruggetrokken?"
„Ja; ze hebben haar een klein pensioentje gegeven."
Nu begon het te schemeren in Bills herinnering. Er schoot hem een grote, knappe, nogal opzichtige blonde vrouw te binnen, die hij wel had zien binnenkomen in Maxim's te Parijs, erg blond, met een kleur als melk en bloed en blauwe ogen, met verfijnde smaak gekleed en uitgedost met prachtige juwelen. Dat was de eerste keer dat hij haar had gezien.
„Maar die ken ik," zei hij. „Tenminste, ik heb haar ontmoet. Chandrapore – Chandragar. . ."
„Chandragar. Nelly Chandragar."
„Ze lijkt niet veel op u."
„Nee. Niemand wil geloven dat we zusters zijn. Zij heeft het echte Circassische houri-type. Net of ze regelrecht uit het moslemparadijs komt."
Mevrouw Trollope wierp haar sigaret overboord en ging voort: „Ik moet naar beneden om mijn bagage na te zien voordat die kerels aan boord komen en alles wegslepen."
„U hebt me uw eigen voornaam nog niet gezegd," zei Wainwright, „voor het geval dat we elkaar in Bombay ontmoeten."
„Stitch," antwoordde ze. „Stitch Trollope. Die naam hebben ze me al gegeven als klein kind in het houthakkerskamp van mijn vader in het Australische bush. De mannen riepen me zo als ze me moesten hebben, en die naam heb ik gehouden. Nu, tot ziens." Met deze woorden verdween zij.

Hij zag haar na. Hij nam zich voor, haar eens op te zoeken in Bombay, onverschillig of ze het hebben wilde of niet. Ze had iets hards over zich. Hij vond haar sekseloosheid zelfs aantrekkelijk – ze was noch man, noch vrouw, of als ze vroeger al een vrouw was geweest, had ze er genoeg van gekregen en het vrouwelijke afgelegd. Ze had geen koketterie en je zou je met haar kunnen amuseren zonder dat het gevolgen zou hebben. Hij kon zelfs haar vrij laag-bij-de-grondse mentaliteit en haar ruwe verhalen waarderen.
„Wie was meneer Trollope en waar hing hij uit?" vroeg Wainwright zich af. Hij kon zich voorstellen dat de heer Trollope, wie of wat hij dan ook was, nooit een plaats van betekenis had ingenomen in Stitchs leven.
Het dek begon zich te vullen met passagiers, die hem nu oude vrienden toeschenen. Zij leunden over de reling en namen de stad op, die langzaam uit de nevelige sluier te voorschijn kwam – het Taj Mahal Hotel, het Readymoney-gebouw, de Jachtclub, de poort van Indië en de groene helling van de Malabar Hill, met de verspreid liggende bungalows en de paleizen van de maharadja's. Aan de voet van de heuvel verhieven zich de Torens der Stilte, als de doodkist die bij een Egyptisch feestmaal tussen de gasten door werd gedragen. In Indië gingen leven en dood, meer dan elders, hand in hand.
„Vandaag nog hier – morgen verdwenen," zuchtte hij onwillekeurig.
Of ze dood waren, dan wel leefden, dat kon niet veel verschil uitmaken voor miljoenen inboorlingen die niets anders bezaten dan een lendedoek en leefden en stierven zonder dat ze ooit genoeg hadden kunnen eten. Ja, Bombay was fantastisch en romantisch – en er vielen zonderlinge dingen voor, als je op de thuisweg van een prettige fuif tegen zonsopgang maar niet lette op de koelies, de vrouwen en kinderen die op de trottoirs en in de straatgoten sliepen.
Zonder op te kijken zag hij de Indische vrouw aankomen,

van wie men beweerde dat zij danseres was. Zij was een kleine vrouw, gewikkeld in een lange zijden Indische sjaal; zij droeg een groot aantal zilveren armbanden. Zij had een edele gang; zij scheen niet te lopen, doch gleed voorbij met de gracieuze lenigheid van een cobra. Zij was niet jong meer en geen opvallende schoonheid, doch haar figuur was onberispelijk. Zij had donkere ogen en een fijne teint, die de aandacht trokken van ieder die haar tegenkwam.

Tijdens de reis had Bill haar geregeld opgemerkt en het deed hem werkelijk genoegen toen hij haar op zich toe zag komen. Het was niet de attractie die van een schone vrouw uitgaat, welke hem dit gevoel bezorgde; hij ondervond haar aanwezigheid niet eens als die van een vrouw. Het gevoel dat hem doortintelde, geleek meer op het genoegen dat iemand ondervindt bij het bewonderen van een prachtig schilderij of bij het horen van heerlijke muziek. Zij was ook een kunstwerk. In zekere zin was Indië in haar belichaamd. Men beweerde dat haar echtgenoot een geleerde was in Bombay. Dat was alles wat hij van haar was te weten gekomen.

Zij was nu op zijn hoogte gekomen en beantwoordde zijn blik met een bijna onmerkbaar glimlachje, alsof zij wilde zeggen: „Goedendag. Ik hoop dat Indië u goed zal bevallen.” Daarop zweefde zij hem voorbij met al de serene waardigheid die gedurende de gehele lange reis een scheidsmuur had opgericht tussen haar en de andere passagiers.

Hij voelde een knagend zelfverwijt. Misschien zou ik ditmaal, dacht hij, moeten trachten werkelijk eens nader kennis te maken met Indië, in plaats van in Bombay te blijven rondhangen. Bombay was Indië niet, noch het Oosten, noch het Westen, doch een zonderling mengsel van alles wat op de wereld te vinden is.

Een klap op zijn schouder wekte hem uit zijn overpeinzingen en een stem naast hem zei: „Dag jongen. . . het beste.” Het was de Schot die agent van de Shell in Birma was – een ruige,

stevige man, die zich hier al bijzonder goed thuis scheen te voelen. Wainwright kon niet goed meer op zijn naam komen.
„Neem nog geen afscheid. Ik zie je nog wel in de bar van Taj Mahal."
„Geen kwestie van. Ik moet nog het een en ander kopen en ga dan recht naar huis. Als je in Rangoon komt, bel me dan."
„Afgesproken. Het ga je goed."
De Amerikaanse zendeling uit de Pendsjaab en zijn vrouw wuifden Wainwright eveneens glimlachend vaarwel. Ze keurden zijn drinken en eindeloos pokerspelen met Stitch, Jelly, Joey en Gibson wel niet goed, maar nu de reis ten einde was en zij zich allen verspreidden, glimlachten en wuifden ze. Dat was sportief; ze moesten ook wel sportief zijn, om daar in het noorden onder de Pathans te werken, waaraan geen eer te behalen was. Ze zouden het veel gemakkelijker hebben gehad onder de Hindoes. Toen de vrouw – een klein, mager vrouwtje, met een zwart japonnetje aan – tegen hem glimlachte, was het een eigenaardig, zonderling glimlachje; en hij merkte een tinteling in haar ogen op, die hem bijzonder hartelijk was.
Een ogenblik kwam het hem voor of hij haar reeds van vroeger kende, waarom wist hij niet. Hij had haar nooit ontmoet voordat hij aan boord kwam en daar had hij nauwelijks notitie van haar genomen. Haar eigenaardige glimlach kwam hem niet alleen bekend voor, maar deed hem ook aan iemand of iets denken. Hij keek weer naar haar, maar alles wat hij kon zien was de magere, moede rug die zich over de reling boog toen een bootje langszij kwam.
Omlaag ziend merkte Bill twee of drie havenbeambten op, een groep Indiërs in rijk versierde galakleding en twee choeprassies (boden), uitgedost in scharlaken kleding, met goud afgezet, half schuilgaand onder bloemslingers van goudbloemen en jasmijn. In hun midden stond een lange Engelse officier met een knap uiterlijk, blond en in smetteloos wit

gekleed, met een witte topee (helmhoed) en een massa gouden tressen. Hij hield zijn sabel en een aantal enveloppen in de hand.
Nou, nou, dacht Bill, het Britse rijk komt goed voor den dag. Daarop legde de boot aan de staatsietrap aan. Nu zag hij de barones op zich af komen. Het was te laat om haar uit de weg te gaan. Hij bleef strak staan kijken naar de gezichtseinder, doch dit hielp niet. De barones had een huid als een olifant; ze bleef naast hem staan. In de hitte rook ze naar zwoele odeur en transpiratie en naar de muffe lucht van sigaretteëindjes.
„Goedemorgen," zei ze. „Heet, vindt u niet?"
„O. . . goedemorgen. Ja, het is erg warm in de baai."
„En geen windje."
„Nee, niet veel."
Hij probeerde langs haar heen te zien, maar zonder succes. Hij behoefde niet naar haar te kijken om te weten hoe ze eruitzag. Hij kende haar korte, dikke gestalte, de grove, olieachtige huid, het geverfde, rode haar, dat eruitzag of het een oude pruik was (maar het was ècht), de waterige groene oogjes en de armbanden, ringen, oorbellen, broches en de tas van brokaatzijde met de vetvlekken.
„Waar logeert u in Bombay?" vroeg zij.
„In het Taj Mahal hotel, denk ik."
„Lang?"
„Dat weet ik niet." Hij voelde lust om haar in het gezicht te slingeren: „Dat gaat u geen steek aan," doch hij hield de woorden in. Daarop vroeg zij met een zweem van koketterie:
„Misschien dineren we nog weleens samen?"
„Misschien wel. Maar ik zal het nogal druk hebben; ik ben hier voor zaken."
„Wat voor zaken?"
„Olie."
„O, olie! Stookolie?"
„Jawel – stookolie en zo."

Hij voelde lust om te lachen en dacht: Als ze werkelijk een spion is, dan legt ze het toch al heel onhandig aan.
„Nu, ik denk dat we elkaar nog weleens zullen zien."
Dit zou een woord ten afscheid hebben kunnen zijn, doch zij maakte geen aanstalten om heen te gaan. En toen begreep hij waarom zij bleef staan. De knappe jonge officier met zijn degen en enveloppen kwam op hen toe. Achter hem liep Al, de marconist, met een grijns op zijn spottend Iers gezicht.
„Mijnheer William Wainwright?" zei de jongeman op vragende toon, voor Bill stilhoudend en saluerend.
„Jawel," antwoordde Bill; en de gedachte ging hem door het hoofd: Misschien hebben ze een oud schandaaltje opgehaald. Als het een beetje wil, laten ze me niet eens aan land. Hij wenste dat de barones weg zou gaan, hoewel hij wist dat zelfs dynamiet haar op dat ogenblik niet weg zou krijgen. Ze bleef vol nieuwsgierigheid staan.
„Mijn naam is luitenant Forsythe," sprak de jongeman. „Van zijne excellentie de onderkoning, mijnheer." Hij overhandigde Bill een grote envelop. „En van zijne excellentie de gouverneur van Bombay." Hij gaf hem een tweede envelop. „U kunt mij het antwoord op het schrijven van de gouverneur meegeven, mijnheer."
„Dank u," antwoordde Bill, enigszins onder de indruk door dit plechtig gedoe. Hij opende het couvert en las de missive.
Zijne excellentie de gouverneur van Bombay zou het zich tot een eer rekenen hem te zien verschijnen aan de lunch op woensdag 3 dezer.
„Wilt u zo goed zijn, zijne excellentie mee te delen dat ik met genoegen van de uitnodiging zal gebruik maken?"
„Dank u," zei de jongeman. „Nog iets anders van uw dienst, mijnheer?"
„Nee," antwoordde Bill. „Dank u zeer. Ik ben goed bekend in Bombay."
„Het is hier zo kwaad nog niet," merkte de jongeman op,

„als u maar niet de moesson moet meemaken. Als ik verder niets voor u doen kan, ga ik maar verder." Weer salueerde hij.
„Dank u nogmaals," zei Bill.
„Goedendag!" wenste de vertegenwoordiger van het Britse rijk en verwijderde zich.
De barones had met grote ogen staan kijken.
De grijns op Als gelaat verbreedde zich.
„Is dat even wat?" sprak hij. „Die krijgt me daar zo maar brieven van onderkoningen en zo."
„Ik begrijp er geen steek van," zei Bill.
„Niets voor mij gekomen?" vroeg de barones aan Al.
„Nee, niets."
Zij schudde het hoofd en maakte een gorgelend geluid.
„Zonderling! Zeer zonderling! Ik wacht nu de hele reis al op een bericht uit Aden."
Het schudden van het hoofd, het gorgelende geluid, de uitdrukking van de groene ogen verrieden een aantal vermoedens: dat Al wèl een bericht had ontvangen, maar dat hij het had vernietigd; dat hij omgekocht was om het haar niet te geven; dat hij betrokken was bij een komplot tegen haar, dat zijn vertakkingen had over de hele wereld, waarbij Europeanen, Amerikanen, Afrikanen, Indiërs en Maleiers betrokken waren. Ze spanden allen tegen haar samen. Doch men kon er ook uit lezen dat zij hen toch allen te slim af was.
Al grinnikte en zei met een soort van voldoening: „Er kan nu niets komen; het radiokantoor is gesloten."
„Het is vreemd – erg vreemd!" Toen keerde ze zich plotseling om en ging weg.
„We hebben raar volk aan boord gehad," merkte Al op, „maar zij is het toppunt. Kijk eens wat daar komt," liet hij erop volgen.
Op enige afstand kwam de kleine Jelly aan. Het schreeuwende geruite pak dat hij aan boord altijd gedragen had, was verdwenen. De maharadja en Joey, zijn adjudant, waren thans

gehuld in zwart zijden tunieken en jodhpoers (nauwe witte broeken). Jelly prijkte met een poeggaree (sluier) van scharlakenrode kleur met goud, terwijl Joey zich moest tevreden stellen met een zonder goud. Van het donkere gelaat van de maharadja was bijna niets te zien onder de bloemslingers die het bedekten.
Zoals bij het verschil in rang betaamde, droeg Joey slechts drie bescheiden bloemslingers. Hij was nog niet geheel nuchter en liet het hoofd hangen als een kind dat juist onder handen is genomen. Er was niets meer in hen te bekennen van de twee hoofdpersonen op de rennen in Longchamp en Epsom en in de casino's te Deauville en Cannes. Achter hen aan liep Gibson, de trainer, een grote zwaargebouwde man met een verweerd gezicht, in een opzichtig geruit sportkostuum.
„Mooi zo," sprak Al. „De vader-en-moeder van het heelal komt weer thuis – maar hij is er niets vrolijk onder. We hebben hem nu al tien reizen aan boord gehad en van Aden af is hij altijd in de olie."
Bill schoot bijna in de lach, doch hield zich bijtijds in. Er was iets pathetisch in de verschijning van Jelly, die eigenlijk als bookmaker door het leven had moeten gaan, doch nu als heerser in Indië terugkwam.
Ditzelfde toneel herhaalde zich elk jaar. In het koele seizoen keerde de maharadja terug om te worden ingehaald als de vader-en-moeder van zijn volk. Voor hun plezier zou hij drie of vier maanden in Indië moeten blijven, om zich over alles en nog wat verslag te laten uitbrengen, in Bombay, Delhi of Jellapore diners te geven waarop hij zich verveelde en van tijd tot tijd een onvergelijkelijk bacchanaal aan te richten. Nu het schip aan de kade was gemeerd, moest hij zich in vol ornaat vertonen, bedolven onder bloemen – als koning der koningen, de vader-en-moeder van zijn volk, met de aangeschoten Joey en de trainer van zijn paarden als leden van zijn gevolg.

Al en Bill leunden met de rug tegen de reling. Toen de maharadja hen passeerde met al de pracht en praal van zijn hoge rang, kwam het donkere gelaat een weinig van onder de bloemen te voorschijn, ongeveer zoals een schildpad zijn kop naar buiten steekt; en met het ene zwarte oog knipoogde hij tegen Al en Bill.

Het schip lag langs de kade. De reis was afgelopen en zevenhonderd passagiers van alle kleuren, klassen en rassen, religies en nationaliteiten dromden dicht op elkander, in afwachting van het ogenblik waarop de loopplank zou worden uitgelegd.

De kade en het dak van de loods op de kade waren bedekt met honderden mensen, wier ogen gericht waren op het prachtige schip. Hun kleding was van de meest uiteenlopende snit en vertoonde alle kleuren, van het schitterende wit dat uit de Engelse zaken in tropische uitrustingen kwam, af, tot de smerige lappen die nauwelijks in staat bleken de naaktheid van de magere koelies te bedekken.

Hier en daar glinsterde het scharlaken-en-goud van de choeprassies, de hardgroene en roze puggrees van de rajpoets en de stijve witte tulbanden uit het noorden. Enigszins terzijde van de loopplank stond, als een bloementuin, de groep die van het hete bergplateau in het binnenland was afgedaald om hun vader-en-moeder te verwelkomen: de Heer der Schepping – de kleine Jelly.

Deze groep stond afzonderlijk op een plek die speciaal voor dat doel was gereserveerd om de machtige vorst te begroeten. Er waren een twaalftal Sikhs bij, mannen van de lijfwacht, tweemaal zo groot als Jelly, met rode uniformen en gouden tulbanden en gewapend met lansen van drie meter lang, met vaantjes aan de punt. Vóór hen stond, giechelend en verlegen, een troepje vrouwen in schitterende, kleurige kledij – de vrouwen van de maharadja en hun gevolg. In hun nabijheid bevond zich een andere groep, waarbij Bill een man opmerkte die een grote waardigheid ten toon spreidde. Hij bezat een

respectabele omvang en was waarschijnlijk de Indische rentmeester. Hij was omringd door een horde zwarte bedienden, in blauw en zilver gestoken.
Bij het aanschouwen van dit kleurige tafereel op de kade voelde Bill dadelijk een prikkelende, opwindende sensatie, onmiddellijk gevolgd door het gevoel van verrukking dat Indië hem altijd bezorgde. Dit alles stond zo oneindig ver weg van het Westen met zijn kleurloosheid, zijn ruzies, zijn hebzucht, zijn depressies, zijn armoede die erger was dan de armoede van het Oosten, omdat zij teerde op de ziel en de geest in plaats van op het lichaam.
Telkens, wanneer zijn ogen zich opnieuw aan dit schouwspel verzadigden, dacht hij bij zichzelf: Hier ga ik nooit meer vandaan. Ik heb geen lust om terug te keren naar de verschrikkelijke kleurloosheid van het Westen. Thans echter liet zich een innerlijke stem horen: „Maar ditmaal is het heel anders. Je bent een ander leven begonnen. Nu geen gekheid meer, geen avontuurtjes. Je hebt je nu gebeterd. Als je je zaken hebt afgedaan, neem je de eerste boot terug naar een geregeld leven en je werk."
Een stem naast hem zei: „Het is altijd weer een prachtig gezicht. Ik heb mijn best gedaan om er een beschrijving van te geven daarginds, maar dat was heel moeilijk. Ze konden er maar niet bij dat ik weer hierheen terug wilde."
Het was de vrouw van de zendeling, klein en onaanzienlijk als een spreeuw, behalve wat betreft het glanzende blauw van haar ogen.
„Datzelfde gevoel heb ik ook," antwoordde Bill.
„Bent u hier al meer geweest?"
„Twee keer. Eenmaal zelfs een hele tijd."
„Ik zie het liefst de poeggarees van de Pathans. Ze zien er altijd zo fris en zo helder en knap mee uit – net als met een nieuwe hoed die zo bij de modiste vandaan komt."
Bill keek haar verbluft aan. Hij merkte op hoe haar ogen

schitterden. Hij dacht: Als je haar zo ziet, zou je je nooit kunnen voorstellen dat ze zich interesseerde voor zo iets werelds als een modezaak! Toen deed de uitdrukking van haar ogen hem weer denken aan iemand, hij wist niet wie, iemand, man of vrouw, die dezelfde heldere, menselijke, onzelfzuchtige oogopslag had, iemand die goed was, ontoegankelijk voor het kwaad, iemand van wie hij had gehouden en voor wie hij tevens ontzag had gehad. Het hinderde hem dat hij zich de persoon niet kon herinneren.

Het kleine vrouwtje in het zwart was weggegaan, doch de herinnering aan haar gezichtje bleef Bill bij, ondanks de hitte en de drukte.

Jelly en Joey, in groot ornaat en met bloemen behangen, daalden als half aangeschoten majesteiten de loopplank af en zodra zij zich vertoonden, kwam er leven en beweging in de kleurige menigte op de kade. De in scharlaken en goud uitgedoste Sikhs gingen in de houding staan en leken schitterende rode lelies; de zwarte bedienden in het blauw en zilver wierpen zich in het stof en negen het voorhoofd ter aarde als topzware bloemen; de veelkleurige vrouwen en hun gevolg, de dikke rentmeester en de huismeester bogen lichtelijk het hoofd en legden de handpalmen tegen elkaar. Jelly, nog niet geheel nuchter, liep met onvaste schreden de loopplank af en toen hij op het punt stond de kade te betreden, gaf hij door een licht hoofdknikje zijn waardering te kennen voor de aanwezigheid van de menselijke bloementuin. Achter hem liep Joey, die flink dronken was, naar alle zijden buigend met een grinnikend gezicht, de handpalmen tegen elkaar gedrukt. En daarachter kwam Gibson, de Londense trainer, in een schreeuwend geruit pak en met zijn hoed achter op zijn hoofd.

Even later, onder het wisselen van de wederzijdse begroetingen, begon de bloementuin een nieuw dessin te vormen. De rood-gouden Sikhs verdeelden zich in twee groepen. De maharadja en de rentmeester sloten zich achter de eerste groep aan,

gevolgd door Joey en de hofmeester, en daarachter kwamen de vrouwen en de bedienden. De stoet werd gesloten door de tweede groep Sikhs en zo zette de fleurige en kleurige optocht zich in beweging naar de douane.
Op dit ogenblik hoorde Bill een bekende stem zeggen: „Goedemorgen, sahib! Gij zijt mijn vader-en-moeder, sahib! Ik ben uw nederige dienaar, sahib!"
Het was Silas.
Silas was een lange, broodmagere en pikzwarte Tamil (Zuid-indiër), die tot het christendom bekeerd was. Hij was vrij knap van uiterlijk, met een uitdrukking als van een half-verhongerd haviksjong en, zoals de meeste bedienden, was zijn leeftijd niet te schatten. Op het hoofd droeg hij een smerige zwarte tarboesj, een soort fez, zonder kwast, en te oordelen naar zijn gescheurde, vieze kakipak dat hij aanhad zou iemand die hem niet kende, hebben kunnen denken dat hij jaren lang werkloos was geweest. Maar Bill had hem door. Dit was het gebruikelijke maskeradepakje dat Silas altijd aantrok als hij mensen kwam afhalen, die vroeger van zijn diensten gebruik hadden gemaakt. Het was erop berekend om de bittere armoede van de drager te doen uitkomen.
Het gezicht van de man die vroeger zijn drager was geweest, bezorgde Bill een onaangenaam gevoel. Hij had gehoopt hem niet te zullen ontmoeten, want hij had Silas leren kennen als een dief, een leugenaar, een hypocriet, een kletsmajoor en als iemand die overal een slaatje uit wist te slaan. Silas die hem tweemaal per jaar een brief liet sturen om hem aan het verstand te brengen dat zijn uitgebreide familie, bestaande uit zijn kinderen en zijn vrouw en zijn ouders en de ouders van zijn vrouw en al hun grootouders van hèm afhankelijk waren voor hun onderdak en hun dagelijks brood en nu honger leden. Men moest Silas' verhalen nooit al te letterlijk opnemen, want hij wist blijkbaar zelf niet precies hoeveel kinderen hij had; nu eens waren het er elf, dan weer zeven of negen.

Nee, genoegen deed het Bill niet Silas te zien opdagen. Hij had zo gehoopt dat hij hem ditmaal uit de weg zou blijven, want hij had schoon genoeg van hem.
„Waar kom je vandaan?" vroeg hij.
„Bombay, sahib."
„En ik dacht dat je in Madras zat?"
„Ja, sahib, daar is mijn hele familie ook – al mijn hongerige kinderen, ouders en grootouders. . ." Hij zou nog verder voortgegaan zijn met zijn opsomming als Bill hem niet het zwijgen had opgelegd.
„Ja, dat weet ik al, dat weet ik al. Maar hoe wist je dat ik met deze boot meekwam?"
„Vriend hebben, werken bij stoombootmaatschappij. Vriend mij lijst geven van passagiers. Lijst met vliegmachien gekomen van Londen. Zien naam van sahib. Hier gekomen om hem te begroeten. Sahib mijn vader-en-moeder, en de vader-en-moeder van mijn kinderen, van mijn vrouw en mijn. . ."
„Nee, dank je wel! Kom maar mee. Nu je eenmaal hier bent, kun je voor mijn bagage zorgen."
Silas' zwarte pupillen begonnen te schitteren. Hij had een baan – en een baan naar zijn zin, bij een goedhartige sahib die niet op de anna's keek en zelfs niet op de ropijen. Silas was weer voor een jaar onder dak met vrouw en kind. Hij draafde tevreden achter Bill aan naar diens hut, waar hij het toezicht over de bagage op zich nam.
„Laat je niet in je nek kijken door de koelies; aan dek zie ik je wel weer."
„Niks in nek kijken," antwoordde Silas. De grote mond opende zich en liet in een brede grijns de witte tanden zien, waarna de man weer onder de menigte verdween.
Het was geen grijns van dankbaarheid, dat wist Bill zeer goed. Er was niet veel plaats voor dankbaarheid in de zielen van mensen als Silas, die de meeste tijd niet genoeg te eten hadden, al blij waren met een dak boven hun hoofd en die een gezin

van tien personen moesten zien te onderhouden van minder dan een kwartje per dag. Nee, hij grijnsde van voldoening, omdat hij dat had uitgevonden van die lijst van passagiers en Bill zijns ondanks te pakken had genomen. Och ja, dacht Bill, hij weet dat ik een sukkel ben. Hij weet heel goed dat ik hem wel zal houden als hij klaar is met de bagage. Maar ik kan het me veroorloven.
Toen zag hij Stitch op zich toe komen. Zij had zich op het laatste ogenblik nog verkleed en zich in een kostbare, maar vrij slordig gedragen witte japon gestoken. Zij was een vrouw die niet op knapheid kon bogen met haar harde, hoekige gezicht; maar toch ging er iets van haar uit. Bill had de indruk dat er iets verschrikkelijks in haar leven was voorgevallen, iets dat alle levensvreugde, alle koketterie, alle vrouwelijk gevoel in haar had uitgedoofd; misschien zelfs alle menselijkheid en warmte had doen verdwijnen.
„Kom mee," sprak zij. „Laten we de wal opgaan en voortmaken met dat vervelende onderzoek aan de douane."
Zij baanden zich een weg door de passagiers die de toegang tot de loopplank versperden.
De kade stond eveneens vol mensen. De kranen waren reeds aan het werk, lichtten kisten en koffers en kratten van boord en lieten ze op de vaste wal neer. Er ontstond een opstopping onder de passagiers die achter de loopplank afdaalden. Vóóraan hoorden zij de stem van de barones, die op klagende toon uitriep: „Die jongeman heeft op mijn voet getrapt!"
Bill, de hals uitrekkend, kreeg de jongeman in het oog – een magere Parsi, die verlegen verontschuldigingen maakte.
Achter hem bromde een grove stem: „Nu, schiet wat op daar! Moeten we hier soms de hele dag in de gloeiende zon blijven staan?" Bill voelde ook eensklaps de prikkelbaarheid in zich opkomen, die de mensen in Indië zonder enige waarschuwing overvalt.
„Dat verwenste oude mens!" riep Stitch uit. Toen schuifelde

de rij passagiers weer verder. Zo bereikten zij het eind van de loopplank en Stitch wrong zich door de afsluiting, achter welke de passagiers moesten blijven wachten, met de bedoeling in de schaduw van de loods te gaan staan.
Plotseling klonk de stem van een halfbloed beambte, die hard kwam aanlopen: „Pas op, mevrouw, pas op voor de hijs!"
Het waren zijn laatste woorden. De arm van de hijskraan zwaaide rond, men hoorde een kabel knappen... De man die een onderdeel van een seconde tevoren op Stitch was toegelopen, bestond niet meer; er was nog slechts een hand te zien, die uitstak van onder het zware krat dat bovenop hem was terechtgekomen.
Met ontstellende helderheid zag Bill het grote krat dat een zware auto bevatte en de hand die een seconde lang krampachtig in de lucht greep, dan slap en bewegingloos neerviel. En hij zag Stitch in haar smetteloos witte kostuum in elkaar zakken in het stof dat de kade bedekte, van onder tot boven met bloed bespat.
De koelies omringden het toneel van de ramp, door elkaar schreeuwend en druk gebarend. Bill nam Stitch in zijn armen en droeg haar naar de schaduw van de loods. Terwijl hij haar wegdroeg, zag hij eensklaps het gezicht voor zich met de ogen, waaraan de oogopslag van de vrouw van de zendeling hem had herinnerd. Het waren het gezicht en de ogen van Homer Merrill, die eenmaal, lang geleden, zijn beste vriend was geweest.
Hij legde Stitch neer op een van de lange tafels tussen de bagage en riep de man naast hem toe: „Haal gauw de quarantainedokter!"
Toen dacht hij: Een ellendig voorteken! En toen weer: Als ze op haar plaats was blijven staan, zou die arme drommel er het leven niet bij hebben ingeschoten!

Tussen Madras en Deccan, in het midden van Haidarabad,

was het plotseling, zonder voorafgaande waarschuwing, gaan stortregenen uit een inktzwarte hemel. Iets wat zeer zelden voorkwam – een valse moesson midden in het droge seizoen. Aanvankelijk bracht de bui, die de dikke stoflaag in modder veranderde en plassen vormde tussen de rotsen, een gevoel van opluchting teweeg. De passagiers van de expres van Madras naar Bombay zetten de raampjes open, die zorgvuldig gesloten waren gebleven om de hitte buiten te houden, en lieten de regen naar binnen stuiven. Het duurde niet lang, of het poederfijne stof dat de vloeren in zijgangen en coupés bedekte, vormde kleine, kleverige stroompjes, die eruitzagen als bloed.
Doch toen de bui even plotseling ophield als ze begonnen was, kwam de zon weer door en het heerlijke, frisse gevoel maakte plaats voor gedruktheid, angst zelfs, die zich meester maakte van iedereen – de koelies, de dieren, de zich achter hun poerdahs schuilhoudende vrouwen. Zelfs de drie Europese passagiers die zich in de trein bevonden, werden overvallen door een gevoel van onrust en onbehaaglijkheid. Er was iets onnatuurlijks in de onverwachte wolkbreuk op een tijdstip dat er in het geheel geen regen behoorde te vallen.
En door de regen was de hitte nog drukkender geworden. Eerst was het tenminste nog droge hitte geweest waarin de transpiratie opdroogde, wat enige opluchting gaf, doch thans, nu de zon haar gloeiende stralen neerketste op de rotsen en de kale, modderige vlakten, steeg er een hete damp op, die huizen, mensen, vee, zelfs de voortsnellende trein in een sluier hulde, zodat de hele hoogvlakte van Deccan één enkel, reusachtig stoombad leek. In de trein werden de raampjes haastig weer gesloten, omdat de wind, die daardoor naar binnen kwam, nog heter was dan de atmosfeer in de wagons.
In de hele trein bevonden zich slechts drie westerlingen: een man, een jongen, en een negenentwintigjarige vrouw, allen Amerikanen. De man, de jongen en een tot de laagste kaste

behorend klein Indisch jongetje, reisden in een ongemakkelijke, bedompte tweedeklas coupé en in de volgende wagon reisde de vrouw, omringd door al de luxe die Indië kon bieden. Het was een wagon die voor haar was gereserveerd, voorzien van horren van fijn kopergaas om het stof te weren, extra elektrische ventilators en een grote, met ijs gevulde, zilveren schaal, die op ieder station opnieuw werd gevuld, teneinde de temperatuur zo koel mogelijk te houden.
Zij had twee bedienden tot haar beschikking in de paars-met-gouden livrei van de maharadja van Jellapore, die haar moesten bedienen en voor de gin slings – een Amerikaanse drank – moesten zorgen en sappig fruit serveren, waarvan een hele voorraad werd meegevoerd in een compartiment aan het andere eind van de wagon.
Zij was een vrouw van buitengewone schoonheid, blond, met een heerlijke, frisse teint en een prachtig figuur, dat zij volstrekt niet trachtte te verbergen voor de Indische bedienden. Zij was gehuld in een zijden peignoir met een monogram in rode zijde, „C.H.". Zij lag met gesloten ogen uitgestrekt op de divan; haar hoofd rustte tegen de harde kussens. Zo lag zij reeds de hele morgen, uitgeput van vermoeienis.
Laat in de middag, toen de trein de gloeiende hoogvlakte van Deccan was gepasseerd en begon te stijgen naar de heuvels en dalen die naar Poona leidden, begon zij zich wat beter te voelen. Zij ging overeind zitten om te kijken naar de rumoerige menigte aan de stations en naar de kudden zwarte geiten, die hier en daar in het struikgewas graasden.
Terwijl zij deze toneeltjes gadesloeg, kwam de gedachte in haar op: Dit is het ellendigste land ter wereld.
En toch beviel het haar. Waarom was zij hier anders teruggekeerd?
Beneden haar begon een van de wielen een tikkend geluid te maken. Klik-klik-klik ging het wiel, telkens en telkens weer. Klik-klik-klik. Eentonig, irriterend. Het geluid werd een ob-

sessie. Het verdreef alle andere gedachten; het klonk als mokerslagen.
Het kan toch mijn kater niet zijn, dacht zij. Ik heb me nog nooit zo ellendig gevoeld als nu. En toen: Misschien was er toch iets waars in wat mevrouw Goswami zei. Misschien waren ze al begonnen het te proberen. Misschien ben ik juist op tijd de dans ontsprongen.
Weer zag zij het feeërieke paviljoen voor zich, begroeid met bougainvillea en omringd door trompetbomen, waar de broer van de maharadja een afscheidsfuif had gegeven te harer ere. Zij zag weer de grote vazen met orchideeën omschoppen en stukslaan door de Engelse officieren, die dit beschouwden als een aangenaam tijdverdrijf.
In haar verbeelding doorleefde zij weer het hele feest. Zij zag de jazzband met de donkerkleurige muzikanten, de lange trap, versierd met bloemvazen, die naar het paviljoen leidde. Zij zag weer de gestalten van de naakte, jeugdige dansers, als gulden figuren in het getemperde licht.
Zij herinnerde zich dat zij luid had uitgeroepen: „Ik wil een van die jongens hebben! Ik wil er een van meenemen!" Zij herinnerde zich de felrode tunieken van de officieren en de tafels vol flessen champagne en de neef van de maharadja die een rumba danste met een van de dansknapen en zij zag weer het gezicht van de jongen voor zich, knap, maar zondig, waarop de verdorvenheid te lezen stond.
Ja, ging haar door het hoofd, zo'n feest kennen ze in New York toch niet – hebben ze zelfs nooit gekend in de ergste tijd. Het was een waar bacchanaal.
Toen kwam de obsessie van het klikkende wiel weer over haar. Klik-klik-klik! Het scheen alsof het nu nog harder klonk dan eerst. Zij drukte op de knop van de schel naast zich, waarop een van de gekleurde bedienden in paars-en-goud binnentrad, een salaam maakte en zei: „Ja, memsahib" (mevrouw).
„Aan het volgende station ga je naar de stationschef; zeg tegen

hem dat hij moet trachten te ontdekken, wat er aan dat wiel mankeert. Begrepen?" De bediende antwoordde: „Goed, memsahib, ik zal naar de stationschef gaan." Hij zou doen wat zij hem had opgedragen. Hij aanbad haar, dat wist zij, niet alleen omdat zij een schone vrouw was en hem altijd vriendelijk behandelde, maar ook omdat zij hem een rijwiel had gegeven.
Daarop verdween hij en zij verviel opnieuw in een half slapende toestand. En in haar halve droom keerde de herinnering aan het feest terug, duidelijker nog dan straks. Zij zag de vazen met orchideeën, die een van de officieren wegschopte, weer door de lucht vliegen en met half gesloten ogen aanschouwde zij weer de heerlijke verdorvenheid op de trekken van de naakte jonge danser. Er lag iets angstwekkends in. Toen dacht zij aan mevrouw Goswami, die een gesprek met haar aanknoopte in de schaduw van een trompetboom. Zij was een donkerkleurige, magere, kleine Bengaalse vrouw, een „intellectueel", die zich zeer zenuwachtig en angstig aanstelde. Haar Engels was bijna volmaakt.
„Nee, miss Halma," had zij op ernstige toon gezegd. „Als u naar mijn raad wilt luisteren, ga dan onmiddellijk weg, zoals zijne hoogheid ook al heeft laten doorschemeren."
En ze herinnerde zich dat zij op uitdagende toon had geantwoord: „Waarom zou ik weggaan, als ik er geen lust in heb? Ik amuseer me best en ik wil nog niet terug naar Bombay."
Toen had mevrouw Goswami de hand op haar arm gelegd – iets, dat een Indische vrouw anders niet spoedig zal doen – en gezegd: „Ik zeg het voor uw eigen bestwil, lieve. Die aanvallen welke u hebt gehad, waren geen gewone ongesteldheid".
Dit had haar enigszins ontnuchterd en zij had geantwoord: „Dat kwam alleen door de hitte."
„Nee," had mevrouw Goswami daarop gezegd. „Ik heb die dingen meer zien gebeuren. Ik heb er eens een vrouw aan zien sterven."

Waarop Carol had hernomen: „Waarom zou hier iemand me willen vergiftigen?"
Daarop had mevrouw Goswami om zich heen gekeken en gefluisterd: „De gehele zenana" (harem).
Deze bewering had haar een ogenblik schrik ingeboezemd, niet, omdat zij werkelijk geloof hechtte aan de woorden van mevrouw Goswami, maar omdat zij eensklaps een schaduw over zich voelde vallen – de schaduw van al die vrouwen die opgesloten zaten in het paleis en die nooit anders buiten kwamen dan in koetsen en auto's met zware gordijnen voor de raampjes. Niemand zag ze ooit in Jellapore en toch voelde men voortdurend hun aanwezigheid.
Ze was beangst geworden, omdat ze zich plotseling allerlei kleinigheden herinnerde: de vreemde zwarte bediende die zij eens 's avonds laat toevallig had aangetroffen voor de deur van haar kamer in de vleugel waar de gasten logeerden; de vreemde man die zij in haar nabijheid had opgemerkt op die avond, toen zij in de tuin had gezeten met de kapitein; de ayah (vrouwelijke bediende) die zich aan haar had willen opdringen, bewerend dat haar was opgedragen om voor haar te zorgen. En bovendien had zij nooit het gevoel van zich kunnen afzetten dat al haar gangen werden nagegaan, onverschillig wat zij deed. Zij had plotseling vrees in zich voelen opkomen voor al die vrouwen – de vier maharani's, de vrouwen van Jellapore, de zusters en tantes, de jonge meisjes die voor altijd werden opgesloten, die zij nooit had gezien en die zij ook nooit zou zien. Doch die allen hadden haar wèl gezien, daarvan was zij zeker.
„U moet niet uit het oog verliezen dat zij halve wilden zijn," had mevrouw Goswami erop laten volgen. „Zij zijn niet zoals ik. Ik ben in Europa geweest. De meesten van haar kunnen niet eens lezen of schrijven. Zij denken dat zij in hun recht staan." Daarop, alsof ze door een gewichtig besluit gedreven werd, had de Bengaalse vrouw erbij gevoegd: „Zij weten het

zelfs van de ring en het collier die hij u heeft gegeven. Daar zijn zij juist zo gebelgd over."
Ze herinnerde zich dat zij verbaasd was geweest over het feit dat mevrouw Goswami wist van de ring en van het collier. Maar als de hele zenana het wist... Hoe konden zij het te weten zijn gekomen? En toch waren zij ervan op de hoogte. Zij kwamen alles te weten. Toen zij aan Jelly dacht, kon zij bijna niet geloven dat hij hier in Indië een harem vol nog half wilde, wraakzuchtige vrouwen had.
„Zij zouden bang zijn om u iets te doen," was mevrouw Goswami verder gegaan, „als u een gast was van de maharadja; maar nu zijn broer in het spel is, is het heel iets anders. De broer is meer gezien in de zenana dan de maharadja. Zij zijn jaloerser op hem – en hij is niet bij machte om de vrouwen te straffen."
„Juist," had ze geantwoord. „Ik zal er nog eens over denken." Daarop had zij mevrouw Goswami bedankt en zij waren teruggekeerd naar het paviljoen – doch zij hadden nog juist een van de bedienden tussen het groen zien wegsluipen.
Doch later, dank zij de champagne en de muziek en het dansen, was zij het onderhoud vergeten. Zonderling dat de rest van de avond als in een mist verloren was gegaan. Zij probeerde zich tevergeefs te binnen te brengen, hoe zij het feest had verlaten en hoe zij in de trein terecht was gekomen in een van de salonwagons van Jellapore, met de zilveren ornamenten en de vergulde olifanten. Zij was weer bijgekomen in de hitte met een verschrikkelijke kater, lang nadat de trein Jellapore had verlaten.
Zij kon zich niet zo ellendig voelen alleen van de champagne. Zij had er altijd voor bekendgestaan dat zij ongelooflijk veel kon drinken, zonder dat zij er hinder van had – zelfs reeds lang geleden, in het begin met Bill. Nee – men had haar iets ingegeven om van haar af te komen. Een van die donkerkleurige, rondsluipende gestalten moest het hebben gedaan,

die ervoor betaald was door de vrouwen uit de zenana. Of misschien was het de broer van de maharadja van Jellapore in eigen persoon geweest, om de zekerheid te hebben dat zij uit Jellapore was verdwenen voordat Jelly terugkwam.
Zij had bijna lust om te lachen. Carol Halma als een lastpost aan de deur gezet! Dat was het toppunt!
Vermoeid opende ze de ogen en ging luisterend overeind zitten. Het geluid van het krakende wiel kwam nu in een langzamer tempo – klik-klak, klik-klak – steeds langzamer. Ze naderden een station, goddank!
Ze nam een slok uit het hoge glas met gin en vruchtesap en voelde zich wat beter. Ja, champagne bedierf altijd de volgende dag – zo zuur, zo vol hoofdpijn.
Plotseling keek zij naar haar vingers. De ring was er nog – de schuine stralen van de ondergaande zon vielen door de diepgroen glanzende steen. Er kwam een gedachte bij haar op en ze drukte op de knop van de schel.
Onmiddellijk verscheen Krisjna.
„Ja, memsahib?"
„Is mijn juwelenkistje bij de bagage?"
„Ja, memsahib."
„Breng het dan hier."
De bediende verdween en zij ging overeind zitten; haar lange, fraaie benen schommelden over de rand van de divan. Zij opende haar tas, nam er een spiegeltje uit en bestudeerde haar gezicht. Zij zag er niet bepaald schitterend uit, maar toch beter dan zij dacht. Merkwaardig dat zij zoveel kon drinken, zonder dat haar gelaat er sporen van vertoonde. Dat had zij zeker aan haar Zweedse bloed te danken, dacht zij.
Ze kamde haar blond haar op; er zaten strepen in, gedeeltelijk van de zon en ook omdat het wat bijgewerkt moest worden. Haar lusteloosheid begon te verdwijnen en ze dacht: bij het volgende station ga ik er even uit om mijn benen wat te strekken.

De trein minderde vaart, maar buiten was nog steeds niets anders te zien dan een eindeloze vlakte van rode aarde en rotsen, met hier en daar een alleenstaande boerenwoning van rode klei.
De deur werd geopend en Krisjna kwam binnen met het juwelenkistje onder de arm. Zij nam het van hem aan en zond hem weg. Toen opende zij het kistje en trok een voor een de laatjes open. Alles was er nog in: de armbanden, de ringen, de oorbellen, de broches – een schittering van rood, groen, blauw, wit en platina. Ook het collier lag erin; de robijnen gloeiden als bloed in hun zwaar, Indisch montuur, dat ze zou laten veranderen als ze weer in Parijs terug was.
Vreemd toch, ging haar door het hoofd, terwijl zij er peinzend naar keek, dat hij mij dat alles en de ring heeft gegeven – voor niets, toen ik hem aan het verstand had gebracht dat er met mij niets te beginnen was... Tenzij er vannacht iets met me gebeurd is. Maar dat is onmogelijk – dat zou ik niet kunnen vergeten.
Zij sloot de sieraden weer weg en bleef in gedachten verzonken zitten. Misschien was het hem reeds voldoende dat hij met mooie blonde vrouwen werd gezien. Hij was niet de eerste man die haar juwelen had gegeven uitsluitend om in haar gezelschap te worden gezien, teneinde de indruk te wekken dat hij een verovering had gemaakt terwijl er niets van waar was. In Bombay was het anders met de rijke Parsees en Khoja's; die gaven haar ook juwelen, maar wilden met haar trouwen; ze wensten dat heel Bombay, heel Indië zou geloven dat zij alleen haar blondheid en schoonheid bezaten. Maar geen van hen kon zich erop beroemen.
De trein hield stil. Uit het raam kijkend, zag zij de kleine Indische huizen en de protserige regeringsgebouwen, die er hoog boven uitstaken als trotse, dikke priesters die door een nederig knielende menigte schreden. Zij opende snel een valies en nam er een rok, een blouse, een lichte mantel en een paar

schoenen uit. Zij liet de peignoir van haar schouders glijden en stond zo een ogenblik in de volle pracht van haar naakte schoonheid, voordat zij de rok en de blouse aandeed. Daarop trok zij de schoenen en de mantel aan.
Het geklik-klak van het wiel hield op en maakte plaats voor het rumoer op het perron – het gekakel en lawaai van Indië, dat nooit scheen op te houden met reizen, het woeste, hinderlijke geschreeuw van venters van suikergoed en mohammedaans of Hindoes drinkwater, het dreunen van de gong die de aankomst van de trein aankondigde, de korte gilletjes van vrouwen die familie en kennissen begroetten en over dit alles de geur van verlepte guirlandes van jasmijn en goudsbloemen, door vrienden en familie om de magere nekken van gaande en komende reizigers gehangen.
Vadzig en onverschillig keek Carol door de gazen horren voor de vensters naar dit tafereel. Een grote menigte verzamelde zich om de vorstelijke wagon. De mensen drongen ertegenaan, lieten de vingers over de vergulde olifanten en pauwen glijden, waarmee de wagon vanbuiten was versierd, en duwden hun neuzen tegen de horren om te zien, welke hoogwaardigheidsbekleder daar binnen zat. De reuk van zweet, stof en verlepte bloemen werd benauwend en begon zelfs het vorstelijke rijtuig te vervullen.
Carol schelde, doch Krisjna verscheen niet. Hij was weg – ongetwijfeld verdwenen met zijn kameraad om naar de stationschef te gaan en de klacht over te brengen over het wiel dat zo'n lawaai maakte. Zij probeerde de blinden op te halen om verlost te worden van de glurende gezichten, doch slaagde er niet in. Het enige dat zij ermee bereikte, was, dat zij een van haar mooie nageltjes brak, wat haar een verwensing ontlokte. Zij besloot een beetje op het achterbalkon te gaan staan. Juist had zij de topee in de hand die boven de divan hing, toen er een opschudding ontstond onder de mensen op het perron. Zij drongen elkaar weg en mopperden en protesteerden.

Carol kreeg toen twee kleine, pittige Mahratta politieagenten in het oog, die rechts en links met hun lathis – lange stokken – om zich heen maaiden, in hun gutturaal inlands de nieuwsgierigen tot doorlopen aanmanend. Spoedig was de plaats voor de wagon ontruimd. Carol ging rustig zitten en stak een sigaret op.
Er zat niets anders op dan bedaard te wachten. Zo gauw die verwenste trein in Bombay aankwam, zou ze naar het Taj Mahal Hotel gaan, een bad nemen en dan naar de bar beneden gaan om eens te zien wie er zoal waren. Zij voelde zich nu al veel beter; zij had haar vitaliteit teruggekregen – en tevens de onrust en het ongeduld, die haar altijd overvielen op een lange reis. Als die treinen maar niet overal zo lang stilstonden. Onder de wagon liet zich het geluid van een hamer horen. Dat waren zeker de mannen die het wiel onderzochten. Zij hoopte maar dat ze de zaak in orde konden brengen. Als dat geklik-klak aanhield tot Bombay, was het goed om er gek van te worden.

Toen de trein het station binnengleed, kwam er beweging in de man in de tweedeklas coupé. Hij keek uit het raampje en las de naam van het station: „Lepta". Daaronder stond: „Aansluiting voor Ranchipoer". De herrie en het geschreeuw en het gedrang op het perron waren niets nieuws voor hem en toen hij het een ogenblik had gadegeslagen, wendde hij zich tot de kleine jongen die in een Engels kindertijdschrift zat te bladeren en vroeg: „Heb je zin om uit te stappen en je benen los te maken, Tom?"
„Graag, vader."
De jongen, die iets ouder dan negen jaar was, liet zich van de bank glijden en zei: „Geef me acht anna's voor een paar sinaasappelen."
Zijn vader gaf hem een ropij en zei: „Pas op dat je ons niet kwijtraakt en dat je de trein niet mist."

„Nee, vast niet."
De vader was een man van ongeveer vijfendertig jaar met een breed, hoog voorhoofd, blauwe ogen en een mond die misschien zinnelijk te noemen zou zijn geweest zonder de rimpels aan de hoeken – rimpels die hun ontstaan te danken hadden aan jarenlange zelfverloochening. Toch was het geen streng gelaat of het gezicht van een asceet die iedereen op een afstand houdt. Daarvoor lag er te veel humor in de blauwe ogen – en te veel droefheid. Het was een vriendelijk gelaat en de vorm van de kin wees op karakter.
In de hitte droeg hij niets anders dan een sarong, een gewoonte die hij in Malakka had aangenomen; het hele bovenlijf was bloot. Het zag er gespierd uit, wellicht iets te mager, doch goed geproportioneerd, niet bruin, doch ivoorkleurig. Hij stak een sigaret op en keek door het raampje naar zijn zoontje. Dat stond te onderhandelen met een sinaasappelenkoopman. Het ging hem goed af. De koopman snauwde iets in het Hindostani en deed alsof hij wegliep. De jongen bleef bedaard staan en wachtte. Na twee of drie stappen te hebben gedaan kwam de koopman terug. Daarop zei de jongen iets in het Hindostani, waarop de koopman met de armen in de lucht zwaaide en de vorige pantomime herhaalde.
Doch de jongen hield voet bij stuk – en ditmaal gaf de koopman zich gewonnen. Hij gaf hem tien sinaasappelen en nam het geldstuk in betaling. De jongen kon hem onmogelijk de hele ropij hebben gegeven, want de ander zou niet hebben kunnen wisselen; en op een station in Deccan konden tien sinaasappelen nooit een ropij kosten.
De vader zat het schouwspel glimlachend gade te slaan. Zijn zoon was niet voor niets in het Oosten geboren en getogen. Hij wist goed af te dingen. Misschien zou hem dat later in het Westen ook nog te pas komen, hoewel het loven en bieden daar anders toeging – geraffineerder, niet zo natuurlijk en min of meer humoristisch als in het Oosten.

De man dacht: Ik heb hem nog maar zesendertig uur bij me; dan zie ik hem in geen vijf jaar meer. Die gedachte bezorgde hem een onaangenaam gevoel. Zonder er verder bij te denken, wendde hij zich tot de kleine Indische jongen met de doek voor de ogen, die met gekruiste benen op de bank tegenover hem zat.
„Wil je ook wat met Tom op het perron heen en weer lopen?" vroeg de man in het Hindostani.
De jongen wendde het hoofd om in de richting van de stem. „Nee, sahib Buck. Ik kan immers toch niets zien."
„Tom is sinaasappelen gaan kopen. Wil je er ook een hebben?"
„Graag, sahib Buck." De jongen boog plotseling luisterend het hoofd naar voren.
Merrill sloeg hem gade. Hij dacht: De jongen heeft nooit geluk gehad in zijn leven. Hij was de zoon van de weduwe van een mahout (olifantdrijver) en opgegroeid in de sloppen van Jellapore City in de nabijheid van de olifantsstallen.
Merrill had hem van de missionarissen weten af te houden; de jongen had bij het christendom niets te winnen, geen enkele mohammedaan had er ooit iets bij gewonnen. Met een Hindoe was het anders. Bekering kon hem sociaal en economisch vooruithelpen, behalve geestelijk.
Hij had een massa dingen hier in de dorpen van Indië moeten afleren; je kende Indië niet tenzij je de dorpen kende. Daar zag je het ware leven. . .
Opeens zei de Indische jongen: „Vreemd hè, sahib, dat je met je oren kunt zien."
„Ja, hè?" zei Merrill, die geen oog van hem afhield.
„Ja – ik kan alles zien op het perron, alleen door te luisteren naar de geluiden." Merrill antwoordde niet, waarop de jongen vroeg: „Denkt u dat ik ooit weer zal kunnen zien?"
„Dat denk ik wel, Ali. De dokter-sahib in Bombay is een beroemd man. Gelukkig dat hij hier is. Hij is van heel ver weg over het grote water gekomen."

De jongen bewoog het hoofd van de ene kant naar de andere. „Ik zou zo graag willen zien, omdat ik een mahout wil worden. Ik wil de grote olifant Akbar van de maharadja drijven. Hindoes hebben er geen verstand van om met olifanten om te gaan. Daarom zijn alle goede mahouts mohammedanen."
De deur van de coupé ging open en Merrills zoon kwam binnen. „Ik heb tien sinaasappelen gehad voor vier anna's," zei hij.
„Geef er Ali een paar," sprak zijn vader.
De Amerikaanse jongen stopte de blinde Indische jongen twee vruchten in de handen. „Kun je ze schillen?" vroeg hij.
„Ja," antwoordde Ali.
„Ik zal je een briefje schrijven, als ik in Amerika ben," beloofde Tom. „Ik zal wel aan vader schrijven, dan kan die het je voorlezen. Dat zal me wat zijn."
Zonderling, dacht Merrill. Ik vraag me af hoe zijn eigen land hem zal bevallen. En toen kreeg hij weer dat weeë gevoel in de maagstreek. Het zou hem wat kosten om de jongen vijf jaar lang niet te zien – vijf jaar, van zijn negende tot zijn veertiende.
Hij keek op zijn horloge en zag dat de trein al meer dan een half uur aan het station had stilgestaan. Hij leunde uit het raampje en zag dat de menigte op het perron zich zo onnatuurlijk stilhield dat er ongetwijfeld iets buitengewoons moest zijn gebeurd.
„Wat een ellende! Wat een ongeluk! Er is niets aan te doen, memsahib," sprak een stem in het Hindostani. Hij meende vaag de stem te herkennen. Dat was zeker de stem van Krisjna, de chef-bediende, dacht hij. Daarop zei een vrouwenstem iets – zeker die opgedirkte vrouw – en vervolgens klonk de zangerige stem van de stationschef: „De as is gebarsten, mylady. Het is nog gevaarlijker voor u dan voor de andere reizigers."
Goede hemel, dacht Merrill, dus met andere woorden: ze zal in deze wagon komen zitten. Hij was niets op zijn gemak. Wat

moest hij tegen haar zeggen? Hij had nooit omgang gehad met een vrouw van haar slag. In de bijbelse zin had hij nooit een andere vrouw gekend dan zijn overleden vrouw.
De stemmen buiten gingen voort met het debat, doch hij hoorde het niet eens. Hij was door een panische schrik bevangen. Hij trok een goedkoop wit zijden hemd aan, legde de sarong af en deed een korte witte pantalon, sokken en schoenen aan, geheel in de war gebracht bij de gedachte dat die vrouw misschien in de coupé zou komen en hen allen half naakt zou aantreffen.
Zijn zoon zag op van de sinaasappel die hij aan het pellen was, en vroeg: „Waarom trek je je kleren aan, vader?"
„Omdat er straks misschien een dame bij ons in de coupé komt."
„O – die mooie dame die in de wagon van de maharadja zit?"
„Ja."
„O," antwoordde de jongen, waarop hij zich weer verdiepte in het verdelen van zijn sinaasappel in nette partjes.
Er bleef haar niets anders over – dat begreep zij wel. Zij kon niet verder reizen in een wagon met een gebroken as.
„En waar moet ik dan blijven?" vroeg zij aan de onderdanige stationschef.
„Er zijn twee rijtuigen voor vrouwen in de trein, mylady."
„Vrij?"
„Nee. In het ene rijtuig zitten twee dames en in het andere drie."
Daar was geen sprake van. Zij kon de rest van de reis naar Bombay niet maken in een heet, benauwd rijtuig in gezelschap van een paar vrouwen die nog nooit buiten een harem waren geweest. Zij zouden haar maar zitten aanstaren met hun grote, zwarte ogen en in de coupé zou het smoorheet en bedompt zijn en het zou er naar muskus stinken.
Een gevoel van wanhoop maakte zich van haar meester. Zo ging het nu altijd in Indië; zodra je je behaaglijk en prettig voelde, kwam er wat onaangenaams tussen – haremvrouwen,

of een kapotte trein, of cholera... Wat had haar toch bewogen om naar Indië terug te gaan? Als je weer in het Westen was, leek het alles zo prachtig en romantisch, maar zodra je er middenin zat, verdwenen je dromen onder een berg vervelende dingen. Het was een verwenst land!
„Krisjna," beval zij, „haal al de bagage uit het rijtuig en zet ze hier neer en ga dan... Nu ja, het komt er niet op aan. Haal de bagage maar hier."
„Goed, memsahib."
Zij had hem eerst willen opdragen de vreemde man in de tweede klas te vragen of hij er iets op tegen had zijn coupé tot Bombay met haar te delen, maar toen had zij zich bedacht. Hij zou Krisjna misschien niet toelaten, maar haar onder de gegeven omstandigheden zeker. Eén ding was er dat haar moed gaf: zij had die morgen de medereiziger gezien, juist toen ze wakker werd. Zij had een blanke man opgemerkt met een sarong en een jasje aan, die met de stationschef stond te praten.
Zij wist niet hoe hij eruitzag; ze was te slaperig geweest en had zich te katterig gevoeld om hem op te nemen. Het enige dat zij wist, was dat hij niet een of andere Engelse ambtenaar kon zijn, want dan zou hij een smetteloos wit kostuum hebben aangehad en een topee hebben gedragen. Van officieel Brits standpunt beschouwd moest de man niet goed bij het hoofd zijn om zich toe te takelen zoals hij deed, hoewel het zeer verstandig was met het oog op de hitte. En zij had altijd min of meer een voorliefde gehad voor mensen die niet goed bij het hoofd waren.
„Hoe lang duurt het nog voordat we verder kunnen?" vroeg zij aan de stationschef.
„Een half uur, mylady. We moeten het rijtuig hier afhaken."
Zij keek geërgerd. Zij wilde om acht uur in Bombay zijn om een bad te nemen en zich te verkleden. Daarna zou ze dan naar beneden gaan in de bar van het Taj Mahal Hotel en

informeren op welke dagen er rennen waren en al de draden weer opnemen van haar gecompliceerd, onwerkelijk bestaan, waar zij ze had laten vallen toen zij naar Jellapore ging. En nu zouden zij er niet voor negen uur of half tien zijn. Zij zou het cocktailuurtje mislopen.

„Dat vervloekte Indië!" zei zij hardop, terwijl ze haar tas, haar witte hoed en haar handschoenen opnam. Zich tot Krisjna wendend, sprak zij: „Vergeet niet om de gin en de citroenen mee te nemen."

„Nee, memsahib."

Daarop begaf zij zich naar de tweedeklas wagon.

Toen zij zich op het balkon van het rijtuig vertoonde, ging er een luid gemompel op uit de menigte, die door de agenten met hun stokken in bedwang werd gehouden. Voor hen was het zien van deze lange, blonde vrouw meer waard dan een circus voor de bevolking van een klein westers stadje. Op dit kleine station had men al vaak Europese vrouwen gezien, maar die hadden bijna nooit iets bijzonders aan, zagen er oud en verlept uit en bezaten geen sprankje jeugd, schoonheid en vitaliteit.

Doch deze verschijning op het balkon was goud en roze en wit, en bezat een heerlijke gestalte. Zij bewoog zich met gratie en ongedwongenheid, ongeveer zoals een godin in mensengedaante, met de langzame, afgemeten tred die zij jaren geleden had ingestudeerd op de planken van het New Amsterdam Theatre. Zij was als Freya, zich eensklaps vertonend aan de ogen van de volgelingen van Siwa en de boosaardige Kali. Ofschoon het slechts een min of meer landerige en katterige Freya was, bereikte zij toch een geweldig succes met haar blonde haar en haar sensuele lichaam.

Toen zij op het tweedeklas rijtuig toeliep, drong de menigte zo op dat haar de weg werd versperd en de kleine donkere agenten ruimte voor haar moesten maken met hun stokken. Zij slaagde erin het trapje van de wagon te bereiken. Zij was minder uit haar evenwicht gebracht dan men zou hebben kunnen menen, want zij was aan dergelijk huldebetoon gewend. Waar zij zich te voet vertoonde, op de markt of in de bazaars, werd zij gevolgd door een menigte mensen, als waren het insekten die aangetrokken werden door het licht.

In de coupé had Merrill zijn best gedaan de boel op te ruimen. Ondanks de afmattende hitte voelde hij zijn oude energie plotseling terugkeren. De onverschilligheid, het gevolg van herhaalde aanvallen van malaria, was eensklaps van hem afgevallen. Voor een deel was dit toe te schrijven aan zijn goede manieren, want hij had zijn opvoeding genoten in het gezin van een dominee in een klein stadje in het noordelijke deel van New York; en zijn instinct zei hem dat alles er netjes moest uitzien. Doch ook een andere factor sprak nog een woordje mee: de wetenschap dat de vrouw, die verder zou reizen in zijn gezelschap, behoorde tot een andere wereld dan de zijne – een wereld van luxe en bandeloosheid.
Want hij had reeds over deze vrouw horen spreken. Hij wist evengoed als al de zes miljoen inwoners van de staat Jellapore van haar aanwezigheid in Jellapore City af. De officieren, de zenana, de Indische edelen, de rijke kooplieden, de zendelingen waren ervan op de hoogte – doch dat was eveneens het geval met de arme koelies en de paria's en hun aanhang. Zelfs de inboorlingen in de wildernis, die zich zelden lieten zien en niet te vertrouwen waren, hadden bij geruchte gehoord van de blonde godin die bij de broeder van de maharadja verblijf hield.
En nu drong deze bijna legendarische vrouw, die Merrill niet had verwacht ooit te zullen zien, onverwachts zijn leven binnen. In zekere zin en zonder dat hij zich daarvan bewust was, trof hij maatregelen om haar te ontvangen als een godin.
Haar komst werd aangekondigd door een beweging onder de menigte op het perron, onderbroken door de kreten van de

agenten. Daarop volgde een stilte, terwijl Merrill haastig een paar ananassen onder de bank schopte; en toen hij omzag, stond zij aan de deur van de coupé.
Zij hield een juwelenkistje in de hand en zei: „Neem mij niet kwalijk dat ik hier zo maar binnenkom, maar mijn wagon is defect en ik kan nergens anders heen."
Tommy gaapte haar met open mond aan en Ali keerde het hoofd om in de richting van haar stem.
„Kom binnen," sprak Merrill. „Ik heb het rumoer buiten gehoord en vermoedde wel dat u hierheen zou komen. Kom binnen en maak het u gemakkelijk. U kunt het beste op deze bank komen zitten. De jongens zitten aan de overkant en jongens van die leeftijd maken altijd wat rommel."
Zij ging bijna bedeesd op de hoek van de bank zitten met het juwelenkistje onhandig in haar schoot. Merrill had niet alleen oog voor haar beschroomdheid, doch ook voor de heerlijke lijnen van haar lichaam, die nu eens verdwenen, dan weer zich aftekenden onder de witte zijde.
„Ik kon heus niet in een van die vrouwencoupés gaan zitten. U weet hoe het daar is."
„Ja, dat weet ik wel."
De trein zette zich plotseling schokkend in beweging. Zij sprong verschrikt op.
„De trein gaat toch nog niet weg? Mijn bagage is nog in de andere wagon."
„Nee. Ze haken die andere wagon af, meer niet. U hebt toch wel een bediende?"
„O ja. Twee zelfs."
De trein stond met een schok weer stil.
„Ik zal voor alle zekerheid wel even kijken."
„Dat is heel vriendelijk van u."
Hij ging op het balkon staan en leunde iets voorover. Hij zag dat de hele trein een paar honderd meter achteruit was gereden tot aan een wissel. Op het perron zag hij een van de

vorstelijke bedienden van het hof van Jellapore staan, naast een enorme stapel bagage.
Dat kan toch niet allemaal van haar zijn? dacht Merrill. Hij besloot bij het portier te blijven staan tot alles in orde was. Hij voelde geen lust om weer bij haar naar binnen te gaan. Hij wist zelf niet goed waarom, doch hij gaf er de voorkeur aan zolang mogelijk buiten te blijven.
In de coupé zat Tommy de dame maar aan te kijken. Eindelijk vroeg hij: „Wat hebt u in die doos?"
„O, een heleboel mooie dingen," antwoordde zij. „Wil je ze zien?"
„Ja," antwoordde Tommy die naast haar kwam staan, „laat eens kijken." Zij opende het juwelenkistje, trok al de laatjes open en legde de schitterende sieraden naast zich op de bank – het collier, de armbanden, de broches en de oorbellen. Beiden – de revuegirl en de kleine jongen – bekeken ze aandachtig. In hun beider ogen stond hetzelfde te lezen: de bewondering van de armen voor het mysterie van die kleine dingen, die zo prachtig waren en zulk een grote waarde vertegenwoordigden.
„Mooi, vind je niet?" vroeg Carol.
De jongen keek haar met schitterende ogen aan.
„Mag ik ze in mijn handen nemen?"
„Zeker."
Hij nam een paar sieraden op.
„Gos – die zijn net zo mooi als die van de maharadja! Wat zijn dat?"
„Smaragden," antwoordde Carol. „En dit zijn diamanten en het collier is van robijnen gemaakt."
„Mag Ali ze ook eens in zijn handen nemen?"
„Zeker."
Zij sloeg de kleine Amerikaanse jongen gade, terwijl hij de stenen aan de blinde jongen toereikte. Zij zag, hoe de lange, smalle vingers over de stenen gleden en ze een voor een liefkoosden. De beide jongens, de zoon van de mohammedaanse

mahout en de zoon van de zendeling, babbelden samen in het Hindostani.
Daarop wendde de Amerikaanse jongen het hoofd naar haar om en vroeg: „Ali wil weten of u een koningin bent."
Zij begon te lachen. „Neen niet zo'n koningin als hij bedoelt tenminste. Er zijn heel wat dames in Amerika die zulke juwelen hebben."
De grote blauwe ogen van de Amerikaanse jongen drukten nog steeds zijn bewondering uit. „Ze zijn prachtig," zei hij.
„Ben je weleens in Amerika geweest?" vroeg zij.
„Nee, maar ik ga er nu heen, naar school. Over een paar dagen vaar ik weg op een heel groot schip met mijnheer Snodgrass, het hoofd van de zending in Jellapore. Ik ga naar Minnesota, naar mijn oom. Bent u weleens in Minnesota geweest?"
Zij lachte. „Natuurlijk, zeker. Ik ben er geboren."
„Was uw vader ook zendeling?"
„Nee; hij had een boerderij."
„Dat moet wel leuk zijn om in Amerika op een boerderij te wonen. Ik heb er weleens een boek over gelezen. Dat is heel anders dan een boerderij in Indië, niet?"
„O ja."
„Leuk moet dat wezen. Ik wou dat mijn oom ook een boerderij had. Hij woont in een stad. Minni. . ."
Hij kon er niet uit komen, zodat zij hem hielp: „Minneapolis. Dat is een Indiaanse naam."
„Van de roodhuiden?"
„Ja."
„Daar heb ik ook over gelezen in een boek. Zijn er cowboys in Minnesota?"
„Ik vrees van niet. Maar misschien neemt je oom je weleens mee naar het westen om ze te zien."
„Nou, ik zou wat graag een cowboy willen wezen."
De donkerbruine vingers van de Indische jongen bleven nog steeds de edelstenen liefkozen. Het was alsof zijn handen de

plaats van zijn ogen innamen, alsof zijn ziel zich concentreerde in de toppen van zijn dunne vingers. Carol dacht plotseling: Voor oosterlingen moeten juwelen heel iets anders zijn dan voor ons. Voor ons zijn het niets anders dan dingen die je aandoet en die je laat bewonderen en die je moet verzekeren.
Voor de vingers van die kleine blinde jongen schijnen die stenen te leven en een ziel te hebben. Hij aaide en streelde ze, zoals andere kinderen een jong poesje zouden aanhalen. Daarop zei hij iets tot de andere jongen en Tommy vroeg: „Ali wil weten of u de dochter van een koningin bent."
„Welnee; mijn moeder is afkomstig uit Zweden."
„Is dat een mooi land?"
„Dat weet ik niet; ik ben er nooit geweest."
Weer zei de blinde jongen iets en opnieuw wendde de zoon van de zendeling zich tot haar. Hij aarzelde echter. „Ali is niet erg beleefd," zei hij.
„Wat heeft hij je dan gevraagd?" En toen Tommy bleef weifelen, liet zij erop volgen: „Wees maar niet bang; zeg het maar."
„Hij vroeg of u ze gestolen had." Hij voegde er snel bij: „Daar moet u zich niets van aantrekken. Indiërs zijn anders dan wij, ziet u."
Ze moest lachen. „O nee, hoor, het is niet erg. Zie je, ik heb een rijke man gehad en die heeft me juwelen gegeven en de rest heb ik van vrienden gekregen."
„Waar is uw man nu?"
„We zijn gescheiden."
„Wat is dat?"
„Dat betekent dat we niet meer van elkaar houden en daarom zijn we niet meer getrouwd."
„O." De jongen dacht even na. Toen vroeg hij: „Kan dat in Amerika?"
„Ja zeker. Dat gebeurt vaak genoeg."

Hij dacht opnieuw na. Tenslotte zei hij: „Dat is misschien nog niet zo'n kwaad denkbeeld."
De opmerking wekte haar belangstelling. Zij vroeg: „Waarom zeg je dat?"
„O, dat weet ik niet. Ik dacht het zo maar."
Hier werd hun gesprek onderbroken door een stem die zei: „Geef die dingen terug, Tommy, voordat ze wegraken. En je mag niet zo van alles vragen."
Carol draaide het hoofd om en zag de vader van de jongen bij de deur staan. Hoelang hij daar had gestaan, wist zij niet; doch zij vroeg zich af hoeveel hij van het gesprek had gehoord – en plotseling begon zij te blozen. Zij wist zelf niet waarom zij bloosde; of het moest dan zijn om hetgeen zij tegen de kleine jongen had gezegd, schoot haar eensklaps te binnen, want dat moest een volwassen man anders in de oren klinken, zelfs al was hij zendeling.
De vader zei glimlachend: „U moet het Tommy maar niet kwalijk nemen. In zeker opzicht is hij nog een halve wilde. Hij is grootgebracht onder de inlandse kinderen en in de olifantsstallen." Thans merkte zij de blauwe kleur van zijn ogen op en de vermoeide trekken om zijn mond.
Plotseling drong het tot haar door dat hij knap was. En nog veel meer en veel beter dan dat: hij was sympathiek, een man om van te houden. Haar hele leven had zij zich door haar instincten laten leiden. Zij voelde zich tot deze man aangetrokken, omdat haar instinct haar zei dat hij bijzondere eigenschappen bezat. In haar onverschillige gedachtengang bedeelde zij eenvoud en goedheid met het etiket „wel geschikt".
Tommy nam Ali de juwelen af en gaf ze haar terug. Zij sloot ze haastig weg. Zij gehoorzaamde aan een plotselinge impuls – zij moest de stenen opbergen en uit het gezicht zetten. Omdat zij zich schaamde. Waarom wist zij zelf niet, maar het hield verband met de buitengewone reinheid van de blauwe ogen van de man.

Met de ogen op het juwelenkistje gericht zei zij: „Ik dacht dat het wel aardig zou zijn voor de kinderen."
De man glimlachte: „Aardig duur speelgoed."
Zij keek hem aan om te zien of het een steek onder water was, maar dat was niet zo. Zij kon aan zijn gezicht zien dat zijn opmerking onschuldig bedoeld was. Het drong tot haar door dat er iets onschuldigs van hem uitging.
Er was iets in hem dat haar een zekere onrust gaf. Zij dacht: De rest van de reis is voor me vergald. Die verwenste as!
Toen hoorde zij Krisjna's stem en zag dat hij in zijn opzichtige livrei aan de ingang van de coupé stond. Hij vroeg: „Is er iets dat ik voor de memsahib kan doen?"
Zij voelde zich opeens geprikkeld om de ander te ergeren en hoorde zichzelf zeggen: „Maak een gin sling voor me klaar."
Daarop wendde zij zich tot de man: „Wilt u ook niet iets gebruiken?"
Hij wendde zich tot Krisjna.
„Heb je gin met wat sodawater?"
„Jawel, sahib Merrill," antwoordde de bediende, waarop hij zich verwijderde.
„Kent u Krisjna?" vroeg zij.
„Ja; ik ken bijna iedereen in Jellapore," antwoordde hij met een grijns.
Ook dit antwoord bezorgde haar een onaangenaam gevoel. Nu wilde zij wel dat zij in de vrouwencoupé was gestapt; doch het was te laat om dat thans nog te doen, want de trein was al onderweg naar Bombay.
De hitte was een weinig minder drukkend. Krisjna bracht het bestelde en Carol dronk haar glas gulzig leeg. De jongen zat haar met grote, nieuwsgierige ogen aan te kijken. Zij dacht: Dat is heel wat anders dan het feest van gisternacht! Ik, in één coupé met een zendeling.
Zij bestelde nog een gin sling om die zendeling goed aan het verstand te brengen met welk soort gezelschap hij reisde.

Doch bijna onmiddellijk daarna, toen zij zich omkeerde en in de eerlijke blauwe ogen keek, liet zij erop volgen: „Het is de hele dag zo ontzettend heet geweest, dat ik bijna niet kan ophouden met drinken."

Minuut na minuut, uur na uur daalde de trein af van de rode hoogvlakte van Deccan, alleen hier en daar stoppend aan rumoerige stations. In de tweeklaswagon zaten de vier passagiers te praten of dommelden.
Tenslotte ging de blinde zoon van de mahout op zijn zij liggen, trok de knieën op en viel in slaap; even later strekte de Amerikaanse jongen zich naast hem uit en sliep eveneens in. Buiten verdwenen de laatste stralen van de zon, alsof er plotseling een gordijn voor was geschoven, zodat de man en de vrouw als het ware alleen in de coupé zaten. De vrouw was reeds min of meer beneveld en de man voelde zich afgemat, verward en niet op zijn gemak. De eenzaamheid drukte op beiden. Ondanks de uitwerking van de drank werd de vrouw zich ervan bewust. Voor de man was het pijnlijk.
„U moest wat meer drinken," zei zij eensklaps. „Dat zou u opmonteren."
„Ik kan niet tegen drinken. Ik ben erg ziek geweest. Een beetje gin en sodawater is goed tegen de malaria." Hij glimlachte. „Maar ik moet ook om mijn lever denken. De lever kan het je lastig genoeg maken. Ik zit gevangen tussen de lever en de malaria."
„Ik heb zeker geen lever. Ik heb er nooit wat van gemerkt." Zij vervolgde met dronkemansspraakzaamheid: „Ik wil niet onbescheiden zijn, maar welke ziekte hebt u gehad?"
„Och – het gewone doen. Malaria, lever, zenuwen – de gewone Indische kwaal."
Er was nog heel wat meer, doch dat vertelde hij haar niet. Daar kon hij met niemand over spreken, omdat hij, als hij maar even dacht aan het jaar dat achter hem lag, zich ramp-

zalig voelde en een gevoel kreeg of hij zou stikken door een brok in zijn keel dat hem belette adem te halen. Het was zonderling dat hij er maar niet in kon slagen zijn zenuwen de baas te blijven, hoeveel moeite hij daarvoor ook deed. Het was alsof elke zenuw een elektrische draad was, waar plotseling een stroom door ging; hij kon de zenuwen voelen in zijn benen, zijn armen, zijn buik, in zijn borstspieren.
„Vermoedelijk ben ik nooit lang genoeg in Indië gebleven," merkte zij op. „Maar ik weet wat het zeggen wil, als de zenuwen je hier te pakken krijgen. Ik heb er ook een tik van beet gehad in Jellapore. Ben net op tijd weggegaan, geloof ik."
„Bent u vroeger ook al in Indië geweest?"
„Ja, ik ben hier geweest op mijn huwelijksreis."
„Is uw echtgenoot deze reis ook met u meegekomen?"
Merrill hoopte dat zij een man had. Dat zou hem meer op zijn gemak stellen. Zij was niet onaardig, maar hij vond het onplezierig zich haar te moeten voorstellen als een vrouw die in haar eentje op stap ging om bezoeken af te steken bij maharadja's en meer dingen van die aard.
In zijn binnenste voelde hij dat dit niets anders kon betekenen dan datgene, wat hij niet wilde geloven.
„Nee – dat niet." De drank maakte dat het haar niets meer kon schelen; en zij dacht: Wat duivel – zelfs al is hij een zendeling. . . daar zal hij niet van doodgaan. Hardop zei zij: „Ik ben gescheiden, ziet u?" Zijn gelaat bleef onbewogen. „Eigenlijk kon je het bijna geen huwelijk noemen, ziet u. Ik was erg jong en hij ook. Veel verstand bezat hij niet en zijn familie was er erg op tegen. We hebben geen van beiden geprobeerd het ernstig op te vatten."
„Juist," sprak Merrill ernstig. „Dat gebeurt wel meer."
Het vroegere gevoel van berouw overviel haar opnieuw. Zij riep Krisjna en bestelde nog een gin sling.
„Gelooft u dat het goed is, er nog een te nemen?" vroeg de man.

Een ogenblik voelde zij haar toorn opkomen. Daarop zei zij: „Maak je over mij maar niet ongerust. Ik doe het al jaren. Ik ben een Zweedse en ik weet hoeveel ik verdragen kan."
De man gaf geen antwoord. Krisjna bracht de drank met een uitdrukkingsloos gezicht.
„Je kunt toch niets aan me zien, Krisjna, is het wel?" vroeg zij.
„Nee, memsahib."
„Op je gezondheid. Jammer dat je niet meedoet."
Carol was weer uitgelaten. Haar hoofdpijn was verdwenen, evenals de neerslachtigheid die haar altijd overviel op het ogenblik dat zij ophield met drinken – en daarmee al de angst die haar somtijds beving: de angst om haar jeugd en haar schoonheid te zien verdwijnen; en bovenal de angst om geheel ten onder te gaan. Het was haar alsof zij in een woestijn of in een woud ronddoolde, zonder te weten vanwaar zij kwam of waarheen zij ging of wat zij daar deed. Het was een beangstigend gevoel.
Zij raakte langzamerhand onder de invloed. Overmoedig en zonder zich iets van zijn aanwezigheid aan te trekken, begon zij de lichte zijden blouse los te maken; het liet haar blijkbaar koud dat zij in het halfduister haar lichaam ontblootte. Het blonde haar zat in de war en haar wangen gloeiden; doch in plaats dat dit haar schoonheid afbreuk deed, maakte zij veeleer de indruk van een onstuimige, bekoorlijke bacchante.
Brutaal vroeg zij: „Hoe voelt iemand zich als zendeling?"
„Ik ben eigenlijk geen zendeling in de gewone zin van het woord; ik reis de dorpen rond."
„Waarvoor?"
„Wel, ik bezoek de landbouwers en de dorpelingen om hun te vertellen hoe ze het best hun oogst kunnen verkopen en hoe ze betere kippen kunnen fokken en beter vee, wat ze moeten eten en hoe ze ziekten kunnen vermijden."
„En nemen ze je dat niet kwalijk, dat je je met hun zaken bemoeit?"

„De brahmanen soms wel, maar de dorpelingen niet. Die zijn blij dat ze iemand hebben die hen helpt. Vijfduizend jaar lang is er maar zelden iemand geweest die notitie van hen heeft genomen – behalve om de belasting te innen."
„En probeer je dan om ze te bekeren of met ze over God te praten en zo?"
„Nee; ik bepaal me tot het praktische leven."
„Krijg je daar veel geld voor?"
„Nee; juist genoeg om er het leven bij te houden."
„Nu, ik moet zeggen dat ik het nogal gek vind om daar zin in te hebben."
„Dat kan best zijn – maar ik doe het graag."
Zij nam haar glas op en ledigde het tot de bodem.
„Och, ik zeg altijd maar: dat is het enige waar het op aankomt – dat je plezier in je werk hebt."
Daarop viel er een lastige stilte tussen de beide mensen, alsof elk van hen alle hulpkrachten in het geweer had geroepen en zich in een hoek had verschanst, vanwaar zij elkaar wantrouwend en op hun qui vive gadesloegen. En hij had altijd last van die zenuwen en nu nog de bijkomstige zenuwachtigheid, omdat hij niet wist hoe hij met vrouwen als zij moest omgaan. Hoe meer ze dronk, hoe meer ze veranderde en hoe onplezieriger hij dat vond.
Merrill had de ogen gesloten. De langdurige zonnegloed had weer die pijn boven in zijn hoofd wakker geroepen. Met zijn gesloten ogen kon hij haar niet tegenover zich op de bank zien liggen tegen die kussens. En toch, hoewel hij zijn ogen dicht hield, bewaarden zij haar beeld – de slechts ten halve door de dunne witte zijde verhulde gestalte, het wanordelijke blonde haar dat verward en in krullen boven haar vriendelijk gezicht en blauwe ogen hing.
Hij hoorde haar op vragende toon zeggen: „Ben je moe?"
„Ja."
„Is er misschien iets dat ik voor je kan doen?" Toen hij de

ogen opsloeg, zag hij haar van de bank opstaan. „Ga hier maar liggen. Dan zal ik wel in de stoel gaan zitten. Ik ben weer helemaal fit. Het was schandelijk van me hier eenvoudig binnen te stappen en je plaats in te nemen."
„O nee. Ik voel me best."
Ondanks haar beneveldheid merkte zij op, hoe bleek hij werd, hoe slecht hij eruitzag.
„Stel je nu niet zo dwaas aan," zei ze. „Sta op en ga hier op de bank liggen."
„Nee, ik mankeer niets. Het is alleen maar wat hoofdpijn."
Zij stond nu naast hem en boog zich over hem heen. Zij hield aan, zoals dronken mensen dat kunnen doen.
„Ik geloof dat ik hem om heb. Maar luister nu naar me. Ga daar liggen."
„Nee."
„Nu, dan blijf ik hier in de hoek staan, tot je doet wat ik zeg. En dat meen ik, hoor – helemaal tot Bombay toe. Doe wat ik je zeg."
De pijn werd heviger. Zij scheen zich uit te breiden, achter tegen zijn ogen en tegen zijn schedelbasis te drukken. Hij gaf haar geen antwoord, omdat die inspanning hem zelfs te veel was. Zij probeerde hem overeind te helpen; merkwaardig dat ze zo sterk was.
„Kom," zei zij. „Geef een beetje mee."
Toen eerst gehoorzaamde hij, half omdat hij te veel pijn had om te blijven tegenstreven en half omdat het hem goed deed dat er iemand was die met hem te doen had. Dat was iets dat hij van geen enkele vrouw meer had ondervonden sedert zijn moeder was gestorven toen hij tien jaar oud was.
Op haar steunend slaagde hij erin de bank te bereiken.
„Over een poosje gaat het wel over," zei hij zwakjes. „Het duurt nooit lang."
„En wat doe je ertegen?"
„Niets. Er is niets tegen te doen."

Zijn gezicht vertrok van pijn.
Zij liet hem los en opende de deur aan het eind van de wagon.
„Krisjna!"
„Ja, memsahib?"
„Maak een gimlet klaar; gin en citroensap – ik kan geen water meer verdragen."
Daarop keerde ze weer terug naar de bank, waarop Merrill uitgestrekt lag, het hoofd tegen het harde kussen gedrukt dat aan het ene einde lag. Zijn hele lichaam was verstijfd van de pijn. Hij riep al zijn krachten te hulp om zijn kruin tegen het harde kussen te drukken. Dit was het enige dat hem verlichting scheen te brengen.
Even bleef ze naar hem kijken, een beetje geschrokken; ze had nooit ziekte of pijn gekend, en het zien van zoveel geconcentreerde kwelling bracht haar in de war.
Er moet toch iets aan gedaan kunnen worden, dacht ze en vroeg toen: „Heb je geen enkel middeltje? Heb je niets dat wat helpen kan?"
„Nee."
„Dat is dom." Misschien vond hij dat men zulke dingen niet moest gebruiken, zulke mensen waren er wel.
Toen, alsof ze het niet langer kon aanzien, ging ze op de rand van de bank zitten, stak schroomvallig de hand uit en begon langzaam maar stevig zijn hals te masseren. Zij deed het werktuiglijk, doch in haar herinnering kwam het beeld op van haar moeder, die hetzelfde bij haar vader had gedaan, kort voordat hij stierf. Hij was gestorven aan een hersengezwel en de aanraking van de hand van haar moeder, die hem over het hoofd streek, was het enige geweest dat hem een gevoel van verlichting gaf.
Carol had de revue verlaten en was naar Minnesota teruggekeerd om aanwezig te zijn toen haar vader onder ontzettende pijnen stierf en nu zat zij hier in een spoorwagon, onderweg naar Bombay, en zag weer in haar herinnering de slaapkamer

in Minnesota, met de lompe meubelen en de petroleumlamp naast het tweepersoonsbed en de Zweedse bijbelteksten met gedroogde bloemen eromheen, die tegen de muur hingen. Wat zou deze man hebben? Zou hij dezelfde dood sterven als haar vader? Maar daar was hij toch te jong en te goed en te knap voor.
Krisjna bracht de gimlet – een groot glas vol gin met citroensap en suiker, zonder water. Zij dronk het in één teug leeg en dadelijk voelde zij een soort tederheid in zich opkomen voor de man die pijn leed. Het strijken over zijn hoofd scheen hem goed te doen. De gespierde gestalte, even tevoren nog zo stijf als een strakgespannen koord, begon zich langzaam te ontspannen.
„Gaat het beter?" vroeg zij.
„Ja – veel beter."
De trein stopte opnieuw. De stationschef sloeg op een stuk rail – een doordringend metalig geluid. De menigte schreeuwde en joelde. Op het horen van dit lawaai verstijfde het lichaam van de zieke opnieuw door de pijn die het in zijn brein hamerende geluid veroorzaakte.

Toen zij nog slechts een paar uur van Bombay verwijderd waren, verdween de pijn geheel en al. Hij kwam overeind, bleek en bevend, het gelaat vochtig van transpiratie. Hij zag Carol aan en glimlachte.
„Het spijt me wel," zei hij. „Ik moet u heel wat last hebben veroorzaakt."
„In het geheel niet. Ik hoop dat je geen last hebt gehad van mijn behandeling."
„Integendeel – het heeft mij goed gedaan. Ik ben u buitengewoon erkentelijk. De pijn gaat altijd zo ineens weg."
„Het enige wat je nu nodig hebt, is een borrel, Krisjna!"
Zij klapte in de handen; bij dit geluid bewoog de blinde jongen op de bank zich in zijn slaap.

Krisjna kwam binnen en ging weer heen om de drank klaar te maken.
Toen vroeg ze: „Zal die jongen altijd blind blijven?"
De man keek haar aan en liet toen de blik op de jongen rusten. Een zonderlinge tederheid trok over zijn gelaat, een blik die ze nooit op de gezichten had gezien van de mannen die ze kende.
„Ik vrees van wel," antwoordde hij. „Ik neem hem mee naar Bombay voor een operatie. Er is een chirurg – een zeer beroemd chirurg – die gedurende enkele weken in Bombay vertoeft. Hij brengt een bezoek aan iemand die ik goed ken – een Indiër. Het is werkelijk een zeldzaam toeval. Ik ben op weg om mijn eigen jongen naar de boot te brengen naar Amerika; en nu heb ik Ali tegelijkertijd meegenomen. Er is misschien één kans op de tien dat hij het gezicht terugkrijgt. Hij hoopt er zo op, omdat hij het in zijn hoofd heeft gezet de olifant van de maharadja te drijven als hij groot is."
Zij zag eensklaps Jelly voor zich – de koning der koningen, de vader-en-moeder van zijn volk – in een geruit kostuum bij de wedrennen. Zonderling toch dat die blinde jongen zo graag zijn olifant zou willen drijven. Jelly had zelfs geen gedachte over voor zijn volk. Jelly zou er niet over gepeinsd hebben iets voor de jongen te doen; hij zou hem weggestuurd hebben, omdat de aanblik van die jongen hem geërgerd zou hebben. Jelly zou zich omdraaien en nog een fles champagne bestellen.
Zij hief haar glas op. Zij voelde zich nu niet meer duizelig of opgewonden en zei: „Op de gezondheid van Ali, in de hoop dat hij het gezicht zal terugkrijgen."
„Dat is goed om daarop te drinken."
Zij voelde zich eensklaps op vertrouwelijke, vriendschappelijke voet met de man, alsof zij samen heel wat hadden doorgemaakt. Zij leunde achterover in de stoel en sloot de ogen, zich weer bewust van de hitte en het schokken van de trein, steeds

weer denkend: Ze moeten me nu niet weer de baas worden; ik wil wat plezier hebben aan de bar van het Taj Mahal Hotel.

De trein was twee uur te laat toen de lichten van Bombay opdoemden, die reeds verduisterd werden door de over de stad hangende sluier, teweeggebracht door de stinkende rook van verbrande koemest. Carol voelde zich weer opgewekt. Nu zou het niet lang meer duren, of zij zou weer licht en dansende paren om zich heen zien. Zij zou bekenden ontmoeten – vermoedelijk mannen – in de ruime bar van het Taj Mahal; en als er niemand was die zij kende, zou zij zich spoedig weten te omringen met een nieuwe kennissenkring. Gelukkig dat ze vriendelijk gestemd was en op zichzelf kon passen; je hoorde altijd van meisjes die bedrogen of op het verkeerde pad gebracht werden. Opeens moest ze lachen – wat een stomme schepsels! Met haar was nooit iets gebeurd dat ze niet wilde laten gebeuren.
Ze probeerde op te staan om zich op het toilet wat te poederen en haar kapsel in orde te maken, maar ze voelde zich opeens duizelig en ging weer zitten. Ik kan het wel doen, dacht ze, als ik in het hotel ben. Of ik plezier zal hebben, nou! De lange reis over de hete, stoffige hoogvlakte werd plotseling een soort nachtmerrie, waarvan alleen de droom waar was – ze scheen te behoren tot een lang verleden. Voor haar bestond slechts de toekomst; in haar gezondheid en vitaliteit bleven doorgemaakte ervaringen, hoe slecht ook, haar nooit bij. Het verleden had alleen maar de kracht je neer te drukken, als je ziek of moe was. Hoop, optimisme, verwachting, dat wist ze uit ervaring en instinct, waren het loon voor gezondheid en vitaliteit.
Haar reisgenoot maakte zijn zoon en de kleine blinde jongen wakker en zei dat zij zich wat moesten opknappen. Ali vroeg hem iets in het Hindostani, en toen de man hem had ge-

antwoord, raakte de jongen in opwinding. Hij begon vlug achtereen te praten. Ze kon geen woord van het gesprek verstaan, maar giste dat de man trachtte de jongen te kalmeren en hem iets uit te leggen.
Het gesprek duurde geruime tijd, terwijl de Amerikaanse jongen zich naar het toilet had begeven om zich te wassen. Ten laatste scheen de kleine jongen wat te bedaren. De man wendde zich tot Carol en sprak: „Hij heeft de zonsondergang slapend doorgebracht en dus zijn gebed niet opgezegd; en nu is hij bang. Ik heb geprobeerd hem aan het verstand te brengen dat God hem dat niet zou aanrekenen. Zelfs Allah is zo hard niet dat hij hem daar een verwijt van zal maken!"
Zij liet een onnatuurlijk harde lach horen.
„Sommigen van die mensen houden er verduiveld rare denkbeelden op na."
Daarop bracht de man de jongen naar het toilet en toen zij terugkeerden, begon de trein vaart te minderen om het station binnen te lopen.
Carol riep Krisjna en zei: „Je gaat met me mee naar het hotel in de taxi. Laat de andere bediende ons achterna komen met de bagage. Neem de twee kleine tassen mee; ik zal het juwelenkistje wel nemen."
„Heel goed, memsahib."
Zich tot haar reisgenoot wendend, zei ze: „Nu, ik hoop dat we elkaar nog weleens zullen zien."
Doch zij zei het zonder het te menen. Zij dacht onderwijl: Geen onaardige kerel – maar tenslotte toch niets anders dan een zendeling.
Zij zette haar hoed op en liet erop volgen, haar tas openend: „Hier is mijn kaartje. Ik logeer in het Taj Mahal Hotel. Ik kan u niet genoeg danken."
„Maar dat had toch niets te betekenen," antwoordde hij, het kaartje in ontvangst nemend. „Ik bezit geen kaartje, maar mijn naam is Merrill – Homer Merrill."

Bij het horen van de naam Homer voelde zij een neiging in zich opkomen om in lachen uit te barsten. Dat placht Bill een „barbiersnaam" te noemen – Homer, Ernest, Floyd, Leo, Albert, Clarence. Hij kon er een heel lijstje van opnoemen.
„Ik logeer bij een vriend – kolonel Moti. U zult zijn naam wel niet onthouden, maar hij is dokter en staat aan het hoofd van het Instituut voor Tropische Ziekten." Bijna bedeesd liet hij erop volgen: „Mocht u mij voor het een of ander nodig hebben – ik ben goed bekend in Bombay."
De trein stond bijna stil.
„Ik ook," zei ze, „heel goed zelfs." En vaag ging haar de gedachte door het hoofd: En hóé! Maar niet het Bombay van een zendeling, beste kerel!
Daarop stopte de trein met een schok, zoals de treinen dat in Indië doen, zodat zij bijna allen omvielen. Buiten begon het gewone lawaai en een kleine, knappe Indiër met een sterk gebruind gelaat trad de coupé binnen. Toen zij hem zag, dacht Carol: Dat is de knapste Indiër die ik ooit van mijn leven heb ontmoet.
De indruk kwam dadelijk, onweerstaanbaar, bij haar op. Hij was fijn gebouwd, als een stalen veer, en hij was op Indische wijze gekleed: witte jodhpoers en een zwarte asjkan met een scharlaken puggree. Toen zij zijn blik op zich gevestigd zag, kreeg ze een onbehaaglijk gevoel. Het waren zijn ogen die haar de indruk van Indische schoonheid gaven. Zij waren groot en buitengewoon zwart. Er school vuur achter; het waren niet de ogen van een dromer of van een mysticus, doch van een strijder – ogen, zoals men ze zelden in Indië ziet. Ondanks haar benevelde toestand voelde zij zich alsof hij door haar heen keek, alsof hij haar naakte ziel zag.
Deze gewaarwording ontnuchterde haar; het was alsof iemand haar koud water in het gelaat had geworpen. Zij staarde hem aan en wendde toen de blik af. De schouders ophalend, riep zij Krisjna en droeg hem op een paar kruiers te roepen.

Zij had haast om weg te komen en naar de bar van het Taj Mahal Hotel te gaan. De tijd snelde voorbij. Een ogenblik kwam het haar voor alsof zij het kon horen, zelfs boven het rumoer op het perron uit – een wild, suizend geluid. Zij moest zich haasten om van het leven te genieten. Zij was al negenentwintig. Er bleef haar niet veel tijd over.

Toen zij weg was, richtte kolonel Moti zijn doordringende blik op Merrill – de blik van zijn brandende, zwarte ogen, waaraan niets scheen te ontgaan. Toen hij eindelijk de mond opende, vroeg hij: „Wie is die vriendin van je?"

Merrill keek hem met matte blik aan.

„Ik weet het niet. Zij had een bezoek gebracht aan de broer van Jellapore. De as van haar wagon is onderweg gebroken en er was nergens anders plaats voor haar dan in de vrouwenafdeling."

„Een snol," sprak de kolonel, en de toon waarop hij het woord uitsprak, deed het nog onaangenamer klinken.

„O, ze is zo kwaad niet."

De dokter gaf er geen antwoord op. „Kom mee," zei hij. „Je moest in je bed liggen." Opnieuw keek hij de Amerikaan scherp aan; de kleur van zijn oogappels, de lijnen in het vermoeide gelaat, de afhangende schouders, bevielen hem niet. „Je kunt niet onmiddellijk naar Jellapore terug."

Merrill richtte zich in zijn volle lengte op.

„Maar ik moet terug. Het is planttijd."

„Je gaat niet," zei de kolonel.

In die tijd zag het Taj Mahal Hotel er ongeveer uit als een grote gevangenis. Het was gebouwd rondom twee of drie trappenhuizen; de trappen waren van steen en de leuningen van ijzer en rond die trappenhuizen liepen gaanderijen, eveneens van steen en met ijzeren leuningen. Op deze gaanderijen kwamen de kamers uit, die meer weg hadden van cellen dan van hotelkamers; de meubilering bestond uit een ijzeren ledi-

kant met een klamboe en een harde matras, een wastafel en enkele stijve, ongemakkelijke stoelen. Aan de zoldering hing een grote, ouderwetse elektrische poenka (waaier) en buiten, op de koele stenen, sliepen de bedienden.
Ze sliepen er niet alleen 's nachts, maar ook gedurende de hete dagen, als ze tenminste niet kletsten met andere bedienden. Op de gevangenisachtige gangen werd evenveel gebabbeld als op de markt. Van het ene einde van het grote hotel tot het andere wisten de bedienden alles van iedere gast – zijn ondeugden, zijn eigenaardigheden, zijn gierigheid of gulheid. Het was alsof alle kamers glazen wanden hadden, waar de hele wereld naar binnen kon kijken.
Gelijkvloers bevonden zich een grote hal en een reusachtige trap die naar de bovenverdieping leidde. Door de hal en de bazaar, die de halve oppervlakte besloeg, was een voortdurend komen en gaan van Arabische paardenhandelaars, Britse gouverneurs en bestuursambtenaren, schatrijke Parsees, grappige toeristen van middelbare leeftijd, gokkers en petroleumzoekers. De drukte ging dag en nacht door, want door de hitte van de stad en het uithoudingsvermogen van vele gasten was het in het hotel even druk om vier uur 's morgens als op de middag.
Boven de hal was weer een grote zaal, waar gedanst en gedronken werd – een zaal met een grote bar, die langs een van de wanden liep en waarachter talrijke bedienden in witte jasjes allerlei geestrijke dranken mengden in zodanige hoeveelheden dat men er wel een vijver mee had kunnen vullen. Langs de dansvloer en tussen de tafeltjes bewogen zich Indische meisjes met „vrije opvattingen" en gaven Russische en Duitse vrouwen van twijfelachtige reputatie zonderlinge karikaturen te zien van wat zij beschouwden als de nieuwste Amerikaanse dansen.
In die tijd was Bombay nog een ongereglementeerde stad. Het Taj Mahal was, evenals het Raffles Hotel in Singapore en het Hotel des Indes in Batavia, een beroemd rendez-vous

voor mannen en vrouwen van overal in het Oosten. Ze kwamen van Sumatra en Makassar en de Maleise staten, van Medan in Deli, van Semarang, Borneo, Ceylon en Soerabaia. Volgens de legende werd het hotel ontworpen met het front naar de baai, maar de Indische aannemers die het bouwden, trokken het achterstevoren op; toen de Engelse architect na zijn aankomst te Bombay er één blik op had geworpen, hing hij zich op. Zijn naam is verloren gegaan, evenals die van de ontwerper van de Keulse dom, die naar beweerd wordt de duivel zelf was.

De meeste mensen in het hotel kenden Carol Halma van aanzien, toen zij de hal binnentrad, gevolgd door Krisjna in zijn paars-en-gouden livrei – de bedienden kenden haar en de spelers en de rijke Parsees, de kooplieden en de aan lager wal geraakte Russische en Duitse vrouwen, in wier vermoeide ogen jaloezie te lezen stond, omdat het haar zo goed ging in de wereld, terwijl zij zich zo moesten afbeulen. En degenen die haar nog nooit hadden gezien, moesten haar wel opmerken, omdat het tot de onmogelijkheden behoorde geen acht te slaan op de mooie, blonde vrouw met haar dure kleren en haar air van wat kan de wereld mij schelen.
Tot de nieuwe gasten, voor wie zij een onbekende was, behoorde de vermoeide, taaie, slordige vrouw die door Stitch Trollope de „spion" was genoemd. Zij zat in een rieten stoel, zonderling alleen in een zaal, waar alles leven en rumoer en beweging en kleur was – een eiland in een oceaan van nationaliteiten. Ze maakte de indruk dat ze altijd alleen was geweest. In haar handen hield zij een snoer kralen, zoals de Perzen en Grieken wel met zich dragen om ze door hun vingers te laten glijden als ze praten of zwijgen; het is een gewoonte zoals sigaretten roken. Zij had ze een voor een door haar vingers laten glijden, uren achtereen, terwijl zij daar zat, doch toen zij de slanke blonde vrouw in het oog kreeg, bleven

haar handen bewegingloos in haar schoot rusten en het klikken van de kralen hield op.
De kleine groene ogen volgden Carol terwijl deze met de klerk achter de balie sprak. De barones dacht: Dat is nu juist wat ik zoek. Ze is niet te oud of te jong. Zij weet genoeg van het leven af. Zo te zien is ze een Amerikaanse. Ze is een beetje aangeschoten. Dat kan zijn goede kant hebben – of ook niet. Misschien heb ik het weer eens getroffen.
Zij had Amerikaansen nodig. Russinnen trokken niet meer in het stervende Europa. Françaises waren te lastig en moesten te veel geld hebben. Nee, voor de eersteklas etablissementen moest ze Amerikaansen hebben. En zo'n blonde zocht ze.
Carol stapte in de lift, gevolgd door Krisjna, die een kistje droeg waarvan de barones terecht vermoedde dat het haar juwelen bevatte. Toen de deur van de lift zich had gesloten, ging zij naar de balie en vroeg: „Wie is die jonge vrouw?"
De klerk zag haar wantrouwend aan en antwoordde: „Ik mag de namen van de gasten niet opgeven. Dat is voorschrift."
Onverstoorbaar vroeg zij verder: „Is zij hier al meer geweest?"
„Jawel, al verschillende malen."
„Wat voert zij uit?"
„Niets."
„Waarom is zij hier?"
„Dat kan ik u niet zeggen, mevrouw."
„Heel goed. Houd het maar voor je. Ik ben niet van gisteren."
De klerk bleef beleefd en hield het antwoord terug dat hem op de lippen lag. Hij draaide zich om en zij keerde terug naar haar stoel. Even later begonnen de kralen opnieuw door haar dikke vingers te glijden. Zij zat weer plannen te maken.
Boven liep Carol met onvaste schreden over de stenen gaanderij achter de bediende aan, die haar voorging naar haar oude kamer – op de hoek, met het uitzicht over de baai van Bombay. Achter haar kwam Krisjna met het juwelenkistje en een klein valies. Bij iedere kamerdeur die ze voorbijliepen, stond de be-

diende, die op de koele stenen lag, op en maakte een salaam. Een of twee, vast in slaap niettegenstaande het lawaai van de jazzband en het geroezemoes in het hotel dat door het brede trappenhuis naar boven drong, bleven doorsnurken, onbewust van het voorbijgaan van Krisjna in zijn goud en purper. De anderen tikten aan hun voorhoofd toen ze hem zagen, allen een onderdeel van het uitgestrekte en vermoeide Indië, waar het leven niet slechts een worsteling was om vooruit te komen, maar zelfs om het leven te houden, om genoeg te eten om de volgende dag te halen. De hele nacht ging voor hen voorbij met opstaan en neerhurken, al naar de gewichtigheid van de gasten die naar hun kamers teruggingen. Dat er zich in de lange nachtelijke processie drinkers, prostituées, gokkers en oplichters bevonden, maakte geen verschil – elke bediende stond slaperig op. Dat was niet alleen de regel van het hotel, het was een regel, voorgeschreven door een grimmige en nog hardere heer: de noodzakelijkheid om in het leven te blijven. Want van deze mensen kregen of bedelden of stalen ze allen genoeg om rijst en vlees te kopen, kruimels voor ondervoede families in de Pendsjaab, in Bengalen, in Goa, aan de kusten van Malabar en Coromandel.
Een paar honderd maal per nacht ontwaakten ze, stonden op, maakten hun salaam en dommelden weer in, geduldig, zonder klagen, omdat het hun levenslot was. Als ze in dit leven genoeg salaams maakten, zouden ze zich in het volgende leven misschien bevinden onder de alcoholisten, gokkers en prostituées die kwamen en gingen, degenen wie de salaams golden, in plaats van die ze maakten, de gelukkigen in plaats van de hongerenden.
Carol merkte het rijzen en dalen van de in vuil wit geklede gedaanten niet op, ook nam ze niet de minste notitie van hen. Ze was gezond en mooi en gezegend geboren en ze nam het leven zoals ze het vond en liet zulke dingen als recht en medelijden en sociaal geweten aan God en de natuur over. Daar-

enboven was de gin uitgewerkt en begon de vermoeienis door haar vrolijke stemming heen te breken. Niet alleen dat haar lichaam vermoeid was, de zwarte ogen van de Indische dokter waren er ook schuldig aan. Sedert ze de spoorwegcoupé had verlaten, had ze die voortdurend voor zich gezien.

Zij was blij toen zij de hoekkamer weer terugzag. Dit was de kamer waarin zij altijd haar intrek nam, als zij in Indië was. In deze kamer zou zij rust hebben, alleen zijn, afgesloten van de rest van de wereld. Hier in deze kamer kon zij zichzelf zijn. Het was eerst de laatste tijd dat zij die behoefte aan afzondering had gevoeld; eerst in de laatste tijd was zij de eenzaamheid gaan voelen als een weelde.
Toen de bediende dan ook de deur geopend en het licht opgestoken had, wierp zij zich op het harde ijzeren ledikant en zei tot Krisjna: „Zeg tegen de ander dat hij vlug mijn bagage boven brengt en zorg dat ik zo gauw mogelijk een paar gimlets krijg. Vlug, Krisjna!"
„Ja, memsahib!"

In de grote bar, die veel weg had van een kroeg in een mijnwerkerskamp, zocht Bill een tafel voor hemzelf, mevrouw Trollope, Al, de marconist, en Sandy, de chef-elektricien van de „Sourabaya". De dag was slecht voor hem begonnen, met die douanier die door het krat was verpletterd; en ook later had het niet willen vlotten. Toen Stitch zich van de schok had hersteld, had Bill Silas met zijn bagage naar het Taj Mahal Hotel gestuurd en mevrouw Trollope in een taxi naar het paleis van haar zuster gebracht.
In de taxi kwam ze bijna dadelijk weer tot zichzelf, zonder zelfs te vragen: „Waar ben ik?" Ze was een vrouw van het slag dat flauwvallen onzin vond en het kwam Bill eigenaardig voor dat ze kon flauwvallen, zelfs bij de afgrijselijke aanblik van het bloedige drama.

Ze had niet gewild dat hij zou meegaan en ze had zoveel bezwaren geuit, dat hij de ingeving kreeg dat er een meer gegronde reden voor moest zijn dan die van overlast voor hem. Maar tenslotte gaf ze toe, misschien wel omdat ze zich wat slap voelde.

Terwijl zij door de snikhete straten reden, langs de Torens der Stilte, waarboven de gieren zweefden, en het paleis van de gouverneur, dat eruitzag als een Engels buitenverblijf – behalve dan dat er Sikhs voor de ingang op wacht stonden – maakte de oude roes zich weer van hem meester. Er was niets in de wereld dat met Bombay was te vergelijken; geen stad was zo toverachtig. Zelfs Bagdad in zijn glorietijd kon niet fantastischer en wonderlijker geweest zijn.

Bill trachtte een gesprek aan te knopen, doch het lukte hem niet. Mevrouw Trollope zat tegenover hem, stug en beheerst. De leerachtige kleur van haar gelaat had plaats gemaakt voor een wasachtig wit en haar dunne lippen waren samengeknepen tot een rechte, scherpe lijn. Hoewel zij had beweerd dat zij zich geheel had hersteld, was dit blijkbaar in strijd met de waarheid; ze beheerste zich. Hij kreeg het gevoel dat zij in tranen zou uitbarsten, als zij niet zo stijf rechtop bleef zitten. In de korte tijd dat hij haar kende, was nooit de gedachte bij hem opgekomen dat deze taaie, kleine vrouw last van zenuwen zou kunnen hebben.

Zij volgden de Nepean zeeboulevard, reden langs de grote, witte bruidstaart – het paleis van de maharadja van Jellapore. Daarop sloeg de taxi een hoek om en begon een smal, steil pad te volgen, langs bungalows en hangende tuinen. Terwijl zij steeds hoger stegen, begon Bill zich af te vragen of die strakheid van mevrouw Trollope niet veel meer veroorzaakt werd door het vooruitzicht van het weerzien met haar zuster dan door het dodelijke ongeval. De hele situatie kwam hem een beetje vreemd voor.

Tenslotte reed de taxi een plein op voor een paleis, opgetrok-

ken uit roze marmer. Het was geen groot gebouw. Het zag er min of meer uit als een boudoir – wat opzichtig.
„Hier zijn we er," zei mevrouw Trollope.
Een tweetal Ghoerka's – kleine Mongoolse typen, gekleed in groen en zilver – stonden op schildwacht bij de deur, juist in de marmeren koetspoort. De taxi hield stil. Een bediende opende de deur.
Mevrouw Trollope, nog steeds even stijf, zei: „Nu, adieu. En dank je vriendelijk dat je zo ver met me mee bent gegaan. Het was werkelijk niet nodig geweest."
Zij zei niet: „Kom even binnen om iets te gebruiken," wat ieder ander welopgevoed mens in het Oosten in de gegeven omstandigheden zou hebben gezegd.
„Wat zou je ervan denken om op een middag met me naar de rennen te gaan?" vroeg hij.
„Misschien wel. Ik zal je wel opbellen. Adieu."
„Adieu." Hij wendde zich tot de chauffeur en zei: „Het Taj Mahal"; en toen viel het hem plotseling in dat het toch wel heel vreemd was dat haar zuster geen auto naar de kade had gezonden met een bediende om voor haar bagage te zorgen. Nu zou hij er zelf heen moeten gaan om ernaar te kijken. Zonderling – mevrouw Trollope had er niets over gezegd.
Toen hij op de kade kwam, bleek hem dat geen mens ernaar om had gekeken. Koffers en valiezen lagen nog op de stenen. Men kon zien dat ze duur waren geweest, doch nu waren ze versleten en droegen sporen van een druk gebruik. Hij gaf opdracht alles naar het paleis van de maharani van Chandragar te laten brengen en begaf zich toen naar het hotel. Doch zelfs daar was hem nog geen rust beschoren. In de gang voor zijn kamer stiet hij op een Parsee bookmaker, een Perzische juwelier, twee handelaars in antiquiteiten, een kleermaker en een Goanees die zich voor kok aanmeldde.
Zijn geduld was ten einde. Hij schreeuwde: „Schiet op! Ruk uit! Ik heb niets nodig! Hoepel op!"

Doch zij sloegen geen acht op zijn geschreeuw. Toen hij zijn kamer binnentrad, duwden en stompten zij elkaar weg om het eerst binnen te komen. Hij slaagde er evenwel in aan de binnenzijde de sleutel in het slot te steken en die om te draaien. In een hoek van het vertrek zat de ware schuldige. Silas was bezig de boel uit te pakken met een gezicht zo onschuldig of hij niets van die mensen voor de deur af wist.
Een ogenblik voelde Bill zijn handen jeuken om de kerel een paar flinke opstoppers te geven, want hij begreep zeer goed dat Silas hen hierheen had laten komen, in de hoop dat zij Bill wat zouden aansmeren, waarvan Silas dan de commissie zou opstrijken.
Doch het was nutteloos de kerel erover onder handen te nemen. Hij zou toch alles liegen heten. En dan – het was ook enigszins Bills eigen schuld, door de manier waarop hij de laatste keer dat hij in Bombay was geweest, had geleefd: van alles kopen, wedden bij rennen, geld uit het venster smijten. Zij waren hem nog niet vergeten.
Maar dat is alles voorbij, dacht hij. Ditmaal ben ik de nuchtere zakenman. Zijn ondergoed was kletsnat van de hitte en kleefde aan zijn lichaam. Hij wierp haastig zijn goed uit, zette de poenka aan en ging op het bed liggen. De poenka bracht de vochtig-warme lucht in beweging, doch veroorzaakte geen koelte in de kamer. Hij dacht: Dat is een slecht begin. Alles is verkeerd gegaan. De prikkelbaarheid die zo kenmerkend is voor Indië, had zich reeds dadelijk van hem meester gemaakt. Dat was een slecht teken. Misschien was het wel het beste zijn zaken zo gauw mogelijk af te doen en met de eerste boot weer te vertrekken.
Hij deed de ogen dicht en trachtte te denken aan gletsjers en ijsbergen, doch het hielp hem niets. Hij wendde zich om naar Silas, die zijn best deed om al zijn hebben en houden hopeloos door elkaar te gooien. Hij lag een ogenblik naar de man te kijken. Toen zei hij: „Ga weg, Silas, en laat me rustig liggen."

Silas grinnikte. „Heel goed, sahib." Doch hij liet de blik verwijtend langs zijn haveloze kleding glijden. Bill reageerde er niet op; en toen hij zag dat deze pantomime geen succes had, lichtte hij een van zijn armen op en begon de mouw te bekijken.
Bill moest lachen. Hij haalde een bankbiljet van tien ropijen te voorschijn en reikte het Silas toe, met de woorden: „Het is in orde. Ga maar een nieuw pak kopen."
Het was een buitengewoon onaangename dag. Doch eindelijk viel hij in slaap en werd pas wakker toen Silas op de deur bonsde. Hij richtte zich op en constateerde dat het eerst half vier was. Het was nog altijd smoorheet – nog heter dan toen hij in slaap viel.
Hij verwenste Silas, die zijn verwijten beantwoordde met een grijns die zijn witte tanden ontblootte. Hij had een ander pak aan – dat hij ongetwijfeld al lang bezat – en vroeg: „Meester tevreden?"
„Ja, zo tevreden als de duivel, lelijke afzetter."
Bill nam een stortbad en bracht tien minuten door met het zoeken van een ander pak uit de chaos die Silas teweeg had gebracht. Zodra hij de deur opende, werd hij begroet door een koor van kreten.
„Kent u Hakim nog, sahib?"
„Doti, ouwe kennis. Doti meester veel geld laten verdienen de vorige keer."
„Sahib de vorige keer veel robijnen gekocht van Rasjid."
Bill haastte zich weg langs de gaanderij, gevolgd door de hele bende, die luidkeels door elkaar schreeuwde en heftig gesticuleerde. Eerst bij de trap slaagde hij erin, hen van zich af te schudden. Zij durfden hem niet naar beneden te volgen, uit vrees dat zij dan op straat zouden worden gezet.
Opnieuw hevig transpirerend, ging hij naar de telefoon en belde Hinkle op het kantoor van de Amalgamated Oil. Hij had zich er al over verwonderd dat de man zich niet had

vertoond bij aankomst van de boot. Hij had hem toch een draadloos telegram gezonden.
Iemand van het kantoorpersoneel gaf hem de oplossing van het raadsel. Hinkle was met vakantie in Birma op de jacht. Men wist op kantoor niet precies waar hij uithing.
„Het spijt me wel, mijnheer," zei de bediende met zijn plat accent door de telefoon. „We zullen ons best doen hem voor u op te sporen, maar ik denk niet dat u hem eerder dan over twee weken zult treffen."
„Dank je," antwoordde Bill en legde de hoorn op het ouderwetse toestel. Verduiveld! dacht hij. Ik moet de kerel spreken. Dan kan ik me in die tussentijd evengoed wat in Bombay vermaken. Hij kreeg eensklaps het gevoel of er een sterk, geheimzinnig verzet tegen zijn goede voornemens was gerezen. Misschien had de barones hem ongeluk aangebracht. Of misschien was het niets anders dan zijn eigen zwak karakter.
„Fuifnummer!" Zo noemde Carol hem altijd.
Juist toen hij de telefooncel uitstapte, kwam een chasseur op hem toe.
„Iemand aan de telefoon voor u, mijnheer Wainwright. Mevrouw Trollope."
Hij hoorde de bekende, schorre stem door de telefoon: „Ik heb lust om vanavond uit te gaan. Ga je met mij bij Green dineren en dan naar de Taj Mahal Bar?"
„Zeker. Ik zal je komen halen."
„Nee, ik zal er wel voor zorgen dat ik om half acht aan het hotel ben. Dan drinken we eerst een borrel."
„Ik kan je anders best komen afhalen."
Even was er spanning in haar stem, toen ze zei: „Nee, nee. Ik zit dan aan de bridgetafel. Ik kom wel naar het hotel."
„Uitstekend."

Zij was op tijd in het hotel gekomen. Zij zag er helemaal opgeknapt uit, alleen een beetje te netjes en te mannelijk in haar witte tailor met de witte vilten hoed, waarvan zij de rand over één oog had getrokken. Toch kreeg Bill een gevoel van voldoening, toen hij tegenover haar zat op het terras bij Green, omdat zij er zo koel en netjes en beheerst uitzag te midden van de andere transpirerende, opgemaakte en verfomfaaide vrouwen om haar heen. Haar aanwezigheid herinnerde hem aan een koele, handige verpleegster te midden van de verwarring, teweeggebracht door een ongeluk. Welk ongeluk haar had getroffen, kon hij niet doorgronden, tenzij het Bombay zelf was met zijn zonderling mengelmoes van wezens die bijna altijd honger leden en gereedstonden om onlusten te verwekken – een stad, waar het bijgeloof zo welig tierde als schimmel in een vochtige kelder; waar het ene ras streng gescheiden leefde van het andere en een voortdurende godsdienstoorlog heerste.

Het diner liep uitstekend van stapel. Stitch Trollope hoorde hem zo uit over zichzelf dat hij tenslotte begon te lachen en vroeg: „Waarom neem je me zo'n kruisverhoor af?"

„Omdat ik graag wat weet van de mensen met wie ik omga."

Zij kwam te weten dat zijn vader rijk was; dat Bill getrouwd was geweest en dat zijn vrouw aan het toneel was; dat het huwelijk met wederzijds goedvinden was verbroken.

„Maar hield je van haar?" vroeg Stitch.

Deze vraag bracht Bill in de war. Hij weifelde even; toen antwoordde hij: „Dat weet ik eigenlijk niet. Ik ben een paar weken van haar wèg geweest, maar ik geloof dat ik niet weet wat werkelijke liefde betekent."

„Het betekent heel veel."

„Heb jij weleens liefgehad?"

„Jawel."

„Hoe is het dan?"

Hij had het schertsend gevraagd; doch zij nam het heel anders op. Er kwam een grimmige uitdrukking op haar gelaat.

„Als je zelf ooit had liefgehad, zou je weten wat het was.

Wees de hemel maar dankbaar dat het je nooit is overkomen en hoop maar dat je het nooit zal overkomen."
Bill was onaangenaam verrast door haar grimmigheid. Hij zei: „We waren allebei piepjong. Ik zat goed in mijn duiten, dus toen gingen wij ervandoor en trouwden. Ik studeerde destijds in Cornell. Mijn vader was de zoon van een zendeling en in China geboren. Hij heeft al zijn geld zelf verdiend. Hij wilde me op een Amerikaanse universiteit hebben."
Voor Bills ogen rees het beeld op van zijn vader – een scherp omlijnd, duidelijk beeld van een zwaargebouwde, ernstige man met een enigszins grimmig uiterlijk, die elke stap welke hij ondernam rijpelijk overwoog, voor wie de eenvoudigste beslissing iets van gewicht was. Zij hadden elkaar nooit begrepen en ook nooit enige sympathie voor elkaar gevoeld. Voor zijn vader was het leven een en al ernst. En hij had altijd gelijk. Dat maakte het erg moeilijk met hem om te gaan.
Er viel een lange pauze, waarin Bill niet in Bombay zat, maar in Amerika. En het was duidelijk dat Stitch met haar gedachten eveneens elders vertoefde – waar, wist hij niet. Plotseling zei zij: „Mijn vader is naar Australië gegaan omdat hij niet anders kon."
Bill giste wat zij wilde zeggen en voelde schroom om haar te verleiden tot verdere confidenties. Hij antwoordde: „Mijn vader is een beste kerel. Ik geloof vast dat we het vandaag of morgen heel goed met elkaar zullen kunnen vinden."
En voor het eerst in zijn leven kwam er een soort sympathie in hem op voor de man aan de andere zijde van de wereld, die oud begon te worden.
„Het leven verandert je inzichten," sprak Stitch. „Volgens mij moet je op zekere tijd je verstand gaan gebruiken of je gaat ten onder. Het kan zonderling toegaan in het leven."
Zij stond eensklaps op. „Kom, laten we naar de bar gaan."
In de drukte van de grote bar verdween de sombere stemming van het terras. Zij begonnen flink te drinken; en weldra kre-

gen zij gezelschap van Al, de marconist, en Sandy, de chef-elektricien. Beiden waren reeds enigszins onder de invloed. Al deed niets anders dan grinniken. Hij was een man die zorgen kende – en de alcohol deed zijn zorgen verdwijnen. Sandy had het weer te kwaad met zijn kunstgebit. Dat was altijd een bewijs dat hij te diep in het glaasje had gekeken – dan wilden zijn tanden niet goed blijven zitten.
Stitch legde een onnatuurlijke vrolijkheid aan den dag. Zij wilde dansen. De drie mannen gleden om beurten met haar over de dansvloer. Terwijl zij met Sandy danste, zei Al: „Een vrouw waar wat in zit, die mevrouw Trollope."
„Zij is lang niet gek."
Daarop keerden Stitch en Sandy naar het tafeltje terug. Stitch bestelde nog een borrel – en toen kwam er een keerpunt in de avond. De avond begon weg te ebben; de kunstmatige vrolijkheid, de geestigheid, het effect van de sterke drank verdwenen als de lucht uit een doorgeprikte ballon. Het kwam Bill voor dat mevrouw Trollope eigenlijk in het geheel niet vrolijk was geweest. Het waren haar zenuwen geweest; en nu was het afgelopen.
Het werd tijd om op te breken, doch niemand had de kracht om op te staan. Ze bleven maar zitten in de hitte en het rumoer en keken naar de dansers. En toen zag Bill iets dat zijn ogen weigerden te geloven.
Aan de ingang van de zaal stond Carol, in een rode japon, naar de bewegende gedaanten op de dansvloer te kijken. Zijn eerste indruk was dat zij in het geheel niet was veranderd. Het goudblonde haar, de heerlijke gestalte, de frisheid van haar verbazingwekkende vitaliteit hadden geen verandering ondergaan. Doch toen hij haar tegen de deurpost zag leunen, bemerkte hij dat zij te veel had gedronken; en hij dacht onmiddellijk: ze moet zich vervelen. Ze dronk nooit te veel, behalve als ze niet wist wat ze doen moest. En hij begreep waarom ze daar aan de deur stond; ze hoopte dat ze een

bekende zou zien om haar hier of daar mee naar toe te nemen. Hij dacht: Hoe is het mogelijk dat zij hier eensklaps opduikt? En tegelijkertijd ontdekte hij iets liefelijks aan de gestalte in de rode japon: het was hetzelfde gevoel dat hij had gehad de eerste keer dat hij haar had ontmoet. Zij had nog steeds dezelfde quasi-onschuldige uitdrukking over zich. Onverschillig wat er ook met haar gebeurde – die uitdrukking zou haar altijd bijblijven.
Het volgende ogenblik dacht hij: Ik spreek haar niet aan. Ik zal me uit het gezicht houden. Doch dat was onmogelijk in een stad als Bombay – dat wist hij zeer goed; tenzij hij er lust toe gevoelde zich in zijn hotelkamer op te sluiten. Doch het zien van deze vrouw wekte een overstelpende menigte herinneringen aan een leven waarmee hij had gebroken, naar hij zichzelf trachtte wijs te maken.
In de hitte geleek zijn brein omneveld; doch noch zijn verstand, noch zijn wilskracht had iets uitstaande met zijn emotie. Dat wist hij bij ondervinding. Een ogenblik voelde hij zelfs een zekere vrees opkomen. Als hij niet zoveel had gedronken, zou hij misschien zijn opgestaan en weggelopen – en dan zou de zaak een heel andere keer hebben genomen. Veel, veel later kwam hij tot de overtuiging dat het kwaad was begonnen op het ogenblik dat het hem duidelijk werd dat hij Carol móést aanspreken.
Ze keek in de richting van hun tafeltje en een ogenblik dacht hij dat ze hem herkende, maar ze keek weer een andere kant uit, misschien omdat ze haar ogen niet geloofde.
Hij hoorde mevrouw Trollope zeggen: „Waar zit je zo ingespannen naar te kijken?"
„Naar iemand die ik ken. Vind je het goed dat ik haar hier aan het tafeltje breng?"
„Natuurlijk! Waarom niet?"
Carol had geen erg in Bill, voordat hij nog slechts een meter van haar af was. De verandering in de uitdrukking van haar

gelaat was zo plotseling en zo komisch, dat hij begon te lachen. Zij kwam op hem toe met de woorden: „Bill! Wat voer jij hier in 's hemelsnaam uit?"
Toen sloeg ze beide armen om hem heen, kuste hem en zei: „Wat ben ik blij dat ik je zie!"
Hij van zijn kant werd eensklaps overvallen door een onbegrijpelijke verlegenheid. Hij wist niet hoe hij zich moest houden. Tenslotte zei hij: „Kom daarginds bij ons zitten."
„Graag," antwoordde zij. „Ik stond uit te kijken naar gezelschap."
„Waar logeer je?"
„Hier in het hotel natuurlijk."
„Nee maar, die is goed. En met wie?"
„Met niemand."
Dat kwam hem buitengewoon vreemd voor. Zijn eerste impuls was te vragen: „Wat heb je in de zin?" Maar daar was het nog te vroeg voor. Dat zou hij later te weten trachten te komen, beetje bij beetje. Ze werd gauw driftig, wist hij, als andere mensen zich met haar zaken bemoeiden.
„Wat een zonderlinge samenloop van omstandigheden dat wij beiden tegelijk hier zijn!" zei ze. „Nu kun je weer eens zien hoe klein de wereld is."
Het was nooit haar geest geweest die hem had aangetrokken. Integendeel, haar geest was het grootste struikelblok geweest tussen hen. Zij zei altijd van dergelijke dingen. Hij voelde iets van de oude prikkelbaarheid opkomen. De oude reactie liet zich niet lang wachten.
„Het is altijd een samenloop van omstandigheden als twee mensen elkaar ontmoeten," merkte hij op.
„Begin nu maar niet weer dadelijk tegen me," zei ze. „Ik heb je toch al lang geleden gezegd dat ik het nooit aan mijn hersens te danken zou hebben als ik vooruitkwam in de wereld."
Zij hadden thans het tafeltje bereikt en hij merkte in de ogen van Al en mevrouw Trollope de blik op, die zich daarin altijd

vertoonde bij mensen die Carol voor het eerst zagen. Het was een blik die zijn hart had doen zwellen van trots toen hij jonger en naïever was, als hij zich in haar gezelschap vertoonde. Het was een blik die er getuigenis van aflegde dat het dierlijke in de mens nog steeds leefde, anders zou niemand zich zo opgetogen tonen over zoveel jeugd en schoonheid en gezondheid. Het was altijd hetzelfde: mannen, zelfs oudere mannen, schenen iets van hun oude kracht terug te krijgen als zij haar alleen maar zagen. De jongeren beijverden zich, hun beste beentje voor te zetten. Vrouwen hadden soms op het eerste gezicht een hekel aan haar, maar alleen wanneer ze zichzelf knap genoeg vonden om met haar te wedijveren.
Toen hij haar moest voorstellen, weifelde Bill een ogenblik; toen zei hij: „Een goede vriendin van mij – Carol Halma." Hij vond het beter niet te zeggen dat zij vroeger getrouwd waren geweest. Dat lokte altijd allerlei explicaties uit. En hij had steeds moeite om die belachelijke aangenomen naam over zijn lippen te brengen. Het zou veel gemakkelijker zijn geweest haar bij de naam te noemen die zij van haar ouders had meegekregen: Olga Janssen.
Hij zag dat zij er zich niets van aantrok; er waren zo weinig dingen waarom ze gaf.
Bijna ogenblikkelijk keerde de vrolijkheid terug.

Zodra Carol de wagon had verlaten, veranderde de blik in kolonel Moti's ogen. De heftigheid verdween, om plaats te maken voor een bijna moederlijke tederheid. Hij was driftig van aard en zijn humeur veranderde met de snelheid waarmee een cobra zich op haar slachtoffer werpt.
Zijn opwinding sproot niet voort uit het feit dat hij antipathie voelde tegenover de blonde vrouw die hij in de coupé van zijn vriend Merrill had aangetroffen; wat hem zo opwond, was het feit dat hij haar haatte als het symbool van een klasse die hij had leren beschouwen als overbodig en verderfelijk.

Het was ook niet de haat van een man ten opzichte van een prostituée of tegenover een symbool van de gehele klasse der prostituées. Voor hem waren de prostituées ongelukkige of verleide vrouwen of de slachtoffers van zieke organen of gebrekkige stofwisseling. Zijn moraliteit kwam in opstand tegen sociale, niet tegen seksuele immoraliteit.
Daarom haalde hij diep adem toen de vrouw het compartiment had verlaten, alsof de lucht nu gezuiverd was, en vroeg: „Heb je een slechte reis gehad, Homer?"
„Heet – maar niet slechter dan gewoonlijk."
De Indiër sprak enkele Engelse woorden tot Tommy en toen in het Hindostani tot Ali. Hij voelde zich min of meer verlegen tegenover kinderen. Zelf had hij nooit kinderen gehad. Daarop vroeg hij: „Wie was die vrouw?"
„Ik weet niets van haar af. Zij had een bezoek gebracht aan de broer van Jellapore."
„Waarom?"
Merrill kon niet nalaten te lachen – hoewel hij nog pijn had – om de woedende klank van dit enkele woordje, die verried wat erachter verborgen lag: Moti's ingekankerde haat tegenover al de Jellapores, die hij beschouwde als verkwisters en slechte leiders.
„Ik weet het niet. Hoe zou ik het moeten weten? Ik heb haar nog nooit vroeger ontmoet en ik zal haar naar alle waarschijnlijkheid ook nooit meer te zien krijgen. Ik kan niet inzien dat zij van enig belang is."
„Misschien wel; misschien ook niet. In ieder geval: kom nu maar gauw met mij mee en ga naar bed."
„Is het in orde met Ali's oogoperatie?"
„Ja, dokter Bliss was voornemens om te vertrekken, doch ik heb hem overgehaald om te wachten tot de volgende boot."
„Daar ben ik blij om. Ali is in zekere zin zogoed als een broertje voor Tommy. Hij woont al bij ons van de dag af dat hij blind werd."

„Er waren nog drie andere patiënten. Een ervan heeft hij reeds behandeld."
Merrill zag hem vol verwachting aan.
„En – met goed gevolg?"
„Ja," antwoordde Moti. Glimlachend liet hij erop volgen: „Je houdt van die jongen, hè?"
„Ja. Het is een aardige knaap."
„Daarom heb ik ook zoveel met jou op," was Moti's antwoord. „En daarom moet je ook rust nemen."
„Maar ik moet over tien dagen terug zijn in Jellapore."
„Je gaat niet terug naar Jellapore over tien dagen – niet voordat ik je weer op de been heb geholpen. En anders loop je kans dat je in elkaar zakt en niets meer kunt doen – voor niemand."
„Maar ik voel me goed."
„Je bent te veel waard voor ons." De verontwaardigde blik verscheen weer in kolonel Moti's ogen. „Je bent een dwaas van een kerel!"
Merrill zweeg. Hij wist dat het geen zin had met Moti te willen redetwisten. Maar het was toch niet de eerste maal dat hij, Merrill, ziek was geweest! Hij was er altijd bovenop gekomen – en dat zou hij ditmaal ook wel. Als Tommy weg was en Ali's operatie was gelukt, zou hij eenvoudig naar Jellapore teruggaan, zonder er een woord over te zeggen.
Zij reden met twee taxi's naar het huis van kolonel Moti. De kolonel bezat geen eigen auto, hoewel hij, als hoofd van het Instituut voor Tropische Ziekten, daarop recht zou hebben gehad. Hij besteedde het geld liever voor het instituut zelf.
Toen zij het station achter zich hadden, sloegen de taxi's de richting in van de fabriekswijk; en hoe verder zij kwamen, hoe smeriger en havelozer de huizen er gingen uitzien. In de verstikkende hitte waren al de fabrieksarbeiders uit hun woningen gekomen om buiten wat verkoeling te zoeken.

Terwijl de auto's zich een weg baanden door de menigte, leunde Merrill met gesloten ogen achterover tegen de kussens. Het klopte en dreunde in zijn hoofd. De kolonel sloeg met een medelijdende glimlach om de lippen de krioelende menigte gade. Dat was het volk waartoe hij behoorde. Tot op zekere hoogte kende hij allen met hun onwetendheid en hun bijgeloof, hun hongerlijden en hun ongelofelijke geduld. Voor hen streed hij: om het licht tot hen te brengen, en gezondheid en levenslust en waardigheid. Voor hen ontzegde hij zich een eigen auto en leefde hij zo zuinig mogelijk.
Thans hadden de taxi's de sloppen en fabrieken achter zich gelaten en reden zij door een wijk, waarin de armen waren samengeperst in de half in puin vallende huizen, die in betere tijden bewoond waren geweest door rijke kooplieden. Daar was het iets beter. Er was tenminste wat meer ruimte en men zag er enkele verwaarloosde tuinen. Nu sloegen de taxi's op aanwijzing van de kolonel een smal laantje in, dat naar het Instituut voor Tropische Ziekten en het verblijf van de kolonel leidde.
Er was slechts een enkel licht in de woning ontstoken; en toen de auto's voor de deur stilhielden, verscheen bovenaan de trap de gestalte van een vrouw, gehuld in een wit-en-zilveren sari. Het was mevrouw Moti, danseres van beroep; niet een van de banale dansmeisjes uit de tempels van Tajore, doch een geestelijk ontwikkelde vrouw, die haar danskunst had vertoond in Londen en Parijs en New York. Zij en haar man genoten weinig van elkaars gezelschap, want zij was meestentijds op tournee. Zij waren, ieder op zijn eigen manier, asceten; zij gingen beiden in hun beroep op, de een in de wetenschap, de ander in de Indische cultuur.
Toen hij de ogen opende, zag Merrill haar staan aan de hoek van de voorgalerij, een in het maanlicht glanzende gestalte; en de gedachte drong zich aan hem op dat zij in haar reinheid was als het symbool van haarzelf en haar echtgenoot.

Zij waren beiden te fanatiek rein om tot deze wereld te behoren. Zij waren niet zoals hijzelf, want, hoezeer hij ook opging in zijn werk, toch werd hij af en toe gekweld door pijnigende visioenen van vleselijke lusten. Bijna jaloers dacht hij: Welk een vrede moeten die twee mensen kennen!
„Je hebt me niet verteld dat Indira thuis was," sprak hij.
„Zij is hedenmorgen gearriveerd met de P. & O.-boot," antwoordde Moti. „Ik heb vergeten het je te zeggen."

Het interieur van de bungalow was in overeenstemming met de bewoners. De grote koele kamers waren proper; de meubelen waren eenvoudig. De enige versiering bestond uit een aantal Perzische vazen van nefriet en een twaalftal Indische prenten. Deze waren het persoonlijke eigendom van mevrouw Moti; zij had ze gekocht van het geld dat zij had verdiend met haar danskunst in de voornaamste hoofdsteden van de wereld. Zij was van mening dat deze vazen en prenten even noodzakelijk waren in hun huis als de schitterende verzameling instrumenten in kolonel Moti's laboratorium.
Voor Merrill was dit huis als een oase in de hitte en het rumoer die hem in Indië omringden; en telkens als hij de hete, smerige dorpen waar hij werkzaam was, verliet, ging hij hierheen om zijn ziel te verfrissen. Niet alleen dat hij hier vrede vond, doch hij vond er nieuw geloof; want er waren soms ogenblikken dat de ziekelijke apathie van de dorpelingen hem tot wanhoop bracht. Deze bungalow was eveneens een toevluchtsoord geweest, waar hij zich kon onttrekken aan het bijzijn van zijn vrouw, tot aan het uur van haar dood. Als het leven hem thuis ondraaglijk werd gemaakt, was het zijn gewoonte zijn toevlucht te zoeken bij de Moti's. Hij was er zeker van dat zij hem daar nooit zou achtervolgen. Zij had hen gehaat, omdat zij wist dat hij onder hun dak verkeerde in een geestelijke sfeer die haar was ontzegd.
Mevrouw Moti ging hen voor naar een ruim vertrek en zei:

„Dit is de kamer voor jezelf en Tommy. Zal ik Ali in de bijgebouwen onderbrengen?"
„Als je er niets op tegen hebt," zei hij, „houd ik hem liever hier bij ons. Hij was ginds ook bij ons in huis. Hij is nog nooit op reis geweest. Misschien kan een van de bedienden een veldbed voor hem neerzetten."
Toen zij het vertrek had verlaten, om een en ander te laten brengen, ging hij op de rand van het bed zitten. Hij voelde zich weer duizelig en koortsig worden, maar door de koortsaanval heen bleef de gestalte in de wit-en-zilveren sari hem voor de ogen zweven. Zij was niet jong meer en ook niet mooi, maar ze verpersoonlijkte de volmaaktheid der kunst – door haar keurig gelakte nagels, de eenvoudige wrong van het haar, de zachte lijnen van het smalle, ovale gelaat en bovenal door de rust die van haar uitging.
De gedachte ging hem door het moede hoofd: Ik wilde dat ik hier altijd kon blijven en rusten, rusten, rusten. Want hij was ziek en vermoeid naar lichaam en geest.
Toen zij terugkwam, zei ze: „Ik heb wat eten voor je gereedgezet en verse geitemelk ingeschonken voor de jongens."
Nadat zij hun maal hadden genoten en de twee jongens waren gaan slapen, voelde Merrill zich moe en ziek en toen hij zich had ontkleed en een douche had genomen, verscheen Moti en gaf hem een slaapmiddel.
„Daar heb je behoefte aan," zei hij. „Ga nu slapen. En blijf morgen een gat in de dag slapen. Als de jongens eerder wakker zijn, zal Indira ze meenemen om de vogels en dieren op Crawford Market te laten zien." Hij zei dat alsof de kleine Ali in staat was de schitterend gekleurde vogels te zien, maar het kon zijn dat hij wist dat zijn vrouw ze hem wel zou *laten* zien.
Tenslotte sluimerde Merrill in; doch zijn slaap werd verontrust door zonderlinge, wilde dromen. Soms was Indira Moti de hoofdfiguur, kalm en rein en beheerst, in de wit-en-zilveren

sari, en dan weer verscheen hem in de droom de vrouw die hij in de trein had ontmoet, in al haar schoonheid, verleidelijk, lusten opwekkend – een soort van slechts half geklede godin, die de pijn had verdreven en hem een ander soort rust had geschonken dan de danseres zou kunnen doen.
Het was middag toen hij ontwaakte, doch de pijn kwelde hem nog steeds. De druk op zijn hoofd duurde voort en zijn geestelijke afmatting was nog niet van hem geweken.
Toen herinnerde hij zich vaag dat hij in de loop van de nacht, opgeschrikt uit zijn wilde dromen, zijn vriend Moti over zich had zien heen buigen, die hem aandachtig gadesloeg. Wat hij niet wist, was dat Moti bij zichzelf had gezegd: Wij mogen hem niet verliezen. Hij is een van de onzen. Wij hebben hem en zijn geestkracht nodig.
Later, toen de kolonel zijn vrouw weer had opgezocht in hun slaapkamer, hadden zij een lang gesprek gehad en overlegd hoe zij Merrill beter zouden kunnen maken en hem de gezondheid teruggeven. Het was een gesprek geweest dat Merrill met verbazing zou hebben vervuld, omdat het zo geheel en al verschilde van alles wat men hem, lang geleden, in het ouderlijke huis had verteld over de geestesgesteldheid in dit deel van de wereld.

Ongeveer op hetzelfde uur dat Merrill was ontwaakt, toen zijn vriend zich over hem heen boog, verlieten Al, de marconist, en Sandy, de chef-elektricien – die zijn kunstgebit nu in het geheel niet meer in zijn macht had – de bar, om naar boord terug te keren; over een paar uur zouden ze de reis naar Sydney voortzetten. Met dronkemansbeleefdheid namen zij afscheid van het gezelschap en verwijderden zich met een sentimenteel gevoel bij de gedachte dat zij naar alle waarschijnlijkheid noch Bill, noch mevrouw Trollope ooit zouden terugzien. In de loop van de morgen zouden ze met hoofdpijn opstaan en later kennis maken met nieuwe vrienden, die de

plaatsen zouden innemen van Bill en mevrouw Trollope, die ze spoedig zouden vergeten.
Zo was hun leven nu eenmaal. Maar op dat ogenblik hadden zij zich overweldigd gevoeld door sentimentaliteit, zodat het hun buitengewoon veel moeite kostte zich los te scheuren. Doch al die tijd zat Bill ernaar te verlangen dat zij toch maar heen zouden gaan, zodat hij met Carol zou kunnen praten.
Ten laatste gingen zij eindelijk; alleen mevrouw Trollope bleef over. Te midden van de vrolijke stemming had zij opeens weer een neerslachtige bui gekregen. Die scheen haar te overvallen toen Carol haar arm om Bills hals legde en zei: „Wat ben ik toch blij dat ik je terugzie!"
Doch mevrouw Trollope ging niet. Zij bleef maar zitten, met een grimmige trek om haar mond en bijna zonder een woord te zeggen. Op een gegeven ogenblik zei ze: „Wij moeten eens met ons drieën uitgaan. Hoelang blijft u nog hier, miss Halma?"
Carol zette haar glas neer.
„Tot de duiten op zijn," antwoordde ze. „Ik heb geen bepaalde plannen."
Op dat ogenblik kwam een man met een donker gelaat, een Indiër, vrij gezet en gekleed naar de laatste Londense mode, op hun tafeltje toe en zei in uitstekend Engels: „Hallo, Carol! Wanneer ben je teruggekomen?"
„Vanavond. Ga zitten en pak een borrel," liet zij erop volgen. Daarop stelde zij hem voor. Zijn naam was Botlivala.
Hij ging echter niet zitten.
„Nee," antwoordde hij, „ik kan niet blijven. Ik zit daar met een paar Engelsen. Wat doe je morgen?"
„Dat weet ik nog niet. Bel me maar even op."
„Goed."
„Maar niet te vroeg, niet vóór de lunch."
„Ik zal eraan denken." Hij maakte een buiging, die te oosters aandeed – iets te diep, als een salaam. Daarop verwijderde hij zich.

Eerst toen hij weg was, drong het tot Bill door dat de man Carol nauwelijks had aangekeken, doch dat hij daarentegen hemzelf, Bill, scherp had opgenomen. En Bill bracht zich ook de handen van de man te binnen – lang en mager, in zonderlinge tegenstelling met zijn dik, zinnelijk lichaam. Het waren weerzinwekkende handen, wreed en niet passend bij de drager. Bill herinnerde zich het gelaat niet, alleen de handen.
„Ik ken hem," zei mevrouw Trollope.
„Hij stinkt van het geld," merkte Carol op.
„Ik zou hem maar een beetje op een afstand houden, kind," merkte mevrouw Trollope op. „Ik herinner me dat er eens een groot schandaal is geweest over hem met een paar dansmeisjes."
„O, dat is al een oude geschiedenis," antwoordde Carol. „Dat had niets te betekenen. Ik ken hem heel goed."
Mevrouw Trollope ging rechtop zitten. „Hoe goed?"
Carol begon te lachen. „Nu, zó goed niet! Ik vind hem geen aantrekkelijk mens, maar hij is rijk en laat het geld rollen. Zulke mannen wil ik daar niet van terughouden."
Thans was het Bill die de mond opende.
„Hij ziet er niet aantrekkelijk uit."
Mevrouw Trollope voegde er scherp aan toe: „Ik begrijp niet hoe een vrouw zo'n man in haar nabijheid kan dulden."
Bill had de woorden op de lippen: „Wat gaat dat jou aan?"
Doch Carol scheen zich er niets van aan te trekken. „Ik ben niet zo kieskeurig," zei ze.
„Heb je zin om morgen te komen teaën?" vroeg mevrouw Trollope.
„Ja, graag, als ik bijtijds op ben," zei Carol. „Waar?"
„Bij mijn zuster. Ik logeer bij haar. Ik zal je komen afhalen."
„Bel me maar liever eerst op."
Daarna wendde mevrouw Trollope zich tot Bill.
„Ik zou jou ook wel vragen, maar dat gaat niet. Het is een zenanathee. Daar mogen geen mannen bij zijn."

„Mij best," antwoordde Bill; maar waarom zij gelogen had, begreep hij niet. Zij wist toch heel goed dat hij ervan op de hoogte was dat haar zuster als Europese leefde.
Daarna stond zij op en zei: „Nu, ik ga naar huis."
„Willen we je wegbrengen?"
„Nee, dank je. De wagen staat op me te wachten. Wel bedankt voor het fuifje, Bill." Zij glimlachte tegen Carol. „Dus ik bel je op."
„Okay," antwoordde deze. „Maar niet te vroeg."
Toen mevrouw Trollope vertrokken was, zei Bill: „Ze is de hele avond al het vijfde wiel aan de wagen geweest."
„Waar heb je haar opgedaan?"
„Aan boord."
„Het is in het geheel geen type voor jou. Niet veel vrouwelijks aan."
Hij begon te lachen. „Nee. Maar misschien ben ik van type aan het veranderen."
„Ik heb nog trek in een borrel," sprak Carol.
„Geen kwestie van."
„Waarom niet?"
„Omdat ik wat met je wil praten. Daar zijn we nu juist voor in de stemming." Na enkele ogenblikken viel hij eensklaps met de deur in huis. „Wat voer je eigenlijk in je schild?"
„Niets. Ik vermaak me maar zo'n beetje."
„Hoe kom je hier verzeild?"
„Ik ben met lui uit Londen hierheen gekomen. Je kent ze toch niet. Zij zijn doorgegaan naar Bali. Maar ik amuseerde me best, dus ik ben hier blijven hangen."
„En wat doe je nu?"
„Ik ga op bezoek bij maharadja's en ga naar de wedrennen en ik koop juwelen."
Hij dacht: Dat kan ze niet doen of ze moet haar geld opmaken – of ze krijgt geld van iemand.
„En nu is het mijn beurt," zei zij. „Wat voer jij hier uit?" Hij

vertelde het haar en zij luisterde met een ernstig gezicht toe.
„Ik ben blij dat je nu zakelijk bent geworden. Dat eeuwige uitgaan is toch niets voor je."
„Dat kan zijn. Ik heb me nu een hele tijd goed gehouden – ik heb hard gewerkt en ben buitengewoon netjes geweest. Maar ik zou best weer eens uit het spoor kunnen lopen."
Zij zag hem ernstig aan. Toen zei ze: „Maar niet met mij."
„Waarom niet?"
„Omdat ik je niet weer aan de gang wil maken."
„Wat ben je van plan, als je hier vandaan gaat?"
„Dan ga ik terug naar Parijs."
„Waarvoor?"
„Om me daar te amuseren."
„Denk je ooit nog eens te trouwen?"
„Als ik tegen de ware Jozef aan loop. Ik ben op het ogenblik verloofd, maar trouwen doe ik niet met die man."
„Met wie?"
Zij begon te lachen. „Die snuiter die hier aan het tafeltje is geweest."
„Die Indiër?"
„Hij is een Parsee."
„Hoe komt dat zo?"
„Hij liep me overal achterna en gaf me cadeaus. Toen heb ik tegen hem gezegd dat het me niet kon schelen om me met hem te verloven, maar dat ik niets beloofde."
„Anders niet?"
„Niets – geen sikkepit. Hij mag me niet eens aanraken. De meesten van die lui zijn gek op blonde vrouwen, zie je." Zij stak een sigaret op en vervolgde: „Laten we er nog een nemen."
„Nee, je hebt genoeg gehad. Waarom zou je nog meer drinken?"
„Omdat ik er behoefte aan heb, na alles wat ik de vorige week heb doorgemaakt."
Daarop vertelde zij hem van haar bezoek aan Jellapore, en

onder het spreken begon haar eigen natuurlijke geestigheid de overhand te krijgen op de uitwerking van de gin die zij de hele dag had gedronken. Het hele slippertje kwam haar nu voor als een goede mop, en terwijl zij doorratelde en haar goede humeur terugkeerde, kwam zij pas goed los. Zij vertelde in geuren en kleuren van de boycot van de haremvrouwen in Jellapore; van de fuif waarop de Engelse officieren met de vazen met orchideeën hadden gevoetbald; zelfs de mededeling van mevrouw Goswami dat men had geprobeerd haar te vergiftigen, beschouwde zij nu als een grap. Het was nooit haar gewoonte geweest achter zich te zien – trouwens: ook niet vooruit. Voor haar telde alleen de tegenwoordige tijd, minuut voor minuut.

Zo mocht Bill haar graag zien. Dáárom was hij er met haar vandoor gegaan, lang geleden, om een geestelijke in Greenwich, Connecticut, 's nachts om twee uur uit zijn bed te halen, om hen in de echt te verbinden. Niet, omdat ze zo verliefd op elkaar waren; ze hadden het als een kolossale grap beschouwd. Terwijl Bill naar haar zat te luisteren, af en toe lachend om de dwaze situaties in haar verhaal, begon zich een zorgrimpel te vertonen tussen zijn blauwe ogen. Als ze nu maar altijd zo was – en bleef, dacht hij. Het drinken dat zij deed, beviel hem niet, evenmin als de vermoeidheid die hij in het begin van de avond bij haar had opgemerkt. En die kleine, dikke kerel met zijn lange, benige vingers, Botlivala, kon hij ook niet luchten.

Daarop vertelde Carol van haar ontwaken in de trein, zonder dat ze wist hoe ze daar was gekomen en waar ze was en over het breken van de as en de keus die zij had gehad tussen het reizen in het gezelschap van de inlandse vrouwen of van een zendeling.

„In Indië heb je altijd wat anders," zei zij. „Er is altijd iets dat niet gaat, zoals het gaan moest. Maar de zendeling was werkelijk heel geschikt – en een knappe vent. Het bleek niet

zo erg te zijn als ik had gevreesd. Maar hij was ziek en toen heb ik hem moeten oppassen. Hij voerde iets uit in de dorpen – voor de oogst en het fokken van kippen en zo meer."
Bill was een en al oor. Hij luisterde nog wat langer en vroeg toen opeens: „Hoe heette hij?"
„Hij heeft het me wel gezegd, maar ik weet er niets meer van. Ik geloof zo iets van Homer – Homer zo-en-zo."
„Dan geloof ik dat ik hem ken. We hebben samen gestudeerd. Heette hij niet Homer Merrill?"
„Merrill? Ja, zo heette hij. Wel verdraaid!"
„Hij was een eersteklas voetballer. We waren in dezelfde club. Ik heb twee jaar lang één kamer met hem gehad."
„Maar je hebt hem toch nooit meegebracht naar New York?"
„Dat was niets voor hem. Hij was wel niet vroom, maar hij ging toch zijn eigen weg. Kon om te beginnen niet meedoen en wilde niet dat een ander voor hem betaalde."
Plotseling zag Bill hem weer voor zich – groot, gespierd, knap en rein. Ja, dat was het: *rein*; de reinste kerel die hij ooit had ontmoet. Het was hem wel gebeurd dat het zien van Homer hem een gevoel van schaamte bezorgde. Niet, dat Homer ooit iets zei; hij was nu eenmaal een feit – eerlijk en goed en rein, met een humoristische tinteling in de blauwe ogen, iemand die hard blokte en wie het welzijn van zijn medemensen ter harte ging.
Dus nu was hij in Bombay, na tien jaar te hebben gewerkt onder de Indische dorpelingen. Een ogenblik kwam bij Bill de herinnering op aan de vrouw van de zendeling op de boot, met haar vriendelijke ogen. Ja – zij had precies zulke ogen als Homer – de ogen van iemand die je nooit verwijten zou maken, maar die altijd gereedstond om je te helpen.
„Wat mankeerde hij?" vroeg Bill.
„Hij had het aan de lever," zei hij, „en dan het klimaat. En dan nog andere dingen, als je het mij vraagt."
„Waar ging hij in Bombay logeren?"

„Ik weet het niet. Hij had het over een vriend van hem die dokter is. Meer weet ik er niet van."
Bills gedachten zweefden weg van Carol; hij was nu geheel vervuld van Homer. Misschien was hij met geld te helpen. In ieder geval zou hij zich daarmee goede medische hulp kunnen verschaffen en rust kunnen nemen.
„Heb je er geen idee van, waar hij in Bombay heenging?"
„Nee; ik geloof dat hij bij een of andere Indiër ging logeren. Er was een Indiër die hem kwam afhalen – een Indiër met een knap uiterlijk, van een jaar of vijfendertig, veertig, met grote zwarte ogen. Van mij moest hij niet veel hebben."
Het aantal bezoekers begon te slinken. Bill keek eens om zich heen en zei: „Ik denk dat je bed beter voor je zou zijn dan een borrel."
„Ik kan toch nog niet in slaap komen."
„Dat is een slechte gewoonte. Je gebruikt toch geen...?"
„Nee, zo gek ben ik niet."
„Ik zou toch maar naar bed gaan en proberen te slapen."
„Het helpt toch niet; maar als ik je er een plezier mee doe, zal ik wel gaan. Zijn er morgen wedrennen?"
„Nee, niet voor zaterdag."
„Wil je me meenemen?"
„Graag."
„Welke paarden lopen er?"
„Ik weet niet, ik weet niets van paarden hier af."
Zij zag er eensklaps afgemat uit. Zij had donkere wallen onder de ogen en om de mooie mond vertoonde zich een vermoeide trek. Bill dacht: Ze zal spoedig oud zijn als ze zo voortgaat. Als ze vijfendertig is, heeft ze harde trekken.
Hij voelde het verlangen in zich opkomen om haar te helpen – maar hij wist niet hoe. Het scheen hem toe dat het noodlot haar ergens op een verkeerd spoor had gevoerd.
Zij maakte op hem de indruk van een goede actrice, die de verkeerde rol speelde. Er was iets dat nutteloos verloren ging:

energie, plannen, voornemens – het was hem onmogelijk te doorgronden wàt het was. Hij was nu een beetje aangeschoten, en plotseling werden de ervaringen van die dag, de hitte en pech hem te machtig.
„Ik wil niet onbeleefd zijn, kind," sprak hij, „maar als ik nu niet naar bed ga, val ik aan tafel in slaap."
„De oude dag?"
„Misschien wel. In ieder geval, ik heb een beroerde dag achter de rug. Het begon er al mee dat ik een man heb zien verpletteren. Mijn broek zat vol bloedspatten; ik moest het kostuum weggooien."
Haar blik vertoonde een zweem van belangstelling.
„Hoe is dat gebeurd? Vertel me dat eens; dan ga ik naar bed."
Hij vertelde het haar op apathische toon, want hij was nu te vermoeid om in zijn verhaal de schok en de afschuw weer te geven die het drama hem had bezorgd.
Toen hij gereed was met zijn verhaal, merkte Carol op: „Zonderlinge vrouw, die mevrouw Trollope."
„Maar niet kwaad."
Zij stond op. „We moesten nu allebei maar naar bed gaan."
„Ik zal je naar je kamer brengen."
Hij rekende af; en toen zij tussen de tafeltjes door liepen, voelde hij dat iemand hen nastaarde. Omkijkend zag hij dat het Botlivala was, de dikke man met de magere vingers.
Zij daalden de trap af naar de lift, en toen hij naar de klok keek, zag Bill dat het reeds drie uur was. Een blik om zich heen slaand, kreeg hij de barones in het oog, die de vertrekkenden zat na te staren. De kralen van haar houten rozenkrans gleden snel door haar dikke vingers. Zij had hen niet opgemerkt en Bill hoopte maar dat zij in de lift zouden kunnen komen zonder dat zij opkeek.
Doch op hetzelfde ogenblik, alsof zij hun nabijheid voelde, keek zij op en zag hen. Dat was voldoende. Zij stond onmiddellijk op en liep op hen toe, haar gezicht vertrekkend tot een

soort grimas – de beste imitatie van een glimlach die haar mogelijk was.
„Wel," zei zij met haar buitenlands accent, „ik heb mij de hele dag reeds verwonderd afgevraagd waar u toch was."
„Ik heb het druk gehad met allerlei."
„Het was ontzettend – dat ongeluk."
„Inderdaad."
Zij zag Carol aan en glimlachte tegen haar. Bill begreep dat zij aan haar voorgesteld wenste te worden. Doch voor de eerste maal in zijn leven was hij onbeschoft, maar onbeschoftheid had geen vat op de barones, die een olifantshuid had.
Zij zei, Carol de hand toestekend: „Mijn naam is barones Stefani. Wij zijn samen met dezelfde boot gekomen – mijnheer Wainwright en ik."
„O, neem me niet kwalijk," zei de in verwarring gebrachte Bill. „Dit is miss Halma."
„Aangenaam," sprak Carol.
„Gaat u al naar bed?" vroeg de barones. „Ik wil u iets aanbieden."
„Dank u," zei Bill. „Een volgende keer."
„Wij zijn moe," voegde Carol erbij. „Goedenacht."
Ze liepen door en de barones keerde terug naar haar stoel. Zij was tevreden dat zij kennis had gemaakt met het blonde meisje, dat ze misschien zou kunnen gebruiken. Zij had reeds de overtuiging gekregen dat haar eerste vermoeden juist was: dat het meisje aan het toneel was geweest.
Even later kwam een kleine magere man, slordig gekleed, binnen en nam naast haar plaats. Zij bleven in druk gesprek gewikkeld, tot er nog slechts zeer weinig gasten in de Taj Mahal Bar overbleven.

Boven gekomen, wandelden Carol en Bill de gaanderij langs, en toen zij bij haar kamer waren gekomen, zei zij: „Wil je niet even binnenkomen?"

„Nee, morgen zullen we verder praten."
Een ogenblik weifelde ze en zei toen: „Je kunt blijven als je wilt."
„Nee, ik denk dat het beter is van niet. Het is niet omdat ik er geen lust in zou hebben, kind, maar het heeft geen zin om opnieuw te beginnen. Je weet wel hoe ik dat bedoel."
„Ja – misschien heb je gelijk." Zij zag hem aan – het meisje, van wie hij hield: de dochter van de Zweedse farmer uit Minnesota. „Nu, enfin," zei zij, „ik ben blij dat jij bent komen opdagen. Ik voelde behoefte aan iemand zoals jij. Jij kunt me chaperonneren. Kus me goedenacht."
Zij kuste hem het eerst – het was een kuise, bijna zusterlijke kus. Dat was nu het zonderlinge aan haar – dat zij ondanks alles een soort reinheid had bewaard die door niets was te verwoesten. Zij was gezond en normaal en zag er lief uit. God had haar alles geschonken. En opnieuw kreeg Bill het gevoel dat zij uit het rechte spoor was geraakt.
Toen hij in zijn eigen kamer was, piekerde hij nog over die kus. Niet omdat hij de vrouw begeerde, maar omdat hij het gevoel had dat hij – hoe, wist hij niet – ertoe had bijgedragen om de loop van het noodlot te wijzigen. Als hij een andere kerel was geweest, had hun huwelijk gelukkig kunnen zijn. Er bestond geen enkele reden, waarom het *niet* gelukkig zou zijn geworden – behalve dan dat zij met te veel mensen omgingen, te veel partijen gaven en te veel dwaasheden uithaalden.
Toen hij zich ontkleed had en op het harde bed was neergevallen, bleef hij wakker liggen, geheel uit zijn gewone doen; en tenslotte, reeds half in slaap, dacht hij: Misschien ben ik toch een loot van de oude stam. Misschien begint mijn vader vat op me te krijgen. Hij dacht aan het oude gezegde: „Niemand is zo respectabel als een bekeerde losbol."
In haar kamer lag Carol ook wakker in het duister, wanhopige pogingen aanwendend om in slaap te komen. Doch

de slaap bleef weg. Op een of andere wijze, zonder dat zij wist hoe, was er iets vreemds in haar leven gekomen, iets dat haar in verwarring bracht. Zij had de laatste tijd niet meer 's nachts geslapen, doch overdag. Zij wist niet waar zij over een jaar zou zijn, of over een maand, of zelfs morgen; en dat joeg haar vrees aan, nu zij alleen was. Dat was de reden waarom ze Bill had gevraagd bij haar te blijven; niet omdat zij op hem verliefd was, maar omdat zij niet aan zichzelf had kunnen denken als hij bij haar was geweest.

Hij was een aardige kerel, dacht zij, zo aardig als alleen Amerikanen kunnen zijn, ridderlijk en goedhartig – tè goedhartig en tè aardig misschien. Zij voelde een opwelling van warmte en genegenheid voor hem.

Doch bijna onmiddellijk daarna begonnen de schrikbeelden van de nacht haar weer te overvallen. Zij kwamen uit de schaduwen van het grote vertrek op haar toe. Stemmen, ontsproten aan haar eigen brein, die zij niet kon bedwingen, bleven het haar toefluisteren: „Je bent bang. Je hebt alles bedorven. Je weet niet waar je heen moet. Je hebt zogoed als geen geld meer. Je hebt al het geld verkwist dat Bill je heeft uitgekeerd. Je begint verschrikkelijk te drinken. Het zal niet lang meer duren of je raakt aan verdovende middelen verslaafd om te kunnen slapen. Terug kun je niet. Je kunt niet naar je moeder gaan in een klein huisje in Minneapolis. Je bent te diep gezonken. Het zou je toch niet helpen; dat weet je zelf beter dan wie ook. Als je tegen de middag uit je bed komt, staan je ogen niet meer zo helder als vroeger. Je huid is niet fris en blank meer. Je moet wel drinken om de schrikbeelden te verjagen. En zelfs nu moet je opstaan om te drinken, wil je in slaap komen."

Hardop antwoordde zij de stemmen: „Dat doe ik niet! Dat doe ik niet! Jullie kunnen me niet dwingen!"

Doch de stemmen hielden niet op – en ten laatste, toen het bijna dag begon te worden, liet zij zich uit bed glijden, liep naar de kast waarin zij wat sterke drank had verstopt en nam een flinke teug, zo maar uit de fles.

Toen mevrouw Trollope de bar had verlaten en uitkeek naar de grote limousine in de file buiten, vond zij de chauffeur half ingedommeld, narrig en brutaal en toen zij zei: „Terug naar het paleis!" keek hij haar nijdig aan. Nadat zij was ingestapt, sloeg hij het portier hard achter haar dicht. Mevrouw Trollope dacht: Die weet het ook al.
Zij was ervan op de hoogte dat al de bedienden in het paleis haar beschouwden als een arme bloedverwante. Zij wisten het, zij konden het zien aan haar afgedragen kleren en haar versleten koffers en valiezen die zij zich vijftien jaar geleden had aangeschaft, toen Jim Trollope schitterende zaken deed, aan haar blik, zelfs aan de arrogantie, die zij zich had aangewend om zichzelf een houding te geven.
Achteroverleunend in de kussens, voelde zij zich uitgeput. Zij had bijna deernis met zichzelf. Op veertigjarige leeftijd, midden in het leven, was zij verslagen; zij zag niet anders in de toekomst dan eenzaamheid en een vreugdeloos bestaan. Voor het eerst in haar leven werd zij overweldigd door de ontzettende afmatting die wordt teweeggebracht door het altijd de schijn ophouden.
Zij was het moe zich een air te geven tegenover bedienden en medereizigers, zelfs tegenover haar eigen zuster; zich te houden of zij niet zogoed als aan het eind van haar middelen was. Het vergalde zelfs het genoegen dat het spel haar vroeger verschafte. Als je moest spelen voor je levensonderhoud, was er geen aardigheid meer aan.
Zij had zelfs geen hoop dat het iets beter zou worden als Jim Trollope uit de gevangenis kwam. Als hij erin geslaagd was iets uit de puinhopen van zijn zwendelpraktijken te redden, zou zij er toch wel niets van krijgen. En als hij weer vrijkwam, zou hij een man van zestig zijn – te oud om op-

nieuw te beginnen. Van de schande trok zij zich niet veel aan – daar kon haar dikke huid wel tegen. Zij had zelfs niet onder een aangenomen naam gereisd of zich ergens opgehouden in al de jaren na het schandaal; maar waar zij zich wel iets van aantrok, was het vooruitzicht zich in alles te moeten bekrimpen, want zij wist wat dat was.
Sedert zij en Nelly Melbourne hadden verlaten om in Engeland te studeren van het oneerlijk verkregen geld van haar vader, had zij geen grond meer onder de voeten gehad. Haar vader had gehoopt dames te kunnen maken van haar en haar zuster; en waar was het op uitgelopen? Nelly een halve gevangene in haar paleis van roze marmer met een pensioentje niet hoger dan dat van een officier in het leger, en Stitch de vrouw van een gevangenisboef. Haar hele leven had zij in hotels doorgebracht; een tijd lang, toen Jims zaken schitterend gingen, in de grootste weelde. Doch daarvan restten haar niets anders dan blote herinneringen.
Nelly behoefde ze niet te vragen haar te helpen. Haar zuster zou tegen haar zeggen dat ze geen cent méér bezat dan ze nodig had om haar speelzucht bot te vieren. En bovendien was dat waarschijnlijk waar ook, in weerwil van al de weelde die haar omringde. Nu ze slechts de weduwe van een maharadja was, kreeg ze vermoedelijk niet meer dan een speldegeld. Doch Nelly scheen zich er weinig van aan te trekken. Op haar rustte niet die ontzettende vloek der rusteloosheid. Zij had veel weg van een van die mollige Perzische katten; zij werd al dikker en dikker en zat de hele dag mahjong of bridge te spelen en ging af en toe naar de wedrennen.
Doch wat was de toekomst die zich voor Stitch opende met haar achtenveertig pond sterling op de bank en Jim nog vier jaar in de gevangenis? Ze kon niet eens meer weg uit Bombay. Zij had niets meer dat zij zou hebben kunnen verkopen. Zij had niets anders in het vooruitzicht dan kost en inwoning in het roze marmeren paleis – en nog wel half tegen

Nelly's zin, omdat zij als het eropaan kwam niets met Stitch op had – terwijl de gekleurde bedienden allen even brutaal tegen haar waren, omdat zij wisten dat zij geen geld had.
Toen, als een bliksemstraal in een donkere kamer, schoot haar de gedachte te binnen aan het meisje dat Bill haar aan het tafeltje had voorgesteld. De glans die van haar uitging, was als een licht in de duisternis. Was zij zelf maar zo geboren – groot en mooi en vol vitaliteit, in plaats van klein en geel en mannelijk.
En nu gebeurde er iets zeer wonderlijks met Stitch: gedurende enkele verblindende ogenblikken *werd zij zelf het meisje* – schitterend en zorgeloos.
Het was alsof haar eigen magere benen rond en krachtig en mooi gevormd waren, alsof haar vale, leerachtige huid glanzend en transparant werd, haar platte borsten rond en hard en weelderig werden, haar eigen fletse groene ogen blauw en helder met een vrolijke tinteling.
Maar in een oogwenk was het visioen verdwenen en liet haar verschrompeld en verdord, het leven vol van een schrijnende leegte en wanhoop alsof het verschijnsel werkelijkheid was geweest. In haar beneveld brein dacht ze: Ik moet haar terugzien. Ik zal haar morgen opbellen.
Op dit ogenblik hield de auto voor de rijk versierde ingang van het paleis stil. De Ghoerka-chauffeur hield het portier voor haar open, met een blik in de ogen als van een hond die vol verwachting naar zijn dronken meester opziet. Zij wist zich goed te houden tot zij de voet van de marmeren trap bereikte, maar toen zij deze opliep, begon zij zenuwachtig te huilen. Snikkend bereikte zij haar kamer en wierp zich op het bed. Zo werd zij 's morgens wakker, nog in haar verkreukte, witte japon.

Kolonel Moti bracht Merrill met zijn zoon naar de boot. Merrill had het niet willen hebben, doch Moti had erop aangedrongen, hoewel het zijn hele dag in de war bracht en hem uit zijn geliefd laboratorium hield. De Indiër wist dat Merrill niet alleen ziek en lijdend was, doch ook dat het vertrek van de jongen een kwelling was voor zijn hoofd en hart. Onderweg in de rammelende taxi sloeg hij Merrills afgemat gelaat gade. Hij trachtte te doorgronden wat daarachter omging en een blik te slaan in de ziel en de geest van zijn vriend. Het was niet de eerste maal dat hij daartoe pogingen in het werk stelde, doch zij waren altijd vergeefs geweest. Er bleef hem steeds iets verborgen – datgene wat als het ware Merrills hele bestaan had vergiftigd, dat hem hinderde in zijn werk en dat zijn gezondheid had ondermijnd. En dit was moeilijk te doorgronden voor Moti, omdat het iets speciaal westers was, iets dat Merrill had overgehouden uit zijn jeugd en zijn jongelingstijd, dat „iets", dat geen Indiër ooit zou vermogen te begrijpen. Moti's scherp verstand zei hem dat het iets was dat tegen de menselijke natuur streed – een soort perversiteit. Hij wist dat het bij Merrill met wortel en tak moest worden uitgeroeid, voordat Merrill zijn gezondheid kon terug erlangen. Doch vóór alles zou hij moeten trachten te ontdekken wàt het was.

Tenslotte bereikten zij de kade, waar zij de heer Snodgrass aantroffen, de zendeling die Tommy onder zijn hoede zou nemen gedurende de lange reis naar Minneapolis. Snodgrass was een magere, lange, onsympathiek uitziende man. Moti had dadelijk een afkeer van hem en dacht: Gelukkig is de jongen niet oud genoeg om te worden bedorven door de morele opvattingen van die man. Moti vermoedde dat het mensen als Snodgrass waren geweest die in Merrill het zaad hadden geplant van de ziekte die zijn hele leven uit het evenwicht had gebracht en zijn gezondheid had vernietigd.

Toch was de heer Snodgrass geen ongeschikte man. Hij was niet onvriendelijk, maar hij had akelige, dunne lippen, die bij zijn beroep schenen te horen; het waren zijn lippen, waaraan

Moti onmiddellijk een hekel had – dunne, koude, bekrompen lippen. Het zien alleen van de zendeling wekte een heftige toorn op in de Indiër met zijn vurige ogen. Wat – die man die geen greintje warmte bezat, geen sprankje vuur, die niets af wist van liefde, zelfs niet van naastenliefde: die man waande zich waardig om een onverzoenlijk oordeel uit te spreken over anderen? Terwijl hij zwijgend luisterde naar de koude, afgemeten stem, waarmee de zendeling verschillende details met Merrill regelde betreffende de overtocht van de jongen, dacht Moti: Dat is het wat Merrill hindert – het moet iets van die aard zijn dat zijn leven heeft vergald.
Inmiddels holde de jongen, opgetogen over het schip en de reis die hij ging maken, over het dek, zonder zich veel aan te trekken van de naderende scheiding van zijn vader. Dit alles vormde voor hem een nieuwe wereld, die hem in een roes bracht. Hij vergat zijn vriendje Ali, achtergebleven bij kolonel Moti's vrouw. Hij vergat zijn vader, omdat hij naar huis ging – naar huis in Amerika, waar hij kennis zou maken met talloze andere jongens zoals hij, waar misschien nog cowboys en prairiehonden en roodhuiden waren.
Terwijl de jongen heen en weer holde, volgde Merrill hem met hongerige ogen. In zijn moede hersens achtervolgden de onsamenhangende gedachten en herinneringen elkaar. Hoe zonderling kwam het hem voor dat hij zoveel hield van een kind, geboren uit een huwelijk, zo kleurloos, zo beklemmend, zo verstikkend als het zijne was geweest. Thans, nu hij zich zo ziek voelde, trachtte hij zichzelf niet langer een rad voor de ogen te draaien, zoals hij had gedaan zolang zijn vrouw nog leefde. Nu zijn hoofd zo te lijden had onder de hitte en de ziekte, was al het zelfbedrog, al de schijn, waarmee hij zich al die ondraaglijke jaren om de tuin had geleid, verdreven. Misschien hield hij zoveel van de jongen omdat zijn vrouw hem nooit liefde had geschonken – zij had hem zelfs niet eens toegestaan haar lief te hebben.

De stoomfluit liet een waarschuwend signaal horen, en er weerklonk een geroep: „Allen van boord!", waarop de mensen om hem heen, blanken en kleurlingen, Europeanen en Indiërs, zich naar de uitgang bewogen en in een onafgebroken rij de loopplank afdaalden.
Juist zei de heer Snodgrass met een air van ik-weet-het: „Ja, het zal wel erg heet zijn tot Port Said toe. Maar daarna wordt het koeler, soms zelfs koud."
Merrill voelde een plotselinge haat tegen Snodgrass in zich opkomen. Hij haatte hem met een heftigheid die voortkwam uit zijn overspannen zenuwen. Hij haatte hem om zijn air van gewichtigheid, zijn zalvende toon, zijn huichelachtigheid, zijn overtuiging dat hij Gods gezalfde was en als zodanig boven andere mensen stond.
Merrill dacht: Misschien kan hij het niet helpen. Maar ik dank de hemel dat ik de heer Snodgrass niet ben.
Hij nam de jongen in zijn armen. Hoe groot en flink was hij voor een kind dat in Indië was geboren; hoe leek hij op zijn vader toen deze zijn leeftijd had met juist zulke spieren, waardoor hij later zulk een goed bokser en voetballer was geworden (het leek al eeuwen geleden)! Als hij het aanbod van Bills vader had aangenomen, die hem een betrekking had willen geven, zou alles misschien heel anders zijn gelopen. Dan zat hij nu misschien in Amerika, terwijl de jongen onder zijn ogen opgroeide.
Hij zou hem al de jaren missen, waarin zijn spieren zich ontwikkelden – de jaren, waarin hij hem misschien terzijde had kunnen staan om hem te bewaren voor het begaan van dezelfde fouten die hij zelf had gemaakt, om hem te helpen genieten van het leven, voordat het te laat was om te leren. Als hij Tommy terugzag – als hij hem tenminste ooit zou weerzien – zou hij bijna zijn opgegroeid tot een man, een vreemde voor hem misschien.
Voor het laatst drukte hij Tommy vast tegen zich aan en zei:

„Nu, jongen, blijf braaf en als je daarginds bent, schrijf me dan gauw. Je zou me zelfs onderweg kunnen schrijven, terwijl je nog aan boord bent."
„Natuurlijk, vader. Natuurlijk doe ik dat."
De kreten „Allen van boord!" werden dringender. Moti, die het toneel met zijn schitterende, zwarte ogen gadesloeg en alles met zijn vriend meevoelde, zei: „Laten we nu liever heengaan, Homer."
Merrill zette de jongen voorzichtig neer en kuste hem teder op het hoofd. Hij gaf Snodgrass een hand. Daarop nam Moti hem bij de arm. Hij daalde de loopplank af met de kolonel achter zich. Hij voelde zich ellendig en vreesde dat hij misschien het bewustzijn zou verliezen op de kade, onder al die vreemde mannen. Hij hoorde Moti zeggen: „Ga nu mee naar huis en naar bed. Blijf hier niet staan om de boot te zien afvaren en ze na te staren. Dat kan je zeker geen goed doen."
Merrill draaide zich bij deze woorden om, teneinde met de ogen Tommy te zoeken, maar Tommy was in het inwendige van het schip verdwenen, op zoek naar nieuwe wonderen.

's Middags om twee uur belde Bill Carol op. In weerwil van de hitte, die overal doordrong, klonk haar stem fris en opgewekt. Het was niet de nerveuze, hese stem die hij de avond tevoren had gehoord, doch de frisse, lieve stem van vroeger. Zelf had hij hoofdpijn en was zenuwachtig.
Toen ze zei: „O, hallo, beste jongen – hoe gaat het ermee?" voelde hij zich geïrriteerd. Hij dacht: Verduiveld, dat is om jaloers op te worden, die opgewektheid en goede gezondheid.
„Gaat nogal. Wat voer jij op het ogenblik uit?"
„O, niets. Ik lig hier te lezen zonder iets aan. Het is veel te warm om iets anders uit te voeren."
„Ik moet naar het bijkantoor van onze zaak."
„Wat zou je denken van de wedrennen?"
„Ik weet niet hoelang ik werk heb. Misschien kom ik je daar

opzoeken." De stem van de andere kant kreeg een overredende klank.
„Och kom! Je bent nauwelijks hier! Neem nu vanmiddag maar eens vrij!" Het was weer de oude geschiedenis. Zo was het altijd geweest. Zaken hadden niets te betekenen voor Carol. Alles wat ze verlangde, was te genieten van het leven.
„Hoor eens, kind," sprak hij, „ik ben hierheen gekomen om te werken."
„Morgen zijn er geen wedrennen."
„Okay. Maar wanneer zie ik je dan?"
„Ik kom je opzoeken bij de wedrennen of later in de Willingdon Club."
„Kom dan niet te laat."
„Nee"
„Het spijt je toch niet dat je mij hier hebt getroffen?"
„Nee. Waarom?"
„Wel, ik heb nooit een goede invloed gehad op zakenmensen".
Hij begon te lachen. „Nu, reken maar dat je nu met een wasechte zakenman zit opgescheept. Het fuifnummer is dood en begraven!"
„Jammer van hem! Arme kerel!"
Plotseling stokte het gesprek.
„Ben je daar nog?"
„Ja."
„Ik dacht dat je de hoorn op de haak had gelegd."
Dat was iets dat ze nooit zou doen – ze hield van telefoongesprekken, hoe langer hoe liever.
Toen hernam hij: „Vertel me nog eens van Homer Merrill. Waar zei hij dat hij heen ging?"
„Naar een andere Indiër – een dokter die aan het hoofd stond van een inrichting."
„Hoe ziet hij eruit?"
„Een kleine man, heel knap, met prachtige zwarte ogen."
„Die bedoel ik niet."

„O, de Amerikaan! Knap, sympathiek, blond, blauwe ogen. Werkelijk aardig. Voor een jong meisje om voor te knielen."
„Ik geloof dat hij het werkelijk is."
„Wie dan?"
„Merrill – Homer Merrill."
„Ja, dat was zijn naam; ik herinner het me nu."
„Het is prettig dat je af en toe wat nuchter wordt."
„Wees niet zo flauw."
„Nu, dan zie ik je wel, hè!"
„Ja, op de wedrennen of in de club."
„Ben je lid?"
„Ik? Nee, Botlivala maakt alles voor me in orde."
„Wie is Botlivala – die Indiër?"
„Ja."
„En Jelly en zijn broer hebben er ook wat in de melk te brokken. Ik zie liever Jelly dan die vriend van je."
„Nu, je mag kiezen. En denk erom: je moet ervoor zorgen dat ik van die verloving afkom."
„Natuurlijk; op mij kun je rekenen. Dag!"
„Dag!"
Hij legde hoorn op de haak en nam een stortbad. Toen opende hij de deur en riep Silas om zijn kostuum voor hem gereed te leggen. Terwijl hij zich aankleedde, kwam weer de gedachte bij hem op dat Merrill misschien geld kon gebruiken, nu hij ziek was. Maar zou hij het aannemen? Misschien als een lening. Bill voelde een sterk verlangen in zich opkomen om Merrill weer te ontmoeten, een verlangen dat hij nog kende van vroeger, als hij vermoeid en afgemat was en een hekel had aan zichzelf, omdat hij zich te buiten was gegaan. Hij voelde zich altijd beter als hij een poosje bij Homer was geweest. Zonderling – datzelfde gevoel had hij later ook gehad bij Carol. Dat stond in verband met hun gezondheid en vitaliteit. Beiden trokken zwakkere geesten aan; mensen die tegenslag hadden gehad of hun leven hadden vergooid.

Merrill was geboren om verantwoordelijkheid op zijn schouders te laden en mensen te helpen en te leiden. In zekere zin was dat ook het geval met Carol; doch die had op een of andere wijze haar roeping gemist. Van die kant had Bill haar vroeger nooit beschouwd. Misschien was het wel, doordat zij indertijd aan dat schoonheidsconcours had meegedaan dat zij op verkeerde wegen was geraakt. Miss Minnesota! Dat was het! Zij had de verkeerde weg gekozen.
Buiten hing de hitte in de straat als boven een oven. In het kantoor van de maatschappij was men niet voorbereid op het bezoek van Bill. De choeprassie verdween om na enkele ogenblikken terug te komen, gevolgd door de heer Smithers, die de heer Hinkle tijdens diens afwezigheid verving.
Smithers was een kort, dik mannetje van middelbare leeftijd; hij droeg een lorgnet met stalen montuur en had een glimmend kaal hoofd. Hij was hier nog niet toen Bill de vorige keer in Bombay vertoefde. Hij deed niets anders dan glimlachen en bleef buigen als een knipmes; en zodra hij de mond geopend had om te spreken, herkende Bill in hem de man die hij per telefoon had gesproken.
Zij traden het privé-kantoor van de heer Smithers binnen – een verre van proper, ouderwets vertrek met een voorwereldlijke ventilator, zware teakhouten meubelen en een half dozijn landkaarten vol vliegevuil tegen de wanden.
Smithers klapte in de handen. In antwoord op dit sein verscheen een choeprassie. Smithers bestelde warme thee. Daarop zei hij: „Het spijt me dat meneer Hinkle er niet is. Ik denk dat hij u niet voor de volgende maand verwachtte."
„Ik was in Alexandrië en Istanboel vroeger klaar dan ik dacht. Ik zit er niet graag, dus toen heb ik in Port Said de boot twee weken vroeger kunnen nemen dan ik had gedacht."
„We zullen alles doen om u het verblijf hier zo aangenaam mogelijk te maken. Ik vermoed dat u nog niet zoveel af weet van Bombay."

Bill begon te lachen. „Integendeel, ik ken het buitengewoon goed. Ik ben hier al eens vroeger geweest. Maar toen was u nog niet hier."
„Nee, ik ben pas een jaar geleden van Singapore naar hier overgeplaatst." Smithers glom van voldoening. „In elk geval moet u met mij komen lunchen in de Jachtclub." Hij zette een hoge borst op en vervolgde: „Ik ben juist lid geworden."
Bill was niet onvriendelijk of ruw van inborst, doch nu zei hij scherp: „Ik stel uw vriendelijke uitnodiging op prijs, maar ik zet nooit een voet in de Jachtclub."
Smithers zag onhutst op.
„Waarom niet, meneer Wainwright? Het is toch een nette club?"
„Dat bedoel ik niet. Maar ik heb hier verscheidene goede Indische vrienden, enkelen zelfs zeer hooggeplaatst – maar zoals u weet, mogen zij niet in de club komen en daarom ga ik er ook niet heen."
Deze woorden brachten Smithers zodanig van de wijs dat Bill het betreurde, dat hij ze had geuit. De ander werd vuurrood en zei: „Ja, dat weet ik; dat treft slecht. Je moet hier wonen om de toestand te begrijpen. Het is absoluut nodig. Ze zouden ons geheel verdringen."
Als de club geheel gevuld was met mensen als Smithers zou het ook wat moois zijn, dacht Bill. Doch hij zweeg. De beklemmende stilte werd gelukkig onderbroken door de komst van de choeprassie met de thee. Bill dronk er een kop van, uit beleefdheid, doch begon onmiddellijk hevig te transpireren. Verduiveld, dacht hij, nu kan ik me nog eens gaan verkleden, voordat ik naar de wedrennen ga!
Hardop vervolgde hij: „U zou mij een genoegen kunnen doen. Ik moet hier een vriend zien te vinden. Het enige wat ik weet, is, dat hij logeert bij een Indische dokter die aan het hoofd staat van een of andere inrichting. Het is van het grootste belang dat ik hem vind."

Smithers was blijkbaar in zijn schik dat de Bombay Jachtclub van de baan was. „Persoonlijk kan ik u niet inlichten," zei hij, „maar ik zal chef-baboo laten roepen."
Das was een reeds bedaagd Bengalees, netjes in Europese kleding gestoken; doch hij was serviel in zijn wijze van optreden. Toen Bill een beschrijving gaf van de man die hij zocht, wreef Das de handen over elkaar en zei: „Dat moet kolonel Moti zijn. Een groot man," liet hij erop volgen. „Een heel groot man. Een licht dat over Indië schijnt!"
„Waar kan ik hem vinden?" vroeg Bill.
„Aan het Instituut voor Tropische Ziekten." Das schreef de naam van kolonel Moti en de naam van het instituut voor Bill op. Daarop verliet hij, achteruitlopend en voortdurend buigend, het vertrek.
Toen hij weg was, zei Bill: „Ik wilde wel dat hij niet zoveel omslag maakte voor het beantwoorden van een gewone vraag."
„Zo zijn ze allemaal, die Indiërs," zei Smithers. „Slaafs."
Maar toen Bill hem om een velletje papier verzocht om een briefje te schrijven, haastte Smithers zich om het voor hem te halen en legde het voor hem neer met de gedienstigheid van een lijfeigene, die de bevelen van zijn meester gehoorzaamt.
Bill zette zich aan het schrijven van een briefje aan kolonel Moti, en onder het schrijven kwam de gestalte van de geleerde hem hoe langer hoe duidelijker voor de geest – een streng, verontwaardigd gezicht, dat zo verbazend weinig op zijn plaats scheen op een avond, tien jaar geleden, in de grote bar van het Taj Mahal Hotel. Hij herinnerde zich het vuur dat uit de zwarte ogen straalde. Hij schreef:

Zeer geachte kolonel Moti,
Ik wend mij tot u met het verzoek, mij wel te willen inlichten omtrent een oude vriend van mij, Homer Merrill, die, naar ik verneem, ook tot uw vrienden behoort. Ik blijf gedurende korte tijd in Bombay en zou het op hoge prijs stellen, hem

vóór mijn vertrek te ontmoeten. Indien u mij zijn adres kunt verstrekken, zal ik u daarvoor zeer erkentelijk zijn. U zult zich mij wel niet herinneren – wij hebben elkaar éénmaal ontmoet, en wel tien jaar geleden in de Taj Mahal. Zou u mij daarheen willen schrijven?
Met beleefde groeten en in de hoop dat u mij niet lastig zult vinden,

Hoogachtend,
William Wainwright.

Daarop verzocht hij de heer Smithers het briefje door een jongen te laten wegbrengen en verliet het kantoor. De straat was nog als een gloeiende oven. Zijn ondergoed kleefde aan zijn lichaam.
Terwijl hij terugreed naar het hotel, begonnen zijn gedachten zich weer bezig te houden met Carol. Hij werd het er met zichzelf over eens dat het slecht met haar zou aflopen als hij het oog niet op haar hield. Hij kende haar – en hij wist wanneer zij gevaar voor zichzelf opleverde. Hij was ervan overtuigd dat zij regelrecht op een catastrofe aanstuurde – wist hij niet welke catastrofe dat kon zijn.
Zijn onrust verliet hem niet terwijl hij een lauw stortbad nam en schoon goed aantrok. Voordat hij wegging, droeg hij Silas op om acht uur terug te komen teneinde te zien of Bill hem nodig had. Zolang de heer Hinkle nog niet terug was uit Birma, was Bill heer en meester over zijn eigen tijd. Hij kon zich thans in allerlei avonturen storten. Misschien is het de laatste keer dat ik daarvoor de gelegenheid krijg, dacht hij.

Op de renbaan voelde heer Botlivala zich zo trots als een pauw. Hij liep als op wolken en zette een borst als een kropduif. Telkens als hij een vriend of kennis tegenkwam, maakte hij een iets te elegante buiging, terwijl een tevreden glimlachje zijn wrede, zinnelijke lippen deed krullen.

En er was een goede reden voor, dat hij zich zo trots voelde. Hij voelde zich goed gezond, behalve dan dat zijn lever niet geheel in orde was. Hij was schatrijk. Slechts één geslacht geleden heette zijn familie nog Bottlewallah en nog pas vier of vijf geslachten geleden had zijn familie in het geheel geen naam. Maar nu had hij een groot huis op de Malabar Hill en bezat hij een renstal; hij was de eigenaar van honderden fabrieken; hij had aandelen in buitenlandse ondernemingen die reusachtige dividenden afwierpen. Doch wat hem trotser maakte dan dit alles, was het feit dat hij zich op dit ogenblik vertoonde met de schoonste blonde vrouw die in geheel Indië te vinden was.

Dat zij hem geen enkele concessie had gedaan, merkte hij niet aan als een bezwaar. Voor hem was het voldoende dat hij de indruk wist te wekken dat dit bekoorlijke wezen hem toebehoorde. Dat dit in de letterlijke zin niet waar was, hinderde hem ook niet in het minst. Reeds de omstandigheid alleen dat hij met haar werd gezien, zou voedsel geven aan het gerucht dat Botlivala de hand had weten te leggen op de prachtige Amerikaanse schone.

Daarom liep de heer Botlivala zo trots; zijn bloed stroomde snel door zijn aderen – niet uit begeerte maar van trots.

Het schouwspel van de wedrennen bracht hem in een uitstekend humeur. Het was de prachtigste renbaan ter wereld, beter dan Longchamps of Epsom. Nergens anders dan in Bombay waren zoveel kleuren te aanschouwen tegen een achtergrond van tropische bloemen; nergens anders waren zoveel maharadja's en miljonairs, ranies en Engelse hoogwaardigheidsbekleders, rijke Amerikanen en Arabische paardenhandelaars, Franse bezoeksters en mooie Indische vrouwen bijeen te zien. Het schouwspel was niet nieuw voor hem, doch het vervulde hem altijd weer met trots. Hij schepte er behagen in ermee te pronken tegenover Carol, hoewel zij het reeds dikwijls genoeg had gezien.

Een van zijn paarden, Asoka III, had de vierde ren gewonnen – en Carol had er geld aan verdiend met wedden. Botlivala was er zeker van dat de overwinning Asoka III niet kon ontgaan, zodat hij haar gerust duizend ropijen kon lenen om op zijn paard te wedden. Het enige dat hem niet beviel was, dat zij hem onmiddellijk zijn geld teruggaf toen zij haar eenentwintigduizend ropijen had geïncasseerd. Juwelen wilde zij altijd aannemen – maar nooit baar geld.
Dat vond hij, nadat zijn relaties met Carol Halma enkele weken hadden geduurd, een zeer eigenaardige Amerikaanse gewoonte. Het wekte bij hem de indruk dat juwelen een man geen aanspraak verschaften op bijzondere voorrechten – geld echter wèl, naar het scheen. Dit was dan ook de reden dat hij nooit had kunnen bereiken wat hij zo sterk begeerde, in weerwil van het feit dat hij reeds een paar honderdduizend ropijen aan juwelen aan haar had verspild.
Doch dat bracht hem op dit ogenblik niet in een slecht humeur. Iedereen die hem kende, was er nu toch van overtuigd dat miss Carol Halma hem toebehoorde, dat was hem voldoening genoeg.
Hij voelde zich ook gelukkig, omdat Carol in een goed humeur scheen te zijn en niet hatelijk of vervelend, zoals dat dikwijls voorkwam. Zij had er zelfs niet op tegen gehad dat hij met haar heen en weer liep, in weerwil van de hitte, alsof zij een mannequin was, zodat iedereen hen goed kon zien.
De ren, waarin Asoka III had gelopen, was het grote nummer van de dag geweest; en nadat Botlivala een gedachtenwisseling had gehouden met de trainer en de jockey, begon hij weer onrustig te worden. Iedereen die hij kende, had hem nu met de blonde schoonheid gezien, zodat zich het verlangen van hem meester maakte haar nu eens in een andere kring te vertonen. De beste gelegenheid daarvoor bood natuurlijk de Willingdon Club. Ieder, die iets te betekenen had in Bombay en niet naar de rennen was geweest, zou daarheen gaan om een

cocktail te drinken en te bridgen. Hoewel het reeds naar vijven liep, was het nog gloeiend heet en verre van aangenaam op het terrein. Het beste was naar de Willingdon Club te gaan en daarna zou hij Carol dan misschien meenemen naar het Taj Mahal Hotel om daar te dineren en met haar te pronken.

Doch toen hij zich omwendde – hij had met een van de bestuursleden van de renclub staan praten – bemerkte hij dat zij in gesprek was met een lelijke, kleine vrouw in witte tropenkleding, die zij aan hem voorstelde als mevrouw Trollope. De heer Botlivala maakte een buiging – een van zijn gereserveerde buigingen waarmee hij zijn minderen groette. Zijn hele, veelbewogen leven had hij doorgebracht met het maken van studies van zijn medemensen – wel geen diepgaande studies, maar alleen om te kunnen beoordelen in hoeverre zij voor hem van nut konden zijn. Hij had daarbij weleens lelijke fouten begaan, omdat hij in hoofdzaak lette op de spraak en de kleding. Zo had hij eens een bok geschoten door een Britse gouverneur voor een ondergeschikt ambtenaar te houden, omdat de gouverneur ervan hield in een oud kostuum rond te lopen.

Met één oogopslag had hij mevrouw Trollope, die hij zich vaag herinnerde gisteravond in de Taj Mahal Bar te hebben gezien, opgenomen met haar lang niet gloednieuw kostuum en haar vilten hoed en verder niet naar haar omgekeken, niet alleen omdat zij geen vrouw van gewicht was, maar ook omdat zij tot het soort mensen behoorde, met wie hij liever niet gezien wilde worden. Hij wist dat Carol er een handje van had om allerlei rare mensen om zich heen te verzamelen, maar mevrouw Trollope was wel het ergste exemplaar waarmee zij zich ooit vertoond had. Hij dacht: Die moeten we ons van de hals zien te schuiven.

Doch het lag volstrekt niet in de bedoeling van mevrouw Trollope om zich opzij te laten schuiven. Zij was uitsluitend

naar de rennen gegaan om te trachten wat geld te verdienen en op die wijze haar berooide kas te stijven. Maar zij had verloren. Zij had nog hoofdpijn van het drinken dat zij in de afgelopen nacht had gedaan, zij werd duizelig van de hitte en het feit dat zij vijftien pond sterling had verloren, bracht haar tot wanhoop. Toen had zij eensklaps Carol Halma opgemerkt, lang en mooi in haar bleekroze kostuum, terwijl zij de trap van de tribune afkwam.
Opnieuw had zij de zonderlinge sensatie ondergaan dat zij zelf Carol Halma was – een sensatie die bijna op hetzelfde ogenblik ook weer was verdwenen, haar slap en uitgeput achterlatend. Zij dacht: Zij zal me geluk aanbrengen. Ik moet haar spreken. Daarop wist zij zodanig te manoeuvreren dat zij vlak tegenover haar kwam te staan. Carol herkende haar. Toen Botlivala was voorgesteld en Carol snel influisterde: „We zullen nu weggaan en wat gebruiken in de Willingdon Club," kreeg hij een antwoord dat hij niet had verwacht.
„Nee," zei Carol tot zijn verbazing. „Ik wil de volgende ren nog afwachten. Mevrouw Trollope wil erop wedden."
Op hetzelfde ogenblik zag hij dat mevrouw Trollope een biljet van duizend ropijen in de hand hield en hij verdacht Carol er sterk van dat het een van de biljetten was die Carol had gewonnen met de duizend ropijen die hij haar had geleend.
Dat was inderdaad het geval. In de weinige ogenblikken waarin de twee vrouwen met elkaar hadden staan praten, was er heel wat afgehandeld.
Carol had mevrouw Trollope onmiddellijk herkend. Het was overigens niet moeilijk het smalle, tanige gelaat met de scherpe trekken te herkennen en dit kostte nog te minder moeite, wijl mevrouw Trollope hetzelfde kostuum aan had dat zij de avond tevoren in de Taj Mahal Bar had gedragen. Misschien is dit het enige kostuum dat zij heeft, dacht Carol. Zij kon het zeer goed aan haar zien dat zij verloren had; de wanhopige

uitdrukking verdween zelfs niet uit de groenachtige ogen toen de lippen zich tot een dun lachje plooiden.
Toen mevrouw Trollope vroeg: „Kent u me nog?" antwoordde Carol onmiddellijk: „Natuurlijk herken ik u! Hoe gaat het?"
„Gaat nogal."
„Veine gehad?"
„Nee," antwoordde mevrouw Trollope. „Ik heb alles verloren, op elke ren." Zij sprak de woorden uit met zulk een gedwongen vrolijkheid dat Carol begreep dat zij àlles had verloren. Zij zei: „Nu, ik heb een mooie slag binnengehaald."
Zij opende haar tas en nam er een biljet van duizend ropijen uit.
„Hier, probeer het hier nog eens mee."
„O, nee – dat kan ik toch niet doen!" riep mevrouw Trollope uit.
„Kom nu! Doe niet zo dwaas! Als u wint, kunt u het mij na afloop teruggeven. En als u niet wint, kunt u het mij teruggeven als we elkaar weer eens zien."
„Ik – ik kan het haast niet," mompelde mevrouw Trollope zwakjes.
Het was iets ongerijmds – zo maar geld aan te nemen van een vreemde die zij slechts éénmaal tevoren had ontmoet; maar zij voelde dat zij het toch zou doen. Die duizend ropijen zouden misschien uitkomst brengen. Al won zij er nog slechts één biljet bij, dan had zij weer wat kapitaal. Maar als zij verloor, zou zij geen kans zien het ooit terug te betalen.
Een inwendige stem fluisterde haar in: „Dat meisje brengt je geluk aan. Hoe zou het anders kunnen? Het zal je geluk aanbrengen, al raak je het biljet alleen maar aan."
De inwendige stem won het pleit. Mevrouw Trollope hoorde Carol zeggen: „Neem het maar aan. Het zal u geluk aanbrengen. Ik heb vandaag niet anders dan veine. Ik kàn niet verliezen."
Zij nam het biljet aan met de woorden: „Geef me dan een

tip. Ik weet hier niets van de paarden af. Ik ben gisteren pas aangekomen."
„Ik weet er ook niets van," antwoordde Carol.
Juist op dat ogenblik had Botlivala zich omgewend en bemerkt dat zijn schone stond te praten met iemand die nog het meeste weg had van een werkvrouw. Hij nam een koele houding aan en zijn overdreven vriendelijkheid verdween. Toen hij Carol voorstelde naar de Willingdon Club te gaan, begreep zij onmiddellijk zijn bedoeling en antwoordde: „Nee, dat doen we niet voordat mevrouw Trollope gewed heeft. Ik voel me vandaag in veine. Ik blijf hier tot zij gewonnen heeft."
Hij kende Carol voldoende om uit haar manier van optreden te weten dat zij onhandelbaar zou worden, als ze in zulk een bui gedwarsboomd werd. Hij verdacht haar ervan – in heldere ogenblikken was hij er zelfs zeker van – dat zij niet bijzonder op hem was gesteld en dat zij geen greintje eerbied voor hem had. Alles was vandaag zo goed gedaan dat bijna alles mogelijk scheen. Als haar goede bui aanhield, zou de hoop waarmee hij zich reeds de gehele middag had gevleid, misschien wel in vervulling gaan. Het speculeren zat Botlivala in het bloed en hij was nu bereid om te speculeren op iets, waarnaar hij meer had verlangd dan hij ooit iets anders had begeerd.
Daarom antwoordde hij: „Heel goed, als je daar lust in hebt."
„Maar," liet Carol erop volgen, „je moet mevrouw Trollope een eersteklas tip geven, net zoals die welke je mij hebt gegeven. Dan gaan we heen, na de volgende ren. Ga nu vlug een tip halen. We zullen op je wachten bij de pari mutuel."
Mopperend verdween Botlivala, hoewel hij er tevens trots op was dat zulk een schoonheid hem commandeerde.
Het was zijn bedoeling inderdaad een goede tip te geven. Dan zou mevrouw Trollope geld verdienen en tevreden heengaan. Doch nauwelijks was hij een paar meter verder of hij

kreeg een ander denkbeeld. Het zou tenslotte beter zijn als mevrouw Trollope verloor. Als zij won, zou zij misschien een fuifje willen geven, of Carol zou haar kunnen uitnodigen om hen gezelschap te houden. Indien de tekenen niet bedrogen, zou zij geen cent meer bezitten als zij verloor. Dan zouden zij zeker geen last meer van haar hebben. In plaats dus van te trachten een goede tip machtig te worden, maakte Botlivala een praatje met een paar kennissen en had van verschillende zijden complimentjes in ontvangst te nemen over zijn gezellin. Daarop zocht hij Carol en mevrouw Trollope weer op.
Zij schenen het goed met elkaar te kunnen vinden – veel te goed naar zijn zin. Mevrouw Trollope was er naar zijn mening nu juist de vrouw naar, om te trachten de liefdesaangelegenheden van knappere vrouwen in de war te sturen. Zij behoorde tot het soort lelijke vrouwen, tot wie mooie vrouwen zich om raad wenden. Carol scheen zich goed te amuseren en de uitdrukking van depressie was van het gelaat van mevrouw Trollope verdwenen. In haar blikken las Botlivala een onuitsprekelijke bewondering, waarvoor hij geen verklaring wist te vinden, doch die zijn toorn opwekte. Zijn woede deed hem zich echter nog meer verkneuteren in het vooruitzicht mevrouw Trollope te gronde te richten.
„Ik ben erachter," zei hij. „Geen kwestie van verliezen – en het is een kans van twintig tegen één. Het paard heet Tinker's Dam. Er is niet veel over bekend, maar het moet winnen."
Het geelachtige gelaat van mevrouw Trollope nam de kleur aan van een vetkaars. Haar magere bruine handen trilden, alsof zij stond te beven van de kou. Zij keerde zich om en ging naar het loket waarboven stond: „Duizend ropijen". Onderweg dacht zij nog: Misschien was het beter als ik maar de helft waagde. Doch de inwendige stem – de stem die haar leven had verwoest – fluisterde haar weer in: „Nee. Je moet alles op alles zetten."

Zij gaven zich niet de moeite de trappen van de tribune te bestijgen. Zij gingen alle drie op stoelen staan. Tinker's Dam – nummer 7 – was een kleine, magere, zwarte merrie met een witte sok. Naast de andere paarden die meeliepen, maakte zij de indruk van een polo-pony. Toen zij het dier zag, voelde mevrouw Trollope, die verstand had van paarden, haar hart in de schoenen zinken, en Carol, die in het geheel niets van paarden af wist, vroeg zich af hoe dit kleine paardje het zou kunnen uithouden tegen die andere grote dieren. Zij kreeg een vaag gevoel van wantrouwen en keek van opzij naar Botlivala, doch op het zwarte gezicht stond niets te lezen.
Na twee valse starts gingen de paarden ervandoor. De kleine zwarte merrie liep aan het hoofd en bij de eerste bocht wist zij haar voorsprong met een lengte te vergroten. De jockey die haar bereed, wist de binnenbaan te houden. Men kon hem gemakkelijk onderscheiden met zijn rood-en-witte buis en pet. Bij de volgende bocht was Tinker's Dam nog steeds nummer één. Toen een van de grote paarden op haar scheen te winnen, versnelde de merrie haar gang en schudde de concurrent gemakkelijk van zich af. Carol scheen alle belangstelling voor de ren te hebben verloren. Als Tinker's Dam niet het ongeluk had te vallen, kon zij de ren onmogelijk meer verliezen. Carol sloeg oplettend de uitdrukking van Botlivala's gelaat gade. Zij merkte op dat het hoe langer hoe donkerder werd; ze hoorde de wilde kreten: „Tinker's Dam! Tinker's Dam!", waarop Botlivala nog woester keek. Toen was de ren afgelopen en mevrouw Trollope stond niet meer op de stoel. Ze zat er nu op, slap van opwinding.
Voordat Carol van haar stoel afstapte, slingerde zij Botlivala twee woorden in het gelaat: „Jij schurk!" zei zij.
Botlivala kromp ineen, maar antwoordde: „Dat kun je niet eens een ren noemen; zij kon eenvoudig niet verliezen!"
Mevrouw Trollope trachtte zich te beheersen. Zij overstelpte Botlivala met dankbetuigingen.

„Ja, er moet bepaald iets niet in orde zijn geweest met dat winnen," merkte Carol sarcastisch op. Doch mevrouw Trollope hoorde het niet. Zij was al op weg om haar winst in ontvangst te nemen.
„Zo, nu kunnen we naar de club gaan," zei Botlivala. Zijn toon was smekend; doch het hielp hem niet.
„Nee, we zullen op mevrouw Trollope wachten, dan gaat zij mee. Daar moeten we op drinken."
Toen werd het Botlivala te machtig. Hij smeet zijn toegangskaart woedend tegen de grond en riep uit: „Wat – die vogelverschrikster?"
Carol bleef gevaarlijk kalm en zei: „Nu, ga jij maar. Wij gaan naar het Taj Mahal Hotel. Bill Wainwright zou ons toch komen halen."
„Wie is die Bill Wainwright?" vroeg Botlivala. In de duistere ogen vertoonde zich iets van toorn en wantrouwen.
Toen zij antwoordde: „Je hebt me gisteravond toch met hem gezien?" veranderde de uitdrukking van zijn ogen in haat – de haat van iemand die het in aantrekkelijkheid moet afleggen tegenover een ander.
„Wie is hij?" vroeg Botlivala. „En waar komt hij vandaan?"
Carol begon Botlivala en zijn wisselende gemoedsstemmingen, zijn jaloersheid, zijn ijdelheid en kleinzieligheid moe te worden. Op onverschillige toon antwoordde zij: „Een oude jeugdvriend van me; zijn vader is eigenaar van de Amalgamated Oil Works. En hij heeft duiten genoeg, zou jou met al je huurkazernes kunnen kopen zonder er iets van te merken."
Zij drong zich door de menigte. „Vooruit nu! Mevrouw Trollope zal niet weten waar we blijven."
Mevrouw Trollope had haar winst reeds in ontvangst genomen en weggestopt in haar versleten tas – twintig mooie, krakende biljetten van duizend ropijen. Het eenentwintigste reikte zij Carol toe, met de woorden: „Wel bedankt. Je bent vandaag buitengewoon gelukkig. Twintig tegen één! Heerlijk!"

Op hetzelfde ogenblik drongen de maharadja van Jellapore en Joey door de menigte. Zij droegen nu beiden weer Europese kleding – de bloemen en verdere versierselen die zij bij het van boord gaan droegen, waren verdwenen.
De maharadja zag Carol het eerst.
„Zo, kind, hoe maak je het? Je ziet er goed uit. Ik hoor dat je mijn beruchte broer in Jellapore gezelschap hebt gehouden."
„Ja, ik ben drie weken bij hem geweest."
„Goed geamuseerd?"
„Gaat nogal. Je kent Jellapore beter dan ik."
„Een vreselijk vervelend gat."
Daarop heette Jelly zijn oude pokerkameraad mevrouw Trollope warm welkom en richtte toen het woord tot Botlivala, die hem vereerde met een van zijn buigingen die hij bewaarde voor personen van vorstelijken bloede.
„Het treft goed dat we elkaar ontmoeten," zei de maharadja. „Na afloop van de rennen geef ik een cocktailfuif in het kleine paleis. Iedereen is welkom. Kan ik iemand van dienst zijn met een plaats in mijn wagen?"
„Okay," sprak Carol. „Wij zijn hier met onze eigen wagen." Het kwam niet in haar op Botlivala te vragen wat hij ervan dacht; doch hij had er niets op tegen. Nu was alles toch nog meegelopen. Hij kon met Carol pronken op de cocktailfuif, waar mevrouw Trollope ongetwijfeld in de menigte zou verdwijnen.
Wat Stitch Trollope betreft: voor haar had de wereld in minder dan een uur een geheel ander aanzien gekregen. Zij had nu twintigduizend ropijen in haar tas en ze ging naar een fuif met het wonder van blonde schoonheid. Het leven begon voor haar opnieuw. Morgen zou zij een deel van de twintigduizend ropijen beleggen in nieuwe kostuums, nu zij in de wereld was teruggekeerd en omging met Carol Halma. Niet alleen dat Carol zo knap was, dacht mevrouw Trollope, maar ze was ook zo verstandig. Stitch, die nooit veel had op-

gehad met mannen, beviel de manier waarop het meisje Botlivala behandelde. Een man moest zo iets lieftalligs als Carol eigenlijk nooit anders mogen naderen dan op zijn knieën.

Op deze manier was Bill Carol misgelopen. Hij ontmoette op de rennen twee of drie kennissen die haar hadden opgemerkt, doch zij wisten niet waar ze was heengegaan. In de Willingdon Club was geen spoor van haar te bekennen. Wel ontmoette hij er de knappe jonge Engelsman, thans in burgerkleding, die de brieven van de gouverneur en de onderkoning aan boord had gebracht. Nu de jongeman niet langer de eer van het Britse gouvernement had op te houden, had hij alle stijfheid afgeschud. Hij was thans eenvoudig luitenant Forsythe, een fidele kerel.
Zij dronken samen een paar borrels en namen toen plaats aan een bridgetafeltje met de heer Hazimboy, een rijke makelaar in katoen, en mevrouw Barroly van de Pasee kliek, de eigenares van Tinker's Dam.
Midden in het spel begon de onrust zich weer meester te maken van Bill – de oude onrust die hij in lange tijd niet had gekend. Nu Hinkle voorlopig niet uit Birma terug zou keren, kon hij hier niets uitvoeren, en als hij braaf en netjes bleef, stond hem niets anders te wachten dan grenzeloze verveling. Nee, dat is niets voor mij, dacht Bill. Dat houd ik geen veertien dagen vol. Ik wil genieten van het leven – Leven met een hoofdletter. Ik moet mijn laatste kans waarnemen, voordat ik veertig ben.
En terwijl hij doorspeelde – buitengewoon slecht, want zijn gedachten waren niet bij het spel – dacht hij ook aan de daaruit voortvloeiende moeilijkheden. Wat hij verstond onder „Leven" was een vaag iets, uitgaan, boemelen, zoals hij dat had meegemaakt in de vrijgevochten dagen na de oorlog: champagne, dansen, vermaak, dwaasheden – en nu en dan een amouretje met een of ander onderhoudend meisje, een

verhouding die wel amusant was, doch niet van te lange duur moest zijn. Dat ging echter niet zo gemakkelijk in Bombay – vooral het laatste niet. In het Oosten scheen er geen tussenklasse te bestaan tussen de van alle aantrekkelijkheden verstoken meisjes uit een tingeltangel en de preutse, slordige ambtenaarsvrouwen van de Europese kolonie. Natuurlijk: als je maar lang genoeg in een kolonie bleef hangen, duurde het niet lang of je vond zelfs de lelijkste vrouw van middelbare leeftijd onderhoudend, mooi zelfs, maar zover kon je jezelf in een paar weken tijds niet brengen.

Bill deed zijn best op zijn spel te letten. Als hij niet zo achteloos had gespeeld zouden mevrouw Barroly en hij al lang hebben gewonnen; doch nu scheen de robber eindeloos. Hij keek op zijn horloge en zag dat het reeds acht uur was. Gelukkig lagen zijn kaarten nu blind, zodat hij kon opstaan om naar Carol uit te zien.

Hij kon haar in geen velden of wegen vinden en voor het eerst in zijn leven voelde hij zich gekrenkt. Hij was eraan gewend dat zij nooit op tijd kwam, doch nu kreeg hij de indruk dat zij hem expres in de steek had gelaten. Waar zij zich ook vertoonde, gebeurde er altijd iets bijzonders – iets fantastisch, soms zelfs melodramatisch. Hij vermoedde dat zij haar afspraak niet was nagekomen omdat zij een of ander nieuw vermaak in het vooruitzicht had en dat zij hem daarom gewoon had vergeten. Verduiveld, dacht hij. Het was niet zijn bedoeling geweest het korte spel van lang geleden opnieuw te beginnen. Hij verlangde alleen naar haar gezelschap; als hij Carol bij zich had, amuseerde hij zich altijd.

Hij keerde naar het tafeltje terug; gelukkig was de robber uit. De andere spelers namen zonder enig gevoel van spijt afscheid van hem. Zij waren er niet rouwig om dat hij wegging, want hij was toch niet met zijn hoofd bij het spel geweest.

Buiten in de avondlucht leek het koel, zolang men niet in beweging was; doch dan werd de lucht plotseling zo drukkend

dat men af en toe het gevoel kreeg zelfs niet meer te kunnen ademhalen.
Bills taxi volgde de Nepean zeeboulevard, en gedurende enige tijd lag hij achterover, met gesloten ogen. Hij oriënteerde zich door de bloemegeur waar hij was: jasmijn en jacaranda – nu moest hij bij de paleistuinen zijn, die uitzagen over de zee; de geur van specerijen en wierook – dat was de grote tempel van Parvati bij de haven; de scherpe stank van de rook van gedroogde koemest – dat moesten de vuren zijn, aangelegd door de pelgrims die uit het hart van Indië naar de zee waren getrokken, om zich te zuiveren in haar wateren.
En geluiden drongen ook tot hem door: het geraas van de elektrische trein naar Joehoe, het luiden van de bellen voor de bioscopen om de aanvang van de nieuwe voorstelling aan te kondigen, de muziek van het orkest in het paleis van de gouverneur, waar men vermoedelijk danste; en boven alles uit het eeuwige ruisen van de Arabische Zee. Eenmaal opende Bill de ogen – en toen zag hij Jellapores kleine roze paleis, waar deze altijd partijen gaf. De kristallen kroonluchters verspreidden een zee van licht. Jelly geeft zeker een feest, dacht hij en boog zich voorover naar de chauffeur om hem hier te laten stoppen. Doch hij bedacht zich en leunde weer achterover, met gesloten ogen.
Geluiden en geuren smolten samen tot een zinsbekoring. Zij riepen fantastische beelden op, die trachtten hem in moeilijkheden te lokken – welke moeilijkheden wist hij niet; doch hij had geen vertrouwen in zichzelf. Hij dacht: Als ik Carol maar kon vinden! Zij kan mij afleiding bezorgen en mij voor het begaan van dwaasheden behoeden. Er bestond maar één middel om haar te vinden, en dat was: terugkeren naar het Taj Mahal Hotel en opnieuw beginnen.
Het was niet Carol die hij in het Taj Mahal Hotel aantrof; en het was niet Carol die hem terughield van het begaan van dwaasheden. Toen hij in het hotel kwam, begaf hij zich

dadelijk naar de receptie, om te vragen of zij een boodschap voor hem had achterlaten. Een boodschap was er niet, maar de klerk zei: „Er zit een heer op u te wachten, mijnheer. Hij zit in de leeszaal. Hij is al een uur hier."
„Een juwelier?"
„Nee, dat geloof ik niet. Het is een Indische heer, maar ik ken hem niet."
„Dat zal ik zelf weleens gaan zien."
Hij trad voorzichtig de leeszaal binnen, met het voornemen weer weg te gaan als het voorkomen van de man die op hem zat te wachten, hem niet aanstond. Er was niemand anders in de zaal dan een oude Engelse dame die bij het venster zat te breien en een kleine donkere man die aan de tafel zat te schrijven.
Bill sloeg de man aandachtig gade, zich afvragend wie hij wel kon zijn en wat hij van hem kon verlangen. Toen doemde voor zijn geestesoog vaag de gestalte op van de man die op hem zat te wachten... het beeld van een kleine, donkere man. En toen wist hij wie hij was. Die kleine man was kolonel Moti. Er was iets in het voorkomen van de geleerde dat Bill kalmeerde. Hij liep op de tafel toe en zei: „Pardon – zit u op mij te wachten?"
Kolonel Moti stond op, zette zijn bril af en vroeg: „Bent u de heer Wainwright?"
„Ja. U bent zeker kolonel Moti?"
„Ja. Ik zou u willen spreken over Merrill."
„Neem mij niet kwalijk dat ik u heb laten wachten. Als ik had geweten dat u zou komen..."
„Het heeft niets te betekenen," antwoordde kolonel Moti. „Ik was toch in de stad en het is een heel eind naar en van het instituut, daarom heb ik het er maar liever op gewaagd."
„Doch u hebt het druk."
De kolonel glimlachte. „Ik heb geen tijd verloren laten gaan. Ik neem altijd werk mee. Ik heb een artikel zitten schrijven

voor New York over nieuwe ontdekkingen die wij hebben gedaan op het gebied van de builenpest."
„Gaat u zitten," noodde Bill. „Wat kan ik u aanbieden?" Zij zetten zich in een paar gemakkelijke fauteuils en Bill gaf de bestelling op. „Het was mijn bedoeling geweest u te komen opzoeken," vervolgde Bill.
„Het maakt niets uit," antwoordde de kolonel. „Ik ben zelf gekomen, omdat ik een idee had en er haast is bij het geval. Ik heb er met Merrill over gesproken. Hij logeert bij mij in het instituut. Hij zou u graag willen spreken."
De bediende zette de glazen voor hen neer en kolonel Moti begon zijn verhaal.
„Ik weet niet," zei hij, „of u iets hebt gehoord van het werk dat Merrill heeft verricht. Hij is hierheen gekomen om het volk te leren hoe de mensen behoorlijk kunnen leven in de dorpen, waarin hun voorouders vijfduizend jaar lang een ellendig bestaan hebben geleid en bijna van honger zijn gestorven. En thans ziet elke Indische staat die zijn eigen belangen begrijpt, hem gaarne verschijnen. Indië heeft hem nodig, mijnheer Wainwright. Hij is een van de thans levende mannen aan wie Indië het meeste behoefte heeft. Maar er is een grens aan het menselijke uithoudingsvermogen en die grens heeft hij reeds overschreden."
„Ik ken hem," antwoordde Bill. „Ik weet hoe hij werkt. In Amerika had hij alles kunnen krijgen wat hij verlangde, maar hij heeft er de voorkeur aan gegeven zich hier te begraven."
De zwarte ogen van kolonel Moti begonnen te fonkelen.
„Ik zou het niet graag zo noemen. Indië is een grote natie, die nu eerst begint te ontwaken na een slaap die eeuwen heeft geduurd. En Merrill doet zoveel als een man maar kàn doen. Dat is nu juist het ongeluk van het Westen. Daar huldigt men nog altijd het oude standpunt dat iemand zich begraaft, als hij niet probeert rijk te worden of vooruit te komen in de politiek. Doch ik dwaal af. Ik ben hierheen gekomen om met u

te overleggen hoe we Merrill van de dood kunnen redden, terwijl wij hem zo hard nodig hebben."
„Is het zo erg met hem?"
„Zo erg is het. Hij heeft gewerkt tot zijn lichaam uitgeput is en zijn hersens op een spons lijken. En hij heeft aanval op aanval gehad van malaria en hij heeft dysenterie gehad en tyfeuze koortsen. Een man, minder sterk dan hij en met minder geestkracht, zou al lang ten onder zijn gegaan. Hij bezit de kracht van een os en de geest van een engel. Hij heeft rust nodig. Maar dat is niet het enige, wat hij nodig heeft. Er is meer nodig om hem te redden." De kolonel zag Bill scherp aan en vroeg: „Hebt u zijn vrouw gekend?"
„Nee," antwoordde Bill. „Ik heb haar nooit ontmoet."
„Zij is nu dood. Verleden jaar is zij goddank gestorven. Zij heeft gedaan wat in haar vermogen was om hem te gronde te richten. En nu zij dood is, maakt hij er zichzelf verwijten van dat hij haar niet heeft begrepen, hoewel hij haar liever naar buiten had moeten slepen om haar de keel af te snijden. Zij was de dochter van een zendeling. Hij heeft hier in Indië kennis met haar gemaakt. Zij was knap, dat is waar, maar zij hield er zonderlinge opvattingen op na. Eén van die opvattingen was dat een christelijke vrouw slechts dan seksuele omgang met haar man diende te hebben, wanneer zij kinderen wensten. U kent Merrill? U weet dat hij een flinke, sterke jonge kerel was. U weet dat hij was voorbestemd om vrouwen aan te trekken en de aarde te bevolken met zijn nakomelingen. God en de natuur weten heel goed wat zij willen, mijnheer Wainwright."
De kolonel hield even op om een teug uit zijn glas te nemen en vervolgde toen: „Welnu – de natuur laat niet met zich spotten. Dat weet ik beter dan de meesten. Ik heb mijn leven doorgebracht met de bestrijding van ziekten en ziektekiemen in Indië, waar de natuur machtiger en boosaardiger is dan elders. Wat ik daarmee wil zeggen, is dit: dat die vrouw tien jaar

lang Merrills leven heeft vergiftigd – zijn lichaam, zijn geest, zijn gezondheid. Zij wilde niet seksueel met hem samenleven en Merrill is te fatsoenlijk geweest om een Indische vrouw onder één dak te houden met zijn eigen vrouw. En hij was te goedhartig om haar leed aan te doen. Tien jaar lang heeft hij in volmaakte kuisheid aan de zijde van die monsterachtige vrouw geleefd. Dat heeft zijn gezondheid meer ondermijnd dan de tyfus en de malaria."
Tot op dit ogenblik had de geleerde zijn kalmte weten te bewaren, maar nu kwam de Indiër bij hem boven en wond hij zich op. Hij sloeg met de slanke hand op tafel en zijn ogen fonkelden. „Die vrouw was een monster en hoe ouder zij werd, hoe meer haar onvoldaanheid toenam en hoe twistzieker zij werd. Zij haatte het verblijf in de dorpen en deed wat zij kon om Merrills werk te saboteren. Zij belemmerde hem in zijn werk en ging zelfs zover dat zij de dorpelingen tegen hem opzette, tot zij gelukkig door de dood werd weggenomen. Men beweerde dat zij aan dysenterie was gestorven, maar ik zou er iets onder durven verwedden dat de dorpelingen, die veel met Merrill op hadden, haar uit de weg hebben geruimd. Er zijn in Indië middelen genoeg om zo iets te doen."
Bill luisterde toe. Hij had iets in het midden willen brengen, doch hij wist niet wat. Het bewustzijn dat hij zelf weinig betekende, werkte verlammend. Mensen als Moti – geleerden of denkers – boezemden hem altijd een geweldig ontzag in.
„Ik hoop dat ik u niet verveel," vervolgde Moti. „Ik zeg dit alles tegen u in de overtuiging dat u een vriend van Merrill bent, dat u op hem bent gesteld en dat u mij wilt helpen om hem te redden."
„Ik ben bereid al het mogelijke te doen."
„Als hij niet geholpen wordt, is hij gedoemd om te sterven – en zelfs binnenkort." De kolonel boog zich over tot Bill, als om hem de woorden in te hameren die hij thans ging spreken. „Hij heeft met mij over u gesproken. Ik weet wat voor soort

man u bent en nu ik u heb gezien, heb ik hoop. Ik geloof dat u de enige bent die hem kan redden."
Deze opmerking wekte een gevoel van ongerustheid in Bill op. Wat kon hij doen om een man als Homer Merrill te helpen? Wat zou er tussen hen kunnen bestaan, na zoveel jaren, in sferen die zo ver van elkaar verwijderd waren als twee verschillende kometen? Een ogenblik schrikte hij zelfs terug bij de gedachte dat hij Homer weer zou ontmoeten. Een zachte, egoïstische stem fluisterde hem in: „Al je plezier zal vergald worden, al het genoegen dat je zou kunnen smaken, zal bedorven worden als je je die invalide op je hals haalt." Doch hij schaamde zich over zichzelf en zei snel: „Natuurlijk; ik zal met genoegen alles voor hem doen wat in mijn vermogen is àls ik iets kan doen."
Hij was zich bewust van de blik in de zwarte ogen die hem opnamen alsof hij een object in een laboratorium was. Een ogenblik bleef kolonel Moti zwijgen en Bill herhaalde zenuwachtig: „Ik weet niet wat ik zou kunnen doen."
Opeens zei de kolonel: „U bent iemand die het leven van de vrolijke kant opneemt. U lacht graag. U houdt van muziek. U houdt van vrouwen – ik wil niet zeggen dat zij een obsessie voor u worden, maar u ziet ze graag om u heen. Zij bezorgen u een gevoel van geluk. U hebt genoten van alles wat Merrill zich heeft ontzegd. U zelf bent het, wat Merrill nodig heeft. U stond met hem op zeer vriendschappelijke voet, nietwaar? Dat zei Merrill tenminste."
„Wij gingen zo vriendschappelijk met elkaar om als dat maar mogelijk is tussen twee mannen."
„Dan is het misschien nog niet te laat om hem te redden – zelfs niet om hem te genezen. Wat ik u vraag, vraag ik niet voor Merrill alleen, met wie wij beiden veel op hebben, doch ter wille van de duizenden, miljoenen zelfs, die lijden – omdat hij een man is van onschatbare waarde. En als wij er niet in slagen hem te genezen, zal hij sterven."

Daarop voegde hij erbij, alsof hem dit nog te binnen schoot: „Zijn zoon, die negen jaar oud is, is zojuist naar Amerika vertrokken. Die jongen is zijn alles. Dat hij hem moet missen, is voor Merrill erger geweest dan wanneer hij eigenhandig een stuk van zijn lichaam had moeten afsnijden. Ik was bij het afscheid tegenwoordig; ik zag de blik in Merrills ogen – het was alsof hij zijn eigen hart had willen uitrukken om het de jongen mee te geven."

„Wat verlangt u van mij dat ik zal doen?"

De kolonel antwoordde: „Wanneer hij weer wat beter is, zou ik graag hebben dat u hem komt opzoeken. En dan zou ik willen dat u hem meenam hierheen, in het Taj Mahal Hotel. Ik zou willen dat u hem een tijd lang het leven leert leiden dat u zelf gewoon bent te leiden. Ik wil hem laten drinken, flirten met vrouwen, spelen, lachen, kortom, zo te leven als een man als hij had behoren te leven." Na een ogenblik gezwegen te hebben, voegde de kolonel eraan toe: „Het zal niet gemakkelijk zijn – zo iets als een lamme te leren lopen."

Terwijl de kolonel sprak, zag Bill in gedachten Homer weer, zoals hij was in de dagen toen zij samen een kamer deelden – toen Homer altijd nuchter naar bed ging en hijzelf dikwijls dronken thuiskwam. Hij had zijn best gedaan om Homer ook aan het drinken te krijgen, mee te gaan naar een fuif, om zich een paar uur even dwaas aan te stellen als de anderen. Doch hij had hem nooit kunnen overhalen. Op zijn hoogst had Homer gezegd: „Bill, het is je eigen leven en geen mens heeft er iets over te zeggen wat je doet of laat, maar soms denk ik toch weleens dat je een beetje gek bent."

Hardop zei Bill: „Nee, gemakkelijk zal dat niet zijn. Het was al niet gemakkelijk toen hij nog jong was."

„Het zal gemakkelijker zijn dan u denkt. Vergeet niet dat hij de grens heeft bereikt van het menselijke, geestelijke en lichamelijke uithoudingsvermogen. Er zijn ogenblikken waarop hij tot alles bereid zou zijn."

Kolonel Moti stond op en eindigde met de woorden: „Ik zal u niet langer ophouden. Als u dit doet – als u Merrill wilt helpen te leven zoals de natuur dit voor de mens heeft beschikt; als u meehelpt om zijn overspannen zenuwen tot rust te brengen – zult u een man hebben gered die in staat is ontzaglijk veel goeds tot stand te brengen voor de mensheid. Ik kan het zelf niet doen. Ik bezit het temperament niet en ik kan geen hoogte krijgen van hetgeen de achtergrond vormt van zoveel Amerikanen en Engelsen, waardoor hun leven vaak wordt misvormd en zij aan zelfvernietiging worden prijsgegeven – datgene, wat Merrills vrouw bezielde. Ik houd hem nu rustig met slaappoeders; hij slaapt de meeste tijd. Over een paar dagen zal hij u kunnen ontvangen. Als het zover is, zal ik iemand sturen om u bij hem te brengen."
Daarop nam hij afscheid en Bill besteeg de lange trap. Onderweg kwam hij Krisjna tegen, Carols bediende, van wie hij te weten trachtte te komen waar zij was. De bediende antwoordde dat hij het niet wist, maar dat zij om vier uur naar de wedrennen was gegaan.
Bill keek op zijn horloge. Het was reeds over tienen. Het had geen zin uit te gaan om te trachten haar te vinden in Bombay. Er scheen hem niets anders over te blijven dan te gaan slapen. Doch in zijn kamer was het ontzettend warm, hoewel de poenka in volle werking was. Het was echter niet de hitte die hem verhinderde in slaap te komen, doch de oude onrust. Het liefst was hij opgestaan en eropuit getrokken om iets te zoeken. Buiten, in de gloeiend hete stad, met de krioelende menigte, was het Leven – het opwindende Leven, waaraan hij echter geen deel had. Als hij nu opstond en eropuit ging, liep hij misschien tegen een groot avontuur op.
Lange tijd lag hij heen en weer te woelen, steeds trachtend zichzelf in te prenten dat hij veiliger was binnen de vier muren van zijn kamer. Als hij zó was, bracht hij zichzelf altijd onvermijdelijk in moeilijkheden. Het gesprek met de kolonel

had hem een weinig doen bedaren; in de fonkelende zwarte ogen had het licht geschenen van wijsheid en zelfbedwang en verantwoordelijkheidsgevoel – al de deugden die hij zelf nooit had bezeten, zoals Bill tot zijn leedwezen moest bekennen. De tegenwoordigheid van kolonel Moti had hem korte tijd vrede gebracht en, met de vrede, afgunst. En de geschiedenis van Merrill had hem beschaamd gemaakt en zelfs opgeschrikt. Toen werd de onrust ondraaglijk. Hij stond op en kleedde zich aan.
Hij verliet de kamer zonder te weten waarheen hij zou gaan; terwijl hij de gevangenisachtige gang doorliep, dacht hij plotseling aan het roze paleis aan het water. Daar zou hij heengaan – naar Jelly, waar een fuif werd gegeven.

Het feest, dat begonnen was met cocktails na afloop van de rennen, was nog in volle gang om twee uur 's morgens. Wanneer men zo laat opbleef en het tij was goed, veranderde de windrichting en werd het iets koeler.
Het kleine roze paviljoen was inderdaad een paleis in miniatuur, met een kleine balzaal, een grote hal en een aantal kleine vertrekken, vanwaar men het uitzicht had over de tuin aan de zeezijde. Hoewel de maharadja van Jellapore een enorm paleis bezat op de heuvel, hield hij bij voorkeur hier verblijf en ontving er ook zijn vrienden. Van het grote Jellapore-paleis had hij in jaren niets anders gebruik gemaakt dan om redenen van staat.
Het aan vermaak gewijde paviljoen bezat veel meer comfort en was veel aangenamer met zijn grote tuin, omringd door een hoge muur en beplant met hoge bomen en bloeiende heesters. Hier, aan de voet van de Malabar Hill, aan de oever van de zee, waren de intriges, de twisten en de afgunst onbekend die het leven in het grote paleis voor hem tot een nachtmerrie maakten. Hier kon de maharadja leven zoals hij verkoos.

Het roze paviljoen stond dag en nacht open voor Jelly's vrienden van de renclub, Europeanen zowel als Indiërs; het had meer weg van een club dan van een vorstelijk verblijf. Wanneer hij zich wenste af te zonderen, trok hij zich terug op de bovenste verdieping, waar zich een aantal ineenlopende kamers bevond, die alle uitkwamen op één groot vertrek. Teneinde de koelheid te bevorderen, waren de kamers opgetrokken van wit marmer. Een der zijden van het grote vertrek met uitzicht op de Arabische Zee was geheel opengelaten om de lauwe zeebries binnen te laten.
Bill kende het gebouw. Hij herinnerde zich zelfs de grijze portier die zoveel zonderlinge en zelfs fantastische personages had zien binnentreden. Hij beantwoordde de salaam van de oude man en liep regelrecht door de ruime hal naar de ronde, in rood en goud gehouden zaal, waar chemin de fer werd gespeeld.
Het was een grote zaal met drie boogvensters, die uitzicht gaven op de tuin, welke zich uitstrekte tot aan de oever van de zee. Ouderwetse elektrische poenka's brachten een atmosfeer in beweging, waarin zich de geur van jasmijn en patchoeli, sigaretterook en verschaalde champagne vermengde met de lucht van zout water en vis, die hing te drogen.
Boven de halfluid geuite woorden „banco" of „suivi" liet zich de gedempte muziek van trommen en fluiten horen; en door een van de boogvensters ving Bill een glimp op van een Bengaals dansmeisje.
Toen hij de zaal binnentrad, nam geen der spelers, die geheel in het spel verdiept om de tafel zaten, notitie van hem. Gedurende enkele ogenblikken bleef hij het toneel gadeslaan dat hem een sensatie bezorgde, die hij zich niet wist te verklaren. Een dergelijk schouwspel was alleen in het Oosten te vinden. Het was bont en zonderling en interessant, evenals de heterogene groep spelers, rondom de met groen laken beklede tafel gezeten, de ogen onafgewend gevestigd op de bak met kaarten.

Op dat ogenblik had Bill een dichter willen zijn, om voor anderen in woorden de wilde emoties te kunnen vastleggen die hem bestormden. Hij dacht: Hier hoor ik thuis. Dit is het Leven waarvan ik houd.
Doch daarmee was het nu gedaan. Hij was een nuchtere, respectabele koopman in petroleum geworden.
Toen begon hij een voor een de personen om de tafel op te nemen: Jellapore zelf, min of meer aangeschoten, donker en melig, aan het hoofd van de tafel. En mevrouw Trollope, klein en tanig in haar niet meer frisse, witte kostuum, met een wanhopige blik in haar groene ogen starend naar de bak, waaruit Jellapore de kaarten te voorschijn trok. Voor de eerste keer viel het hem in dat ze haar geld kwijt was. En dan was er die afschuwelijke kleine dikke kerel, Botlivala, opgeprikt en rond als een pop en verder vier of vijf mensen die hij niet kende: twee Indiërs en de anderen Europeanen van onbestemde nationaliteit. Plotseling merkte hij de barones op. Hij had kunnen weten dat zij er was, al was het slechts door de doordringende reuk van patchoeli die de andere geuren in de snikhete zaal overheerste.
Zij was fantastisch uitgedost in een avondjapon met pailletten. In het rode, pruikachtige haar had zij een enkele witte orchidee gestoken, welke een groteske tegenstelling vormde met het zondige gelaat, waarop gierigheid en hebzucht stonden gegrift. Zij droeg een overvloed van diamanten en robijnen, in ouderwets, dof geworden monturen, doch zij maakte toch een helderder indruk dan anders. Hij dacht: Dit is zeker de eerste keer dat zij op een partij bij een maharadja komt en nu denkt ze dat ze zich zo moet toetakelen.
Toen vestigde zich zijn blik op Carol, die hij reeds dadelijk had opgemerkt. Zij had haar hoed afgezet en haar gouden haar lag in krulletjes over haar hoofd. Haar gelaat, met de van opwinding gloeiende wangen, herinnerde aan dat van een kind dat zich dol amuseert op een feestje.

Het leek ongelooflijk dat zij er zo fris en jeugdig kon uitzien, als de enige reine en schitterende persoonlijkheid in de zaal. Zij zat met de ellebogen op de tafel geleund, zodat de met diamanten bezette armbanden omlaag waren gegleden. Zij rookte een sigaret. Voor haar op tafel stonden een glas champagne en een stapel fiches. Zij had blijkbaar geluk bij het spel. Terwijl Bill naar haar stond te kijken, bekroop hem een gevoel van ergenis waarvoor hij geen verklaring wist te vinden. Zij was door een geheimzinnig waas omhuld; deze vrouw, achter wie hij nooit iets bijzonders had gezocht, kende hij in het geheel niet. Dat kwam niet doordat zij hem thans zo geheel verschillend leek van het meisje dat hij destijds had getrouwd. Het was iets heel anders – een openbaring, teweeggebracht door de achtergrond van de speelzaal en de opzichtig geklede, teleurgestelde mensen om haar heen. Hij dacht: Er zit iets in haar dat mij steeds is ontgaan – iets dat ik nooit heb gekend. Op dat ogenblik boog Botlivala over haar heen, legde zijn hand op haar schouders en fluisterde haar iets in. Bill voelde zich door een plotseling toorn overvallen. Carol antwoordde iets zonder op te zien. Bill dacht: Ik ben gek – stapelgek, om jaloers te zijn over iemand met wie ik niets meer te maken heb. Hij liep op haar toe en op hetzelfde ogenblik kreeg hij, zonder naspeurlijke oorzaak, een visioen van de donkere, vurige ogen van kolonel Moti, terwijl hij met hem over Merrill zat te praten.

Carol vermaakte zich buitengewoon. Het was nu iets koeler, zij won met chemin de fer en Botlivala liet haar vrijwel met rust. Zij voelde zich ook voldaan omdat haar veine ten goede kwam aan mevrouw Trollope. Wanneer deze laatste de bank overnam, deed Carol met haar samen; en van de tien keer hadden zij slechts éénmaal verloren. Niemand scheen haar geluk te benijden, behalve de barones en een Portugees, die voortdurend binnensmonds zat te vloeken. Jellapore bleef er totaal onverschillig onder. Het deerde het hem niet.

Toen Carol de zaal was binnengetreden, bevond de barones zich daar reeds van zes uur af. Toen zij Carol in het oog kreeg, was zij te voorschijn gekomen uit het hoekje waar zij zat en had haar begroet als een oude bekende. Carol dacht: Arm oud schepsel! Waarschijnlijk kent zij hier geen levende ziel. De ingeving van haar goede hart volgend en om de oude dame niet meer in verlegenheid te brengen, behandelde zij haar ook maar als een goede oude kennis, maar toen het eropaan kwam haar voor te stellen, wist zij niet eens meer hoe zij heette.

Dit bracht de barones evenwel in het geheel niet van haar stuk. Zij zei onbevangen: „Barones Stefani" en toen was het ijs gebroken. De „oude vriendschap" was een feit geworden, en Carol kwam spoedig tot de ontdekking dat ze zich er niet meer aan kon onttrekken.

Botlivala had wel het gevoel dat de barones iets zonderlings over zich had, doch van Europeanen kon hij nooit zo gauw hoogte krijgen. Uit de diamanten die zij droeg, trok hij de conclusie dat zij rijk moest zijn en dus wel de moeite waard om notitie van haar te nemen. Hij vereerde haar dus met een van zijn voor de middenklasse bestemde buigingen en vond het toen welletjes.

Mevrouw Trollopes trekken namen een harde uitdrukking aan toen zij zei: „O ja, mevrouw Stefani ken ik wel." Er was iets scherps in haar toon – een herinnering aan het toneel aan de pokertafel op de boot. . . en nog iets meer.

Bill, die nu rustig achter Jellapore stond, terwijl Carol de kaarten uit de bak trok, werd het duidelijk dat er iets bijzonders aan de tafel voorviel – iets dat met het spel niets uitstaande had. Er zaten drie personen om de speeltafel, wier aandacht zich op Carol concentreerde. Dat waren mevrouw Trollope, Botlivala en de barones. Ieder van de drie wenste beslag op haar te leggen; ieder voor zich begeerde iets van haar. In hun ogen vertoonde zich dezelfde hongerige uit-

drukking. Doch Carol scheen er niets van te bemerken, of wellicht was zij er zo aan gewoon dat zij zich er niets meer van aantrok.
Zij verloor de slag aan Jellapore en Bill hoorde de barones gretig zeggen: „*La main passe*" terwijl zij tegelijkertijd de bak met kaarten naar zich toe haalde. Op dit moment keek Carol op, zag Bill staan en zei: „Hallo – waarom ben je niet op de rennen verschenen?"
Hij begon te lachen en antwoordde: „Ik heb de laatste vijf uur niets anders gedaan dan naar je lopen zoeken! Wanneer ben je van plan met dit spelletje op te houden?"
„Dat weet ik niet – ik vaar er niet slecht bij. . . en mevrouw Trollope ook niet. Als ik wegga, coupeer ik misschien haar veine." Op fluisterende toon voegde zij erbij: „Zij heeft het hard nodig. Ze kan best wat nieuwe kleren gebruiken."
„Nu, als je gereed bent om weg te gaan, zeg het me dan."
„Okay!" En in één adem liet zij erop volgen: „*Banco!*" En tegen mevrouw Trollope: „Ga je mee voor de helft?"
Mevrouw Trollope voelde haar adem stokken. Toen waagde zij alles op alles. „Ja."
Jellapore hield de bank. Bill schatte dat er vijftigduizend ropijen op tafel lagen – vermoedelijk meer geld dan mevrouw Trollope bezat. Jellapore trok een kaart. Carol en mevrouw Trollope hadden de slag gewonnen.
Nu schoof Carol haar stoel achteruit en zei tegen Bill: „Kom mee, dan gaan we naar huis." Zij boog zich over de tafel heen naar mevrouw Trollope en sprak: „Sta op en ga ook mee. Je moet je geluk niet forceren."
De barones mompelde iets binnensmonds, doch Carol sloeg er geen acht op.
Opeens zei Botlivala: „Ik zal je thuis brengen."
Waarop Carol antwoordde: „Ik rijd met mijnheer Wainwright mee. Wij logeren beiden in het Taj Mahal. En onderweg zetten wij mevrouw Trollope af."

Botlivala was uit zijn humeur; zijn zwarte ogen begonnen te fonkelen. Met moeite zijn toorn onderdrukkend, siste hij: „Ik geef aldoor geld uit – en nu ga jij met een ander weg!"
Carol wierp hem een verachtelijke blik toe, zei niets anders dan: „Kletspraat!" en riep tegen Joey: „Kom, wissel gauw onze fiches in!"
Joey, die de functie van bankier bij Jellapore vervulde, ging naar een bureau dat hij opende en waaruit hij een stapel bankbiljetten nam, die hij begon te tellen. Carol had vijfenzeventigduizend ropijen gewonnen, mevrouw Trollope eenendertigduizend.
Carol grinnikte. „Nu snoes, wij zijn klaar. Nog een glas champagne op de valreep en dan gaan we."
Op dat ogenblik ontstond er in de tuin enige opschudding en toen zij naar de marmeren trap liepen, zagen zij de maharani van Chandragar naar boven komen. Zij werd ondersteund door twee bedienden. Het blonde hoofd rolde opzij en haar benen bewogen zich werktuiglijk.
„De koningin schaakmat!" grinnikte Carol.
„Verduiveld," riep mevrouw Trollope uit, „nu zal ik haar nog thuis kunnen brengen!"
Zij liep vlug op de twee bedienden toe om hen een handje te helpen. Carol en Bill volgden haar met het vage voornemen om assistentie te verlenen.
De Ghoerka-chauffeur van de ouderwetse limousine, die buiten wachtte, bleek te zijn verdwenen, zodat men genoodzaakt was te blijven staan tot de portier, die hem was gaan zoeken, hem had gevonden. De twee bedienden zetten de maharani voorzichtig op een der treden van de trap om te rusten.
Zij keek doezelig om zich heen. Haar blik bleef tenslotte rusten op mevrouw Trollope; en het gezicht van haar zuster scheen een demon in haar wakker te maken. Zij probeerde op te staan, doch zonk machteloos terug. Zij vond iets van haar positieven terug en riep op dronkemanstoon uit: „Zo,

ben je daar, miss Prissy! De schandvlek van de familie, altijd om me heen, om een aalmoes, jij, met je gevangenisboef van een man!" En zich tot de anderen wendend, ging zij voort: „Vroeger was ik niet goed genoeg voor haar, omdat ik met een Indiër ben getrouwd; maar nu zij aan de grond zit, komt ze weer opdagen. Mooie zuster, met haar verbeelding!"
Daarop gleed zij languit op de trap.
Mevrouw Trollope stond bewegingloos en kaarsrecht. Toen begon zij over al haar leden te beven; haar gezicht was asgrauw geworden. Fluisterend zei zij: „Neem maar geen notitie van haar – zij weet niet wat zij zegt! Neem maar geen notitie van haar!" Deze woorden bleef zij maar steeds herhalen, als een mechanische pop.
Iedereen voelde zich opgelucht toen de portier met de chauffeur verscheen. De beide bedienden, geholpen door Bill, hesen de maharani overeind en werkten haar in de auto.
„Zal ik met je meegaan?" vroeg Bill aan mevrouw Trollope.
„Nee, dank je," antwoordde zij. „Zo gaat het wel. Ze is te dronken om me iets te kunnen doen." Toen stapte zij ook in de auto, waarin haar zuster achterovergezonken in de kussens lag, waarop de Ghoerka, met een trots en minachtend gezicht, wegreed.

Toen zij vertrokken waren, riep de portier een taxi en Bill zei: „Naar het Taj Mahal Hotel."
Beiden zaten geruime tijd naast elkaar in de auto, zonder een woord te wisselen. De landwind was weer komen opzetten en het werd opnieuw warm – de ondraaglijke, nachtelijke hitte. Tenslotte verbrak Bill het stilzwijgen met de woorden: „Fijne familie!"
Toen Carol geen antwoord gaf, vervolgde hij: „Had je niets beters kunnen vinden?"
„Nee – niet in Bombay."
„Waarom blijf je hier?"

„Ik kan evengoed hier zijn als ergens anders."
„Dat is niets voor jou, om dat te zeggen."
„Waarom? Zo ben ik altijd geweest."
„Je doet zo gedeprimeerd."
„Dat ben ik ook. Ik houd niet van de veine die ik de hele dag heb gehad op de rennen en aan de speeltafel."
„Ik zou het geen reden tot klagen vinden, als ik zoveel had gewonnen."
„Dat is het niet. Als ik geluk heb in het spel, moet ik het op een andere manier toch weer bezuren."
Hij grinnikte. „In de liefde?"
„Misschien wel. Maar ik ben niet verliefd. Dat ben ik nooit geweest."
In het donker legde zij haar hand op de zijne.
„Nee, beste jongen. Eerlijk waar – niet eens op jou. Voor mij ben je altijd een kleine jongen geweest – een aardig klein jongetje, dat weleens onaardig is, maar het eigenlijk nooit expres doet."
Deze woorden gaven hem een schok en riepen weer het zonderlinge gevoel in hem wakker dat hem reeds had overvallen toen hij aan de ingang van de zaal stond en haar gadesloeg: dat er iets aan haar was, waarvan hij nooit hoogte had gehad, omdat zij er hem nooit hoogte van had willen laten krijgen. Haar hand had zij op de zijne laten rusten; en deze aanraking maakte hem op een eigenaardige manier gelukkig. Zijn vingers sloten zich zachtjes om de hare, doch er was niets in deze geste dat begeerte of opwinding verried. Het was meer alsof dit contact een stroom van sympathie en wederzijds begrijpen tussen hen opwekte. Lange tijd bleven zij zo zwijgend zitten. Aan de geluiden kon zij horen dat zij de open strook land passeerden tegenover de Torens der Stilte. Hij onderscheidde het geluid van stemmen en het geraas van gongs.
„Wij behoren hier niet, geen van beiden," sprak hij. „Daar zijn wij geen typen naar."

Hij hoorde haar lachen. Toen zei ze: „Voor mij is het nog geen tijd om hier vandaan te gaan."
„Wat wil je daarmee zeggen?"
„Dat is moeilijk uit te leggen. Zie je, beste jongen, ik kan niet zo goed overweg met mijn woorden. Ik ben maar tot mijn zestiende jaar op school geweest. Toen werd ik gekozen tot Miss Minnesota. Ik kan niet zo goed uit mijn woorden komen, maar ik denk dat het instinct is, dat ik bedoel. Ik wacht ergens op – op het keren van het tij." Haar vingers drukten de zijne. „Nee, je moet me niet uitlachen. Ik weet heel goed wat ik zeg. Dat heb ik altijd gehad – telkens als mij iets belangrijks boven het hoofd hing."
De taxi hield stil voor het Taj Mahal Hotel. Zonder een woord te zeggen stapte Bill uit, hielp Carol en betaalde de chauffeur.
„Wil je nog iets drinken voordat je naar bed gaat?" vroeg zij.
„Alleen als jij ook iets neemt. Ben je moe?"
„Enigszins."
„Nu, dan vermoed ik dat het beste, wat we kunnen doen, is: naar bed gaan. Ik zou nu graag wat slapen."
Zij liepen naar de lift; en toen zij erin stapten, zei hij: „Ik heb bericht gehad van je kennis in de trein."
„Welke kennis?"
„Merrill – de zendeling die zo ziek was."
„Hoe maakt hij het?"
„Hij is tamelijk ernstig ziek."
„Jammer. Hij is een aardige kerel."
„Wel te rusten." Hij kuste haar op de wang. Toen voerde de lift hem snel omhoog, doezelig en geheel in de war.

Op de derde dag na het feest bij Jellapore werd Bill gewekt door het bonzen van Silas op de deur. Toen hij de deur had geopend, stond Silas buiten met een kleine, magere, zwarte jongen.

„Excuseer, sahib," begon Silas. „Jongen komen van kolonel Moti – brengen u bij hem. Jongen niet spreek Engels."
„Goed. Zorg ervoor dat ik wat koffie krijg en laat de jongen wachten. Ik ben zo klaar."
Terwijl Bill zich kleedde en Silas hem zijn koffie bracht, maakte de oude zenuwachtigheid zich weer van hem meester bij de gedachte aan het weerzien met Merrill. Waar zouden zij het anders over kunnen hebben dan over de oude tijd, die voor hem dood en begraven was en die nog meer dood zou zijn voor een man die in Indië een zo druk leven had geleid als Homer? Maar Bill dacht: Plezierig is het niet, maar ik zie geen kans om het te ontlopen. En daar heb ik ook eigenlijk geen lust in. Ik mag die Buck – zelfs als de Buck, zoals ik hem voor mij haal, niet meer bestaat.
Maar in zijn hart wist hij dat het niet zijn eigen ik was, dat hem ervan terughield zich op het laatste ogenblik terug te trekken, zelfs als hij dat gewild had, doch de fonkelende zwarte ogen van kolonel Moti.
De magere zwarte jongen stond nog altijd buiten met Silas te wachten. Hij maakte een diepe salaam en dribbelde achter Bill de koele gang door en de trap af.
Bill keek op zijn horloge en zag dat het pas zeventien minuten over negen was. Terwijl hij zich omkeerde, teneinde een taxi aan te roepen, zag hij uit de limousine van de maharani van Chandragar drie bekende gestalten komen: Carol, mevrouw Trollope en de barones. Zij waren alle drie in avondtoilet. Uit een taxi die achter de limousine aan had gereden, zag Bill een partij bagage dragen, die hij herkende als de versleten koffers en valiezen van mevrouw Trollope.
Carol merkte hem op en liep naar hem toe. In haar blauwe ogen vertoonde zich een zonderlinge gloed. Hij kende dat: die blik betekende dat zij zich over iets amuseerde.
„Wat is er aan de hand?" vroeg hij.
„Wij hebben zitten spelen bij de maharani. Stitch komt hier

in het Taj logeren. Haar zuster heeft geprobeerd haar met een revolver met parelmoeren kolf dood te schieten toen zij dronken was."

Glimlachend zei hij: „Altijd iets bijzonders! Dus je noemt haar al Stitch! Je schijnt goed met haar te kunnen opschieten. Ben je al naar bed geweest?"

„Nee – zelfs de barones niet eens. Je krijgt de stuipen op je lijf als je haar goed aankijkt."

Hij wierp een blik op de barones, die de portier lastig viel om telegrammen die er niet waren, zoals gewoonlijk. Zij droeg dezelfde japon met pailletten als de vorige keer, doch zonder orchidee in het haar. Het rouge op haar wangen, de paarse schaduwen onder haar ogen en de lange kunstmatige wimpers verleenden haar het aanzien van een wandelend lijk op klaarlichte dag – een lijk, opgemaakt en gemaquilleerd door een begrafenisondernemer met aanleg voor het toneel.

„Waar ga je op dit onzalige uur heen?" vroeg Carol verder.

„Ik ga op bezoek bij mijn vriend de zendeling."

Deze woorden schenen haar te ontnuchteren.

„Hij ligt toch niet op sterven?" vroeg zij.

„Nee. Ik vermoed dat men mij heeft laten roepen omdat hij beter is."

„Daar ben ik blij om," zei zij met een zucht van verlichting. „Ik zou niet graag willen dat hem iets overkwam. Hij is een aardige kerel – en aardige kerels zijn zeldzaam."

„Ik zal het hem overbrengen."

„Ga je gang. Ik zal hem toch nooit terugzien."

Daarop voegden de barones en Stitch zich bij haar en Bill maakte zich uit de voeten, plotseling huiverend bij de gedachte dat Carol over een paar jaar, als zij zo doorging, er even ontzettend zou uitzien als de beide anderen.

De kleine zwarte jongen bleek goed de weg te weten in de ingewikkelde topografie van Bombay. Hij gaf de Sikh-chauf-

feur die Bill naar het instituut van kolonel Moti reed, de nodige aanwijzingen.
De taxi hobbelde over de keien en slipte over de rails van de tram, door de bazarwijk, voorbij de grote, prachtig ingerichte Crawfordmarkt; de stad werd voortdurend heter en vuiler. Bill dankte de hemel dat hij niet dikwijls in dit deel van Bombay behoefde te zijn.
De straten werden steeds armoediger, de huizen steeds groter, de transpirerende menigte steeds dichter. De lucht van knoflook en rook van koemest en vuil overheerste alles. Hij dacht: Hoe kunnen de mensen leven in zulk een omgeving? Hoe houden de kinderen het hier uit?
Hij werd bijna misselijk van de hitte en de stank en al het afzichtelijke om hem heen.
Plotseling stopte de taxi, om een stoet voorbij te laten gaan, die om de hoek van de straat kwam. Voorop reed een kruiwagen, waarin een afzichtelijke vrouw van middelbare leeftijd lag, voortgeduwd door een magere oude man. In de brandende zon lag zij te steunen en te krimpen van de pijn, terwijl de kruiwagen over de ongelijke keien hotste. Haar gelaat was vaal van de pijn en de hitte. Achter dit paar liep een aantal armoedige koelies en vrouwen; de mannen hadden niet anders aan dan een katoenen lendendoek, de vrouwen droegen goedkope katoenen sari's. Allen liepen te steunen en te weeklagen. Allen zagen grijs van het stof en vuil. Vier van de mannen hadden gongs bij zich, waarop zij sloegen op de maat van hun weeklachten.
Het duurde wel tien minuten, voordat de hele stoet voorbij was. Toen de mannen met de gongs voorbij de taxi kwamen, vroeg Bill aan de chauffeur: „Wat is dat?" waarop de man antwoordde: „Vrouw heeft pokken; drijven duivel uit." Dit keer leunde Bill uit het raampje en gaf over. Niemand lette erop; het veranderde weinig aan de smerigheid van het stadsdeel.

Toen de laatste man met de gong voorbij was, riep Bill wanhopig uit: „Rijd door! Ik houd het hier niet uit!"
Doch er was geen ontkomen aan het vuil en de hitte en de stank. Nog twintig minuten lang reed hij door de fabriekswijk, met de ogen dicht en zijn zakdoek stijf tegen de neus geperst.
Toen kwam de taxi eindelijk in een wijk waar oude huizen stonden, waarvan sommige wel oude, kleine paleizen leken, doch vies en smerig, de gevels verkleurd door het vocht, de gepleisterde muren geheel vervallen. Honderden mannen, vrouwen en kinderen liepen in en uit; dit was een wijk, weinig beter dan die welke zij zojuist hadden verlaten.
Eindelijk zei de Sikh-chauffeur: „We zijn er!"
Bill kreeg een groot somber gebouw in het oog, achter een hoge grijze muur. Daarachter verhief zich een tweede muur van groen. Dit was kolonel Moti's instituut.
De portier aan de ingang liet hen door en op aanwijzing van de zwarte jongen reed de chauffeur een binnenplaats over, waarna zij in een tuin uitkwamen; hier was het betrekkelijk koel in de schaduw van drie grote vijgebomen, onder welker beschermende takken een kleine bungalow stond.
De chauffeur begon te toeteren. Op dit geluid verscheen de kleine, slanke gestalte van een vrouw in een sneeuwwitte sari aan de deur. Zij had een kleine, bruine jongen aan de hand, met een verband over zijn ogen. Bill herkende in haar de vrouw die hij had opgemerkt aan boord van het schip – de vrouw van wie men beweerde dat zij een beroemde Hindoese danseres was.
„U bent zeker meneer Wainwright?" zei ze met een vriendelijke glimlach, die op Bill de indruk maakte van een magnolia die zich opende.
„Inderdaad."
„Ik ben de echtgenote van kolonel Moti. Hij is in het laboratorium. Zodra hij weg kan, komt hij hier. In elk geval verwacht de heer Merrill u. Hij voelt zich vanmorgen veel beter.

Ik zal u bij hem brengen."
Nog steeds met de jongen aan de hand leidde ze Bill door twee vertrekken naar een veranda en een open binnenplaats. De vertrekken waren koel en zindelijk, maar bijna geheel kaal, behalve dat er enkele vuurrode bloemen in stonden, die de indruk maakten van vlammen tegen de grijze muren. Het was een zonderlinge gewaarwording – zo uit de vieze, stinkende, drukke straten met de aan pokken lijdende vrouw te worden verplaatst in de weldoende sfeer van kolonel Moti's huis. Hier heerste vrede. Hier was rust. Hier was verstand, beschaving, kunde.
Toen Wainwright de kamer binnenstapte, hoorde hij een stem zeggen: „Hallo, Bill!" – een stem die hem eensklaps terugvoerde naar lang vervlogen dagen, in de jeugd die hij zo roekeloos had verspild. Bij het horen van deze woorden keerde hij zich om en zag Merrill uitgestrekt liggen op een rotan ligstoel, met een dunne deken over zich heen, in weerwil van de hitte.
Bill antwoordde: „Hallo, Buck!" en liep naar hem toe. Hij herkende hem onmiddellijk – en toch herkende hij hem ook weer niet. De ogen waren dezelfde: lichtblauw, ook de stem was dezelfde. Maar het gezicht was sterk veranderd. De huid was saffraankleurig en de trekken waren vermagerd. De warmte, die de gezondheid er vroeger aan had verleend, was verdwenen. Het gelaat was fijner geworden, scherper getekend, veredeld. Het vertoonde nog altijd de uitstekende jukbeenderen en de grote mond. Doch de lippen hadden niet langer de zinnelijke trek; zij waren dun en opeengeperst, met fijne rimpeltjes aan de mondhoeken. Het gezicht vertoonde de uitdrukking van iemand die veel geleden had, niet alleen lichamelijk, doch ook door een zielekwaal.
Zij schudden elkaar de hand en Bill vroeg: „En hoe gaat het ermee?"
Buck begon te lachen.

„Nu, eergisternacht was ik er bijna geweest, maar nu voel ik me veel beter." Toen werden de blauwe ogen plotseling verduisterd door tranen; van emotie of door zwakte – dat was Bill niet met zichzelf eens.
Mevrouw Moti stond glimlachend naar hen te kijken. Toen zei ze: „Ik moet u even alleen laten. Als mijn man komt, zal ik hem bij u sturen." Met deze woorden verdween zij, nog steeds met de kleine jongen naast zich.
Toen zij weg was, viel er een vreemde, gedwongen stilte tussen de beide mannen – de gedwongenheid tussen twee oude vrienden die proberen weer de draad op te vatten, na jaren van scheiding.
„Wat heb jij al die tijd uitgevoerd?" vroeg Merrill.
„Gewerkt. Ik heb mijn leven gebeterd. Ik heb mijn best gedaan om te ontdekken waar je was, doch ik ben hier maar kort geweest en ik wist niet waar je uithing."
„Dat was ook niet gemakkelijk," merkte Merrill lachend op. „Het zou zelfs onbegonnen werk zijn geweest als ik in Jellapore was gebleven. Je had wel een maand lang naar me kunnen zoeken in de jungle of in de dorpen."
„Hoe gaat het – met je werk?"
„Heel goed. Maar er is zoveel te doen. Het is alsof een onbeduidende, kleine mier probeert een berg te verzetten." Hij zag Bill aan en trok een grimas. „Je bent door de fabriekswijk gekomen op weg hierheen – of heb je er geen erg in gehad?"
„Ik heb er wel degelijk erg in gehad. We zijn een troep mensen met een pokkenlijdster tegengekomen."
„Nu, die wijk is het echte Indië. En daar trachten wij verandering in te brengen."
„Geen gemakkelijke taak."
„Ja, daar kan een man zijn hele leven aan besteden."
„Zou ik kunnen helpen?"
„Je zou wat duiten kunnen geven – die komen altijd te pas. Het is niet gemakkelijk om hier in Indië geld bijeen te brengen,

al zijn hier nog zoveel vorsten en miljonairs. Zij zijn nooit gewoon geweest om in de zak te tasten. En de regering is altijd op bezuiniging uit, onder het voorwendsel dat men het Indische bijgeloof niet op de tenen moet trappen."

„Wel, dat is dan in orde. Ik zal je een cheque sturen."

De gedwongenheid die tussen hen had bestaan, begon nu enigszins te verdwijnen en toen mevrouw Moti persoonlijk gin en mineraalwater bracht, was het ijs geheel gebroken.

„Ik kan niet hier blijven," zei ze. „Dokter Bliss is er, om de operatie op Ali's ogen uit te voeren. Ik heb de jongen naar het laboratorium gebracht. Hij wilde eerst niet zonder u gaan, maar ik heb hem weten te bepraten. Ik geloof niet zozeer omdat hij bang was, het was eerder omdat hij u min of meer beschouwt als zijn vader."

Merrill wierp de deken van zich af en sprong overeind.

„Ik ga er ook heen," zei hij. „U had mij moeten waarschuwen."

„Het is in het geheel niet nodig, maar ik vond het beter om het u te zeggen."

„Je vindt het toch niet vervelend, Bill?" vroeg hij. „Of – waarom ga je niet mee? Het laboratorium is interessant."

„Zeker," antwoordde Bill.

Gezamenlijk staken zij de binnenplaats over tussen de bungalow en het laboratorium. Merrill liep als een man die zwaar ziek is geweest – onzeker, wankelend. Bill merkte op dat mevrouw Moti hem in het oog hield.

Na een koele gang te zijn doorgelopen en een trap te hebben bestegen, bereikten zij het vertrek dat door kolonel Moti als kantoor was ingericht. Alles getuigde hier van netheid en orde; en in het midden stond Moti zelf, blank en smetteloos in zijn witte jas. Na Bill te hebben begroet, zei hij: „Ik speel nu voor assistent van dokter Bliss."

„Mag ik een paar woorden met Ali spreken?" vroeg Merrill.

„Als je vlug bent," antwoordde kolonel Moti. „Ze zijn op het punt hem onder narcose te brengen."

Toen Merrill het vertrek had verlaten, vroeg de kolonel: „Hebt u het er reeds met hem over gehad?"
„Nee," zei Bill. „Ik dacht dat hij misschien weleens had kunnen weigeren, als ik met de deur in huis was gevallen."
„Dat is zo." De kolonel rimpelde het voorhoofd en zijn zwarte ogen namen een ernstige uitdrukking aan. „Ik denk wel dat hij erin zal toestemmen. Hij is erg ziek geweest. Ik geloof dat hij wel weet, hoe slecht hij eraan toe is geweest. Ik vermoed dat hij er nu rijp voor is om alles te doen om aan te sterken, teneinde in staat te zijn zijn werk voort te zetten. Ik denk dat het idee, dat hij iets zondigs doet, niet veel gewicht bij hem in de schaal zal leggen, na alles wat hij heeft doorgemaakt."
Toen Merrill weer binnenkwam, zag hij er gelukkig uit. Hij zei: „Ik ben blij dat ik gegaan ben. De jongen is heus bang, maar hij wil het niet tonen. Hij is de zoon van een oppermahout en zijn trots verbiedt hem een kik te geven."
Hij wendde zich tot kolonel Moti.
„Wat zegt dokter Bliss ervan? Ik kon hem niets vragen, omdat Ali erbij was."
„Hij denkt dat het wel zal lukken," sprak de kolonel. „Maar we kunnen het pas over enkele weken met zekerheid weten. Ik zal eens gaan zien." En tot zijn vrouw: „Kom mee, Indira; misschien kun jij je ook nog nuttig maken."
Toen beiden zich alleen bevonden in het koele kantoor, ging Merrill, zichtbaar vermoeid, zitten en zei: „Dat is een groot man."
„De kolonel?"
„Ja."
„Ik voel me niet op mijn gemak bij hem. Hij zegt niets, maar hij geeft me het idee dat ik maar een stommeling ben."
„Dat ligt in het geheel niet in zijn bedoeling. Hij leeft voor het mensdom en voor de wetenschap. Hij is een nieuwlichter – wat je zou kunnen noemen een humanistisch geleerde."

Terwijl zij zaten te wachten, begonnen zij te praten over de oude tijd en het duurde niet lang of zij waren beiden in een opgewekt humeur, omdat zij zich als het ware weer verplaatst voelden in de kamer die zij hadden gedeeld toen zij nog jong waren. Plotseling zei Bill: „De kolonel en ik hebben een plannetje voor je."
„Samen achter mijn rug aan het roddelen geweest?" vroeg Merrill glimlachend.
„Ja."
„En wat is dat voor een plannetje?"
„Je moet met mij meekomen en in het Taj Mahal Hotel je tenten opslaan. Je moet nu eens niet aan je werk denken, maar jezelf ontspanning gunnen. Niets anders doen dan naar de wedrennen gaan en naar de Willingdon Club en naar de Taj Mahal Bar en het roze paleis van Jellapore. We zullen een boemelaar van je maken, tegen wil en dank."
Een ogenblik bleef Merrill zwijgend zitten. Toen begon hij te grinniken en maakte een onverwachte opmerking. „Daar heb ik geen kleren voor," zei hij, bijna bedeesd.
Bill begon te lachen.
„Dat is nu wel het allerminste. Ik had gedacht dat je op je achterste benen zou zijn gaan staan."
„Nee. Verleden op die nacht, toen ik dacht dat het met me gedaan was, kreeg ik eensklaps het denkbeeld dat ik toch ook weleens iets had mogen hebben. In de ogenblikken dat ik niet ijlde, dacht ik bij mijzelf: Buck, je bent toch een ezel! Je bent te veel op een brave Hendrik gaan lijken. Nu staat je niets meer in de weg. Je bent alleen. Waarom zou je nu niet eens genieten en voor een keertje voor de verleiding bezwijken? Ronduit gezegd: toen ik me plotseling voor het feit geplaatst zag dat ik er elk ogenblik tussenuit kon knijpen, vond ik het ergst de gedachte aan al de dingen die ik nooit had gedaan – al die dingen die jij wel had gedaan en waarin je zoveel smaak scheen te vinden."

Weer grinnikte hij.
„Dus – ik ben tot je beschikking. Ik ben gereed om de proef te nemen, als het nog niet te laat is om te leren. Moti zegt dat hij gelooft dat het voor mijn bestwil is."
Terwijl hij zat te luisteren, voelde Bill de treurigheid die achter deze woorden verborgen lag. Er sprak een zekere jaloezie uit, die hij nooit vermoed zou hebben in iemand als Merrill. Doch aan de andere kant bracht deze uitlating hem min of meer in verwarring. En als Buck er nu eens al te veel smaak in vond? Dat gebeurde vaker, als een man probeerde om zijn schade op latere leeftijd in te halen. Buck was weliswaar niet oud – pas tweeëndertig – maar de laatste tien jaar had hij een vermoeiend leven geleid, vol ontbering, en daarvóór had hij nooit geweten wat uit de band springen was.
Bill voelde er plotseling behoefte aan na te denken; hij ging voor het raam staan en keek naar buiten. Het raam kwam uit op een binnenplaats, waarin zich een aantal kooien bevond. Er zaten ichneumons, witte ratten en muizen, konijnen en apen in en enigszins apart stonden vier of vijf glazen bakken, waarin slangen en adders lagen te slapen.
Zich omwendend tot Merrill, vroeg hij: „Waar is die menagerie voor?"
„Dat zijn Moti's proefdieren," antwoordde hij. „De slangen houdt hij voor de bereiding van sera tegen slangebeten."
Toen Bill lachte, vroeg hij: „Waar lach je om?"
„Alleen om het denkbeeld dat jij en ik hier midden in Indië zitten, omringd door kooien met allerlei dieren en weet ik veel. Het is zo verduiveld onwaarschijnlijk. En Carol... o ja, ik heb een boodschap voor je. Je herinnert je toch wel de vrouw met wie je in de trein hebt gezeten hierheen?"
„Die grote, blonde vrouw?"
„Ja. Ze heeft me opgedragen je beterschap te wensen. Je schijnt indruk op haar te hebben gemaakt. Zo ben ik te weten gekomen dat je in Bombay was – door haar."

Homer keek ernstig.
„Ze leek me niet zo kwaad toe," sprak hij. „Ze is heel goed voor me geweest."
„Ja," zei Bill. „Het is een beste meid."
Hij stond op het punt nog meer te zeggen, zelfs om Merrill te vertellen dat Carol zijn vrouw was geweest, doch de deur van het laboratorium ging open en kolonel Moti kwam naar buiten.
„Het is gebeurd," zei hij.
Merrill zag hem aan met een uitdrukking van bange verwachting.
„Geslaagd?"
„Dokter Bliss denkt van wel. De tijd zal het leren."
„Gelukkig."
Bill merkte de plotseling verlichting in het vermoeide gezicht op en begreep toen pas de bezorgdheid die al die tijd tijdens hun gesprek verborgen was gebleven.
„Wanneer zal hij bijkomen?" vroeg Buck.
„Misschien over een half uurtje," antwoordde Moti. „Hij wordt nu naar de bungalow gebracht."
„Ik zou er graag bij zijn als hij bijkomt. Dan is hij niet zo bang." Zich tot Bill wendend voegde hij erbij: „Het is nog maar een jochie en hij weet niets af van ziekenhuizen en operaties. Hij was nog nooit buiten de olifantsstallen geweest voordat hij bij ons kwam." Hij glimlachte. „Het moet iets verschrikkelijks zijn geweest voor Ali. Hij is precies als een jonge hond die van je houdt en je vertrouwt... Hij haakt ernaar weer te kunnen zien, om na de dood van zijn vader zijn plaats in te nemen als hoofd-mahout van de Jellapore-olifanten."
Bill dacht: Nu denkt hij ook aan zijn eigen jongen. En daarop verscheen voor zijn geestesoog het beeld van Jellapore – verkwistend, losbandig, goedhartig, maar zonder enig nut voor de maatschappij. Wat een verschil tussen hèm en Moti en Merrill! Het fantastische denkbeeld kwam bij hem op om te

proberen geld van Jelly te krijgen voor Bucks arbeid – niet meer dan het geld dat Jelly op één avond aan de speeltafel verloor, zou Homer in staat stellen een jaar lang verder te werken.

De deur ging open en dokter Bliss kwam binnen. Hij was een lange, magere man met een fris gezicht en heldere blauwe ogen. Hij had een witte doktersjas aan.

„Dokter Bliss," stelde kolonel Moti voor. „De heer Wainwright."

„Dokter Bliss maakt eigenlijk een vakantiereis, maar omdat hij een vriend van mij is, heeft hij erin toegestemd Ali te opereren. Buitengewoon vriendelijk van hem. Misschien zou niemand anders ter wereld de operatie hebben kunnen uitvoeren."

„Dat is niet helemaal juist."

„O, zeker," zei de kolonel. „In ieder geval, als je in Amerika terug bent en je moe en ontmoedigd voelt, kun je er altijd aan terugdenken dat je het leven van een kleine Indische jongen volkomen gewijzigd hebt. Je hebt hem het licht teruggegeven." Hij grinnikte. „En misschien heb je de maharadja van Jellapore, het Kind van de Zon, de Vader-en-Moeder van acht miljoen mensen, een hoofd-mahout bezorgd."

Buck viel hem in de rede: „Als je er niets op tegen hebt, ga ik naar de bungalow. Ik wil erbij zijn als Ali weer bijkomt."

„Ik kom afscheid nemen," zei dokter Bliss. „Ik ga regelrecht vanhier naar de aanlegplaats; mijn boot naar Singapore vertrekt om twee uur."

Merrill dankte hem nogmaals en dokter Bliss zei: „En ik wens u het beste met uw werk. Ik zal wat geld voor u inzamelen als ik weer terug ben. We moeten de handen ineenslaan in deze wereld."

Toen Bill wegging, zat Merrill nog naast Ali, wachtend op het ogenblik dat de jongen zou ontwaken.

Bij het afscheid nemen zei mevrouw Moti tot hem: „Uw bezoek heeft Merrill buitengewoon goed gedaan. Ik geloof dat hij meer dan aan iets anders behoefte gevoelde aan een band met het verleden. Hij is er sterk van onder de indruk dat hij zijn zoon naar Amerika heeft moeten zenden. Hij voelt zich eenzaam en heeft heimwee."
Toen Bill vertrokken was, ging ze naar Homer terug. Zij zei tot hem: „Als je me nodig hebt, wanneer hij bijkomt, roep me dan. Je kunt hem gerust bij ons laten als je een paar dagen wilt weggaan. Hij kent ons nu voldoende."
Daarop verliet zij hem weer en Merrill bleef zitten wachten tot de jongen uit zijn verdoving zou ontwaken. En terwijl hij daar zat, waren zijn gedachten niet bij de jongen, maar bij Bill. Wat mevrouw Moti had gezegd, was inderdaad juist: het weerzien van Bill had iets bij hem teweeggebracht dat langs geen enkele andere weg mogelijk zou zijn geweest. Het maakte dat hij zich jonger voelde, minder vermoeid. Het had hem teruggevoerd naar de heuvels en meren en koele wouden in het noorden van de staat New York, en dat verleende hem een kracht die hij nooit had kunnen vinden in het gloeiende Indië, want in zijn hart bleef hij een zoon van het noorden, waar het regende en waar de winters streng waren en de zomerse hitte drukkend, hoewel toch geheel verschillend van en minder ondraaglijk dan de onafgebroken hitte van Indië. Hij behoorde niet tot die noordelingen die zich ogenschijnlijk zonder de minste moeite aanpassen aan een heet, tropisch klimaat. Dit had het leven des te moeilijker voor hem gemaakt gedurende de jaren van hitte en stof die hij in de dorpen had doorgebracht. Als er nog iets anders was dan de voldoening die hij uit zijn werk putte, dan was het zijn vleselijke zelfkastijding – het dwingen van een lichaam dat zich verzette tegen hitte en stof en vuil, om zich naar zijn wil te voegen. Want in zijn hart – en dat wist hij beter dan iemand anders – was hij een puritein gebleven.

Niet, dat hij de puriteinse leerstellingen aanhing, of ze billijkte; want daarvoor was hij te verstandig en inwendig voelde hij te veel voor de schoonheid, de kleur en de zinnelijke genietingen van de wereld om hem heen. Nu drong het tot hem door dat hij Bill had benijd tijdens de jaren dat zij samen een kamer hadden gedeeld. Hij had Bill niet benijd om zijn geld of om de vrijheid die hij genoot dank zij dat geld; het was iets geheel anders geweest. Voor zover hij het thans kon inzien, was het Bills gave het leven te nemen zoals het was en zich erbij aan te passen. Het scheen hem toe dat de goden Bill met alle goeds hadden bedacht – een knap uiterlijk, innemendheid, intelligentie en een onverwoestbare gezondheid. Zeer waarschijnlijk had Bill gezondigd tegen alle wetten der moraal, zonder daarvoor te zijn gestraft of ervoor te hebben moeten boeten. Hij, Merrill, had daarentegen nooit tegen diezelfde wetten gezondigd – alleen om dit vergolden te zien met ziekte en ontmoediging.
Zijn gedachten waren niet vervuld van zelfkeklag; hij had te veel geleden, te veel doorstaan, om nu weekhartig te worden. Hij beschouwde zichzelf nu even objectief als hij het Bill deed. Het beste wat hij kon doen, was, nu ook eens te proberen te leven zoals Bill dat altijd gewoon was geweest, voordat het te laat was – althans, indien dat nog mogelijk bleek.
Inwendig koesterde hij nog een laatste, vage hoop dat Moti het misschien bij het rechte eind had. Als hij wat meer ongeregeld ging leven – of, zoals Moti het uitdrukte: meer als een gewoon, normaal menselijk wezen – zou hij zijn gezondheid en zijn kracht misschien terugkrijgen om zijn werk voort te zetten. Om dat te bereiken, was hij bereid elk offer te brengen – zijn ingewortelde begrippen van fatsoen, zelfs zijn onsterfelijke ziel. Want zijn werk was het enige, waar het op aankwam; zijn lichaam, zijn ziel waren niet meer dan werktuigen.

Toen werd zijn gedachtengang plotseling met een schok afgebroken en keerde hij terug tot de jongen naast hem.
De kleine bruine hand die hij in zijne hield, trilde. Ali bewoog zich en zuchtte – de langzame, hartverscheurende zucht van een kind, de zucht, bezwaard met de kinderlijke voorkennis van ellende en lijden die buiten het bewustzijn ligt. En die zucht had een buitengewone uitwerking op het hart van Buck; hij bracht hem nader tot de jongen dan hij ooit was geweest. Die zucht deed het oude instinct, dat van het begin af zo diep in hem was geworteld om de zwakken en ongelukkigen te beschermen, tot bewustzijn komen. Want diep in zijn ziel was het dit instinct dat hem ondanks alles steun gaf en voortdreef. Voor een ogenblik stond de kleine jongen naast hem in magische zin voor heel Indië, dat lelijke, tragische, krioelende Indië dat Bill nooit had gezien, behalve gedurende de korte tijd toen hij door de fabriekswijk reed.
Hij hoorde de stem van de jongen: „Sahib Buck."
„Ja, Ali," antwoordde Homer, erop volgen latend: „Alles is goed gegaan, hoor. Er was niets om bang voor te zijn."
Na een korte stilte zei de jongen: „Ik was niet bang, sahib; ik was eenzaam." En een poosje daarna: „Zal ik weer kunnen zien – het licht van de zon en de olifanten?"
„Dat hoop ik, Ali. Wij moeten geduld hebben en vertrouwen stellen in God en Zijn profeet Mohammed." Hij wist dat dit de jongen kracht zou geven, want voor hem was Mohammed geen mystieke figuur, maar een werkelijkheid, een mens als hijzelf en zijn gestorven vader, de hoofd-mahout.

Op de terugweg naar het Taj Mahal Hotel wekten de hitte en het stof en de ellende van de fabriekswijk niet hetzelfde gevoel van afkeer op in Bill als toen hij er voor het eerst doorheen was gereden. Het was, alsof hij dit alles met andere ogen zag – alsof het niet langer een afschuwelijk schouwspel was dat hij liever vermeed. Hij kreeg een gevoel over zich

dat nauw verwant was aan schaamte. Wat hij in het instituut had bijgewoond, bleef hem vervolgen; waarom, zou hij niet hebben kunnen zeggen. Zelfs het feit dat hij aan zichzelf dacht, kwam hem raadselachtig voor. Tot op die dag had hem dit nooit gehinderd.
Het weerzien met Merrill na zoveel jaar had hem vrolijk gestemd – en weemoedig tegelijkertijd. Hij was ervan overtuigd dat hetgeen kolonel Moti had beweerd inderdaad juist was; er moest iets voor zijn vriend worden gedaan – en spoedig ook. Vermoedelijk had de kolonel ook gelijk met zijn bewering dat het enige redmiddel hierin bestond dat Buck een tijd lang een leven moest leiden als een gewoon mens.
Het was reeds over een toen Bill in het Taj terugkeerde. Er was juist een boot uit Europa binnen, zodat de hal versperd was door de nieuw aangekomenen en hun bagage. Zij waren over het algemeen van een beter slag dan de passagiers met wie Bill had gereisd; ze zagen er allen uit als rijke mensen. Hij merkte een knappe blondine op, naar zijn schatting niet ouder dan drieëntwintig, die scheen te reizen met een donkere vrouw die iets ouder was. Die zouden waarschijnlijk trachten indruk te maken op de maharadja – misschien meisjes van het toneel, die eropuit trokken voordat het te laat voor hen was. En dan was er nog een buitengewoon knappe vrouw van tegen de veertig, die Italiaans sprak met haar kamenier.
Als het niet zo ontzettend warm was geweest, zou hij zich meer voor haar hebben geïnteresseerd. Maar hij verlangde te veel naar iets kouds om te drinken en naar zijn lunch. Daarna had hij nog tijd genoeg om zich in ongelegenheid te brengen. Doch hij zou ook graag iemand hebben om samen met hem te lunchen; en daarvoor kwam natuurlijk Carol in aanmerking.
Hij baande zich een weg door de menigte om bij de telefoon te komen. Toen hij aansluiting had gekregen, zei Carol dadelijk: „Kom even hier."

„Maar ik had je juist willen vragen beneden te komen om te lunchen."
„Het is veel te warm."
„Och, kom nu beneden. Er zijn heel wat lui aangekomen met de nieuwe boot. Dan kun je nog eens lachen."
„Goed dan. Tenminste, als je bovenkomt om een beetje te praten, terwijl ik me aan het kleden ben."
„Okay."
Het geluid van haar stem deed zijn neerslachtigheid enigszins verdwijnen.
Toen hij in haar kamer kwam, vond hij haar in haar roze zijden onderkleding voor de spiegel zitten, bezig het haar uit te borstelen.
„Ik heb juist een douche genomen," zei zij, „en waarachtig, nu voel ik me veel behaaglijker." Voordat hij hierop kon antwoorden, liet zij erop volgen: „Ik laat mijn haar weer de natuurlijke kleur terugkrijgen. Vind je dat geen goed idee?"
„Zeker. Dan zul je er veel natuurlijker uitzien."
„Neem een borrel en bestel een gin sling voor mij."
Bill opende de deur en gaf de bestelling op aan Krisjna. Toen hij de deur weer gesloten had, was Carol opgestaan. Hij sloeg bewonderend de schone lijnen van haar gestalte gade.
„Dat figuur is altijd je verderf geweest," zei hij.
„Wat je zegt!" Zij trok een witte rok over haar hoofd en vroeg: „Wat heb je vanmorgen uitgevoerd?"
Krisjna bracht het bestelde binnen en Carol zette haar glas op de toilettafel. Ze scheen niet eens erg te hebben in de aanwezigheid van de Indische bediende.
Bill zei: „Ik zal nog een bordje laten ophangen: Miss Carol Halma is niet ingetogen tegenover Indische bedienden."
„Och kom – Krisjna is eraan gewend. Jij schijnt je er overigens ook niet veel van aan te trekken."
„Tenslotte is het voor mij ook niets ongewoons, kindje."

„Bill – schaam je je niet?" riep zij uit. „Je zou toch niet opnieuw willen beginnen?" Zij trok een blouse aan en vervolgde: „Wat mij betreft – ik heb er weleens over gedacht. Het zou best eens kunnen gebeuren, als zeker iemand me overrompelde – maar ik sta nogal vast in mijn schoenen, want ik heb grote voeten!" Toen werd zij plotseling weer ernstig. „In elk geval – daar ben ik niet op uit."
„Waar is miss Carol Halma geboren Olga Janssen dan wèl op uit?"
„Ik weet waarachtig zelf niet waar miss Carol Halma op uit is," zei zij lachend. „Maar het moet iets nieuws zijn."
Zij zette haar hoed op en deed twee of drie diamanten armbanden om haar polsen.
„Moet je die overdag aandoen?" vroeg hij.
„Ik heb ze nu eenmaal – waarom zou ik ze dan niet dragen? Ik heb nooit de beschaafde dame uitgehangen, wel? Bovendien begrijp ik niet waarom je me die trap wilt afslepen naar die verwenste eetzaal. Er is een tijd geweest dat je er heel wat voor gegeven zou hebben om hierboven met me te kunnen lunchen."
„Daar zou ik misschien nòg heel wat voor over hebben."
Wat hij zei, was volkomen waar. Toen hij naar boven ging, had hij in de verste verte niet aan zo iets gedacht; doch terwijl hij erbij zat toen zij zich kleedde, had zich dat onverklaarbare gevoel van lang geleden weer van hem meester gemaakt. Wat hem tot haar aantrok was de zeldzame mengeling van haar schoonheid, haar openhartigheid en haar goede luim. Verliefd te zijn op Carol was buitengewoon prettig.
„Geen kwestie van!" sprak zij. „Nu ik me er eenmaal voor heb gekleed, gaan we ook naar beneden om te lunchen. Drink maar gauw je glas leeg."

Zij zaten vlak bij de deur in de grote eetzaal. Zij hadden dit gemeen dat zij beiden hielden van mensen om zich heen, het

gadeslaan van het volle leven. En dit was een interessant schouwspel – al de pas aangekomen passagiers die een nieuwe noot brachten in het min of meer permanente Bombayse gedoe.
Toen zij er goed en wel zaten, vroeg Bill: „Wat is er aan de hand met Stitch Trollope?"
„Wel, haar zuster kreeg hem òm van de champagne en toen heeft ze geprobeerd Stitch dood te schieten. Het schijnt dat de twee dames niet goed met elkaar overweg kunnen."
„Daar heb ik ook iets van gemerkt – na het toneeltje op de trap bij Jelly. Waar is het gebeurd?"
„In het paleis van de maharani. We waren erheen gegaan om chemin de fer te spelen. Stitch was aan de winnende hand en dat scheen haar zuster niet te kunnen velen. Zonder enige voorafgaande waarschuwing haalde ze een kleine revolver te voorschijn en schoot. De barones sloeg het ding uit haar hand. Ze had best een van allen kunnen raken."
„Mooie kennissen, waar je mee omgaat!"
Carol lachte. „Vergeet niet dat het kennissen van jou waren, beste jongen. Jij hebt ze aan me voorgesteld."
De knappe vrouw, die Bill Italiaans had horen spreken met haar kamenier, kwam op dit ogenblik binnen en nam plaats aan een tafeltje in hun nabijheid. Zij had haar kamenier weer bij zich.
Bill kreeg haar dadelijk in het oog. Carol vroeg: „Wie is dat?"
„Ik weet het niet. Zij is met de boot meegekomen."
„Apropos – de barones is nog niet zo kwaad."
„Het is het verschrikkelijkste mens dat ik in jaren heb ontmoet."
„Zij is Stitchs zuster de baas geworden; dat had niemand haar nagedaan." Carol zag Bill aan. „Ik ben iets over jou te weten gekomen."
„Zo – wat dan?"
„Je zei dat mijn figuur altijd mijn verderf was geweest. Nu, wat jou betreft: jij hebt iets nog veel ergers dat je ten verderve leidt dan je figuur. Weet je wat het met jou is? Jij

zou willen dat iedereen precies zo was als jij. Jij begint altijd met je voor te doen als iemands beste vriend – maar je meent er geen steek van; en als iemand je dan nodig heeft, ben je doof aan dat oor."
„Charlie het fuifnummer!" zei hij lachend.
„Zeker – het is zoals ik zeg. Als je een hekel hebt aan de barones, geef haar dan een schop, maar doe niet of je met haar wegloopt als je in haar gezelschap bent."
„Ik vind haar wel vermakelijk en ik ben van nature goedhartig aangelegd."
„Daar is iets waars in – tenminste wat het laatste betreft. Maar aan de andere kant ben je onuitstaanbaar lui. Je kunt moeilijk verwachten dat iemand altijd maar klaarstaat om je te amuseren als jij ervoor in de stemming bent."
„Nu ja – laten we zeggen dat ik een onuitstaanbare kerel ben. Okay!"
Zij deed geen poging om hem tegen te spreken.
„Zeker, beste jongen, dat ben je. En heel erg ook. Iedereen denkt dat je zo knap bent, zo onderhoudend, zo goedhartig – maar in je binnenste is daar geen sprake van."
Van gekheid was het ernst geworden. Er vertoonde zich iets in Carols mooie trekken dat Bill er nooit in had gezien. Dat was een deel van de Carol dat hij niet kende. Hij bestudeerde haar gelaat en kwam tot de conclusie dat er een verandering in haar plaatsvond. De Carol die zijn vrouw was geweest, was aan het verdwijnen.
Er kwam weer een andere gedachte bij haar op.
„Daarom is ons huwelijk ook verkeerd gegaan," vervolgde ze. „Ik ben erin gelopen door je uiterlijk. Ik dacht dat er iets achter zat – maar toen ik de deur van je binnenste opende, vond ik niets, niets. Het bleek niets anders te zijn dan een valse façade."
„Nu ja – laat het nu maar goed zijn."
Inwendig werd hij kribbig. Zijn ziel was plotseling als een

worm, waar men een speld doorheen heeft gestoken. Hij was geërgerd; maar gekwetst voelde hij zich niet. Hij was geraakt, doch tot zijn diepste innerlijk was haar opmerking niet doorgedrongen. Zonderling, maar hij voelde zich niet op zijn gemak – bevreesd zelfs, zonder dat hij zou hebben kunnen zeggen waarom.

Zij begon te lachen.

„Okay – ik zal je verder met rust laten. Laten we nu maar over iets anders praten."

Het was de eerste keer dat zij beiden ongenoegen hadden gekregen. Plotseling werd het hem duidelijk waarom hij niet op zijn gemak en zelfs bevreesd was. Carol was hem nooit zo aantrekkelijk, zo beminnenswaardig voorgekomen als op dit ogenblik. Hij dacht: Wat overkomt me nu?

Op hetzelfde moment hoorde hij haar vragen: „Wat voor nieuws breng je mee van je vriend Merrill?"

„Hij maakt het veel beter," antwoordde Bill. „We hebben het over jou gehad. Hij komt hier in het Taj Mahal Hotel logeren."

„Wat zei hij?"

„Hij zei dat je een grote, knappe jonge vrouw was."

„Onzin!"

„Toch heeft hij het gezegd."

Bill begon te grinniken. Dit was zijn revanche. Hij wist dat hij haar ijdelheid had gekwetst. Het kon haar niet schelen dat de mensen zeiden dat zij mooi was; zij wilde bewonderd worden om andere hoedanigheden die zij misschien nooit had bezeten. Hij kreeg een opwelling om haar met gelijke munt te betalen en haar ook iets onaangenaams te zeggen.

„Wat ik tegen je zei, is de waarheid. Zie je nu wel dat je figuur je ergste vijand is? Iemand kan zijn ogen toch niet in zijn zak hebben?"

Na een korte stilte vroeg zij: „Wanneer komt hij?"

„Dat weet ik niet."

En toen kreeg hij een zonderlinge ingeving – een middel om

alle zorg over Buck Merrill van zich af te schuiven. Carol was de aangewezen persoon om hem van het leven te laten genieten. Haar geestigheid en haar gezondheid waren voldoende om iedereen zijn zorgen te doen vergeten. Daar profiteerden zovelen van – in de regel onbeduidende persoonlijkheden, mensen die door het leven in een hoek waren geduwd, zoals Stitch Trollope en Botlivala en de barones. Buck zou juist iets voor haar zijn.
„Ik zal je wel laten weten wanneer hij komt. Dan gaan we met elkaar uit."
Maar bijna dadelijk had hij spijt over wat hij gezegd had. Het was een oude gewoonte – om te spreken zonder na te denken. Gewoonlijk kwam het er niet op aan, maar deze keer was het een fout, een ernstige fout.
Op dat ogenblik zag hij de barones binnenkomen, uitgedost in een belachelijk kostuum van witte zijde, waarbij zij een topee droeg met een witte sluier die op haar rug afhing. Carol zag haar ook en zij volgden haar met hun blikken, terwijl zij haar schreden richtte naar het tafeltje waaraan de Italiaanse dame met haar kamenier was gezeten. Zij begroetten elkaar met een zekere stijfheid, waarop de barones ging zitten. Carol en Bill konden het gesprek niet horen.
„Nu zullen we wel te weten komen wie die Italiaanse is," zei Bill.
„Wie is daar benieuwd naar?"
„Ik. En waarom niet?"
„Het is zeker je bedoeling een gemakkelijke verovering te maken. Nu, veel succes, Charlie! Pas maar op dat je je niet te veel afgeeft met dat soort mensen."
„Waarom niet?"
„Er is een luchtje aan."
Nu kwam ook mevrouw Trollope binnen en zette zich aan hetzelfde tafeltje als de barones en de Italiaanse. Zij zagen dat de barones mevrouw Trollope voorstelde. Stitch had zich

in een nieuw kostuum van witte Chinese zijde gestoken, tamelijk mannelijk van snit, doch dat haar overigens goed stond, waarbij zij een panamahoed met een groene veer droeg. Zij zag er wel tien jaar jonger uit.
„Stitch gaat erop vooruit," merkte Bill op. „Zo is zij een heel andere vrouw."
„Kwestie van geld," zei Carol. „Zij heeft aardig wat geld verdiend sedert de dag waarop zij met me naar de rennen is gegaan. Geld – en het feit dat ze van haar zuster af is." Zij zuchtte. „Maar het kan zo niet blijven gaan. Ik kan haar geen geluk blijven aanbrengen; en al wint ze nog zoveel – ze zal altijd nog veel meer uitgeven dan ze verdient. Zo is ze nu eenmaal – ze is onder een verkeerd gesternte geboren. Daar valt niets aan te veranderen."
Bill keek haar aan, zonder te weten wat hij van haar denken moest. Hij had haar altijd voor een domme gans gehouden. Hij dacht: Er is iets zonderlings met mij aan de hand – of met iemand anders hier in de zaal.

Carol had gelijk: mevrouw Trollope was er geheel bovenop. Zij had gewonnen op de rennen, diezelfde nacht had zij weer gewonnen bij Jelly en ook op de partij bij haar zuster.
Een- of tweemaal per jaar gaf de maharani van Chandragar een partij – in de regel eenmaal in de herfst, als zij terugkeerde van Ootacamund, en de tweede maal kort voor het aanbreken van het regenseizoen, waarna zij naar de heuvels vertrok. Het had haar altijd dodelijk geërgerd in een soort van halve harem te leven, te midden van vrouwen die hun tijd doorbrachten met eten, zich te laten masseren of insmeren met olie. Van het begin af was zij een steen des aanstoots geweest in de staat en nu zij weduwe was, maakte de dewan het haar onmogelijk erheen terug te keren. Daarom verdeelde zij haar tijd tussen Malabar Hill en een bungalow in Ootacamund, die haar persoonlijk eigendom was.

De partij die zij ditmaal had gegeven, was niet bedoeld ter ere van haar zuster, doch werd gegeven in de hoop iets terug te zullen winnen van het geld dat zij verloren had bij Jelly. Dit bleek evenwel een misrekening te zijn geweest, want in haar eigen paleis had zij ook niets anders gedaan dan verliezen. Zij kon het geld niet missen en toen zij zag dat het grootste deel van haar verlies verdween in de tas van haar zuster, was haar brein blijkbaar in de war geraakt. Om vijf uur 's morgens had zij haar gouden tas geopend, er een kleine revolver uitgehaald, en de loop op haar zuster gericht.
Gelukkig was zij dronken en de barones had de tegenwoordigheid van geest gehad, de loop van het wapen omhoog te slaan, zodat de kogel alleen enkele kristallen ornamenten van de lichtkroon verbrijzelde die boven de chemin de fer-tafel hing. Vervolgens had de barones haar het wapen afgenomen en de bedienden opdracht gegeven haar naar bed te brengen. Zij werd weggeleid als een kind dat straf heeft gekregen, op huilerige toon uitroepend dat het haar zo speet. Toen het spel was afgelopen, was mevrouw Trollope negenendertigduizend ropijen rijker geweest.
Het was de barones geweest die haar had aangeraden met haar winst naar het Taj Mahal Hotel terug te keren. Zij had gezegd: „Je kunt niet onder één dak blijven met een vrouw die je wil doodschieten."
Mevrouw Trollope had gezegd dat het niet de moeite waard was zich er veel van aan te trekken, want dat het niet de eerste maal was dat haar zuster het had geprobeerd. Het was al verschillende malen voorgekomen.
Daarop had Carol erop aangedrongen dat zij naar het Taj Mahal Hotel zou gaan.
„Je hebt nu geld genoeg," had zij gezegd. „Daar kun je een hele tijd mee toe, als je erop weet te passen."
En onmiddellijk had mevrouw Trollope gezegd dat zij het een uitstekend denkbeeld vond.

Toen hadden de barones en Carol haar geholpen haar bagage te pakken en waren zij gezamenlijk vertrokken. De barones had Stitchs leven gered, dus hadden zij de strijdbijl begraven – althans voor het ogenblik.
De barones had gezegd: „Alles gaat perfect, lieve. Die Carol brengt geluk aan, hè? Zij brengt een hele verandering teweeg. Maak je maar niet bezorgd, beste kinderen. De barones zal wel voor jullie uitkijken. Ik kan jullie een goede baan bezorgen. Ik heb verscheidene nachtclubs in Boedapest en in Caïro en in Parijs. Die brengen de barones heel wat geld op."
„Prachtig," had Carol geantwoord, „dat zullen we onthouden. Ik zal de lui wel ontvangen en Stitch kan aan het kasregister zitten in de bar."
Dat vond de barones een prachtig denkbeeld.
„Uitstekend," sprak zij. „Een mooi span. Vraag maar eens aan Jelly. Hij kent mijn etablissementen. Hij heeft er heel wat geld laten zitten. We moeten mevrouw Trollope netjes in de kleren steken. Ze heeft stijl. Ik weet al hoe we haar zullen kleden – heel elegant, met een soort vrouwelijk smokingkostuum en een monocle..."
„Natuurlijk," beaamde mevrouw Trollope. „Dat moeten we hebben."
Zij luisterde toe, doch haar gedachten waren elders. Zij hield zich bezig met het bedenken van allerlei dingen die zij zou doen met het geld dat het noodlot haar zuster had ontnomen om het – o ironie! – háár in de schoot te werpen. Zij had haar zuster Nelly lange tijd gehaat, omdat zij een zoveel knapper gezicht had gehad. Stitch zou nieuwe kostuums aanschaffen en naar Londen schrijven om haar juwelen uit de bank van lening te halen en als ze nog meer verdiende met het kapitaal dat zij nu al gewonnen had, zou zij met Carol via Singapore, Saigon, Sydney en Hawaï naar Amerika terugkeren. Nu Stitch haar zuster Nelly niet meer nodig had en geld genoeg bezat, kon haar niets meer gebeuren. Als zij Carol aan-

zag, kon zij haar tranen bijna niet bedwingen. Carol kwam haar voor als een godin, niet alleen omdat zij mooi was, maar omdat alles was veranderd sedert zij in Stitchs leven was gekomen, die avond, aan het tafeltje in de Taj Mahal Bar. Jim Trollope kon haar nu geen steek meer schelen. Hij kon voor haar part in de gevangenis sterven. Zij dacht: Ik ben nu een nieuw leven begonnen. Mijn gesternte is gewijzigd. Ik wist dat het komen zou.
Zij nam zich voor naar een waarzegger te gaan.
De barones, die naast haar zat, voelde zich eveneens in haar nopjes. Dit was een van de weinige ogenblikken in haar leven, waarin zij zich niet alleen voelde. Toen zij nog een meisje van vier jaar was, in Praag, lang, lang geleden, was zij zich er reeds van bewust geworden hoe lelijk haar gezicht en hoe wanstaltig haar lichaam was. Men had haar weggeduwd, afgesnauwd, mishandeld. Toen zij een jonge vrouw was, had zich uit haar ongelukkige levensomstandigheden een eenvoudige theorie ontwikkeld – namelijk dat zij geld moest hebben, want geld zou haar een macht verschaffen die haar anders ontzegd zou blijven.
Bijna veertig jaar lang had zij daarnaar gestreefd, zonder iets of iemand te ontzien. Zij was rijk geworden, zij had macht weten te krijgen op elke manier die haar inviel, zonder dat haar scrupules haar daarbij in de weg zaten. Zelfs de wereldoorlog had haar geen windeieren gelegd, want toen had zij aan het hoofd gestaan van een wijd vertakte spionagedienst. Nu was zij rijk en bezat zij macht. Doch haar leven lang had zij slechts één wens gekoesterd – dat de mensen aardig voor haar zouden zijn. Maar dat geluk was haar slechts bij grote tussenpozen ten deel gevallen, zoals nu.
Zo was het drietal in de beste stemming aan het Taj Mahal gekomen, waar zij Bill tegen het lijf liepen, toen hij Merrill ging bezoeken. De barones zag hem stilletjes wegsluipen en dacht dadelijk: Hij is nog erger dan mevrouw Trollope, want

die scheldt je uit – maar hij doet zich heel vriendelijk voor, doch zorgt altijd dat hij je zo gauw mogelijk kwijtraakt.
Toen hij weg was, bestelde Stitch een kamer. Carol en de barones wilden haar helpen uitpakken, doch Stitch, die zich geneerde voor haar povere bagage, sloeg dit aanbod van de hand, met de bewering dat ze hard slaap nodig hadden.
Toen de beide dames naar hun kamers waren, nam zij een douche, trok een van haar tamelijk oude kostuums aan en verliet het hotel om inkopen te gaan doen. Zij kocht een nieuw mantelpakje, bestelde acht middagtoiletten en nog vier kostuums. Verder zocht zij zeven hoeden uit, twee dozijn paar kousen, vijf paar schoenen, vijf dozijn dure zakdoeken en enige stellen ondergoed. Van het kledingmagazijn ging zij regelrecht naar een oud huis in Calaba, aan de baai.
Het was een groot huis, omringd door een fraaie tuin. Het was door de heer Botlivala, die het in eigendom bezat – evenals ongeveer een tiende deel van Bombay – ingedeeld in flats. Stitch begaf zich naar de derde verdieping, waar zij stilhield voor een deur waarop een bordje was aangebracht: „Rama & Paravati – Sterrenwichelaars en Toekomstvoorspellers".
De deur werd geopend door een magere man van middelbare leeftijd, met grijze ogen, die uit een zonderling grauw gezicht keken – de ogen van een sergeant, afkomstig uit een Londense achterbuurt, die hier was blijven hangen. Hij was Rama. Hij herkende Stitch onmiddellijk als de zuster van de maharani van Chandragar, die ook tot zijn cliënten behoorde.

Hij ging haar voor naar een donkere, van zware gordijnen voorziene kamer, zette zich aan een teakhouten tafel, haalde een kristallen bol te voorschijn en ging aan het werk.
Het lukte uitstekend. Hij was een pracht van een toekomstvoorspeller. Hij voorspelde haar alles wat zij wenste te horen. Dat zij een nieuwe fase van haar leven was binnengetreden.

Dat er een persoon om haar heen zweefde, wiens invloed van het grootste gewicht voor haar was, omdat hij of zij (dat kon hij niet precies onderscheiden) haar geluk aanbracht. Er waren evenwel twee stromingen die haar ongunstig gezind waren – beiden mannelijk. De ene was een kleine, donkere man (dat was Botlivala, maakte Stitch bij zichzelf uit) en de andere een knappe blonde man die heel aardig was, maar die ze niet moest vertrouwen. (Dat zou dan wel Bill Wainwright zijn, dacht ze.) Ze betaalde hem en reed met de wachtende taxi weg.
Toen zij het huis verliet, scheen het Stitch toe dat haar voeten het grind van het tuinpad niet eens aanraakten. Het was haar of zij zweefde. Zij voelde zich weer jong en vrolijk, zoals zij lang geleden geweest was in het houthakkerskamp in Australië, voordat zij naar Londen ging om tot dame te worden opgevoed en daar Jim ontmoette, die nu in Brixton zat en voordat ze ontdekte hoe wreed en bitter het leven kan zijn. Doch nu stelde de hemel haar schadeloos voor alles wat zij doorstaan en geleden had. Zij had zelfs de ontzettende verlatenheid van zich afgeschud die haar zo lang had gekweld. En dat alles had zij te danken aan Carol Halma.
„Carol!" zong het in haar hart. „Carol! Carol!" En opnieuw voelde zij zich in een flits als Carol Halma zèlf, alsof haar eigen magere gestalte was omgetoverd in het aanbiddelijke lichaam van het meisje.
Onderweg naar het hotel bleef het in haar hart zingen.
Toen zij op haar kamer kwam, vond zij daar een briefje van de barones, in slecht Frans gesteld, waarin deze haar verzocht met haar te lunchen in gezelschap van markiezin Carviglia. Zo kwam het dat Stitch kort daarna in haar nieuwe kostuum zat te lunchen met de barones en markiezin Carviglia met haar kamenier. Onder het eten kwamen tal van vermoedens bij haar op. Zij kwam tot de conclusie dat de markiezin eenmaal een zeer mooie vrouw was geweest en bovendien buiten-

gewoon dom – wat zij trouwens nòg was. Ze ontdekte ook dat de barones een of andere geheimzinnige macht uitoefende over de markiezin – en dat ze haar dat ook goed liet voelen. En wat nog het voornaamste was: Stitch begon er een sterk vermoeden van te krijgen welk beroep de barones eigenlijk uitoefende. Zoveel was zeker dat het niets uitstaande had met spionage.

De volgende dag nam Bill deel aan de lunch ten huize van de gouverneur. Hij had niet willen gaan, maar er was niets aan te doen. De een of andere vriend van hem in Engeland, wie wist hij niet, had voor de uitnodiging gezorgd en dus moest de zaak doorgaan. Het hinderde niet dat de gouverneur van Bombay nooit van hem had gehoord en niet het minste belang in zijn bezoek stelde; het kwam er ook niet op aan dat Bill zelf het afschuwelijk vond zijn beste kleren te moeten aantrekken en twee kostbare uren te vermorsen aan conversatie, tussen twee vreemde vrouwen gezeten, die hij hoogstwaarschijnlijk saai zou vinden en nooit meer zou terugzien. Het was een van die dingen die eenvoudig gedaan moesten worden.
Het gezelschap beantwoordde geheel aan zijn verwachtingen. Het bestond uit de vrouw van de gouverneur, een aantal Engelse toeristen, tot de middenstand behorend, alsmede verschillende zakenlieden uit Bombay met hun vrouwen. Bill had veel moeite hen uit elkaar te houden, behalve een eigenaardige vrouw, gekleed in een boeddhistisch gewaad, en een opgewekte, oude Engelse dame die met een juffrouw van gezelschap reisde, die iedereen opmerkzaam maakte op haar hoge leeftijd en op het feit dat ze een merkwaardige vrouw was, die nu nog een reis om de wereld maakte.
Door een van de deuren verscheen de gouverneur – een kleine, koude man met een gezicht of zijn gedachten voortdurend elders waren – hij werd toen door terroristen bedreigd – en door de andere kwam de mooie Italiaanse binnen, die

aan de gouverneur werd voorgesteld als de echtgenote van generalissimus markies Carviglia.
Bill zat aan tafel tussen de zonderling toegetakelde dame en markiezin Carviglia. Met de bedoeling, het beste voor het laatst te bewaren, wendde hij zich tot de vrouwelijke lama.
Zij had een merkwaardig uiterlijk. Een lang, mager gezicht, met vooruitstekende tanden, en akelig dun haar kwam boven een losjes gedrapeerd gewaad uit, dat kon doorgaan voor een navolging van het kleed van een boeddhistische monnik, met lange, wijde mouwen en een geel koord om het middel. Verder was zij behangen met een aantal Indische sieraden.
Zij bleek de zuster van een hertog te zijn, die het grootste deel van haar leven doorbracht in de cel van een boeddhistenklooster in Bengalen. Dit scheen volstrekt niet tegen het fatsoen in te druisen, hoewel al de andere bewoners van het mannelijke geslacht waren. Jarenlang, vertrouwde zij Bill toe, had zij een zeer werelds leven geleid. Toen waren, ten gevolge van een teleurgestelde liefde, haar gedachten in geestelijke richting gezwenkt en tenslotte had zij het boeddhisme omhelsd. Na die tijd voelde zij zich volkomen gelukkig.
Zij schoof haar gewaad open en haalde ergens een paar versnaperingen vandaan, die zij hem aanbood. Hij bedankte haar en stak ze in een van zijn zijzakken.
Toen zij zo ver was met haar verhaal, werd het gesprek aan tafel algemeen en raakte hij in conversatie met de markiezin. Bijna onmiddellijk werden hem twee dingen duidelijk. Ten eerste, dat haar reeds enigszins verwelkte schoonheid iets buitengewoon zinnelijks had. Zij had zeer grote, zwarte ogen, met fantastisch lange wimpers, een ivoorkleurige huid en prachtige handen, met nagels die zij in een zeer opmerkelijke kleur rood had gelakt. De algemene indruk die zij maakte, was er een van een mengsel van verdorvenheid en domheid. Er ging iets van haar uit dat aan de ene kant de mannen aantrok en hen aan de andere kant afstootte. Ze was, dacht

hij, als een ongezonde tropische plant, zoals de legendarische oepasboom, die iemand vergiftigde die zich in de schaduw van zijn takken te slapen legde.
Ten tweede bleek hem dat zij alleen Italiaans en Frans sprak – en deze laatste taal even gebrekkig als hij zelf.
Nadat zij een tijdlang hadden zitten stumperen als gevolg van het gemis van een taal die zij beiden beheersten, liet hij zich de naam van de barones ontvallen. Dadelijk onderging haar houding een hele verandering. Nu pas kwam er werkelijk leven in haar. In de zwarte ogen smeulde een verborgen vuur en onder de geelachtige huid werd wat kleur zichtbaar.
„De barones is geen vriendin van me," zei ze in haar gebrekkig Frans. „Ik heb haar in Parijs gekend – maar niet intiem."
„Ik begrijp wat u zeggen wilt," merkte Bill op. „Ze doet het altijd voorkomen of ze heel vertrouwelijk met iemand omgaat." Hij veronderstelde dat ze zich bij de markiezin had opgedrongen, zoals dat met hemzelf, Carol, mevrouw Trollope en Jellapore het geval was geweest. Ze had natuurlijk een huid als een olifant.
De markiezin werd heftig.
„U moet niets geloven van wat zij vertelt. Zij is een gemene vrouw, die altijd lelijke dingen van andere mensen verzint."
Daar twijfelde Bill geen ogenblik aan. Men had de barones maar even aan te zien om tot de overtuiging te komen dat zij boosaardig was. Toch was het dan zonderling dat zij en de markiezin gisteren samen hadden geluncht, ogenschijnlijk in de beste harmonie.
„Ze is een heks," vervolgde markiezin Carviglia. „Maar laten we niet meer over haar praten. Zij bederft iemands eetlust."
Kort daarna stonden ze van tafel op. De gouverneur verontschuldigde zich bij zijn gasten onder voorwendsel dat hij een ontzettend drukke middag voor zich had en verliet de eetzaal. Hij liet de taak, om de heterogene verzameling gasten te onderhouden, over aan zijn beklagenswaardige vrouw, die

het hare had bijgedragen tot zijn carrière door zich bezig te houden met vervelende bezoekers.
Toen kwam het gedeelte van de officiële lunch dat Bill met „rondhangen" betitelde – er moest op zijn minst een kwartier verstrijken voordat men met fatsoen weg kon gaan en dat kwartier bracht hij weer met de markiezin door. Het gesprek wilde niet erg vlotten en hij vond het jammer dat hij het Italiaans niet beter kende om iets van haar achtergrond en afkomst te weten te komen, waarvan men veel kon opmaken uit de taal, de uitspraak, zinsbouw en woordenkeus. Conversatie in een voor beiden vreemde en gebrekkig gesproken taal leverde niet veel op.
Precies na een kwartier nam hij afscheid van de echtgenote van de gouverneur, die er bleek en vermoeid begon uit te zien. Toen hij de markiezin goedendag zei, hielden de lange, witte vingers met de rode nagels zijn hand rijkelijk lang vast en in de donkere ogen vertoonde zich een smachtende uitdrukking.
„U moet mij spoedig eens in het Taj komen opzoeken," zei zij.
„Natuurlijk!" antwoordde Bill, die bij zichzelf dacht: Dat noem ik nog eens opschieten!
De tuin van het paleis van de gouverneur scheen de hitte als het ware gevangen te houden. Bills witte kostuum begon de sporen te vertonen van de buitengewone hitte, doch op dat ogenblik schonk hij er geen aandacht aan. Hij kreeg er een vermoeden van dat er dingen op til waren – zoals dat in Indië gaat. Wàt er op til was, wist hij niet precies, maar de hoofdpersonen beloofden wat – de barones, de markiezin, Carol, mevrouw Trollope, misschien zelfs Merrill. Voor het eerst sedert hij hier was, speet het hem niet dat Hinkle op jacht was in Birma. Wat konden hem de zaken schelen, als het leven zoveel meer interessants bood?
De eigenaardige, nodende handdruk van de markiezin had hem een sensatie bezorgd, zoals hij die in lange tijd niet meer had gekend. Doch vóór alles verlangde hij naar Carol. Hij

had haar sinds vierentwintig uur, na hun min of meer vinnig verlopen lunch, niet meer gezien, noch iets van haar gehoord. Hij was voornemens geweest dadelijk naar zijn kamer te gaan, een douche te nemen en dan te gaan slapen tot de ergste hitte voorbij was, doch toen hij bij de receptie aanliep om te vragen of er iets voor hem was gekomen, antwoordde de klerk: „Er is een zekere mijnheer Merrill gekomen, die zei dat hij een vriend van u was. Ik heb hem een kamer gegeven vlak naast de uwe. Ik hoop toch niet dat ik er verkeerd aan heb gedaan?"
„Nee, nee – integendeel."
Bill nam de brieven in ontvangst die met de boot waren meegekomen en bekeek de adressen. Er waren er drie uit Londen en twee uit New York. Verder was er nog een brief bij van het kantoor in Bombay die door een bode was gebracht. Hij gaf zich niet de moeite hem te openen. Het was wonderlijk hoe ver de westerse wereld plotseling van hem verwijderd lag – ze was van geen betekenis meer. En hij wist uit ervaring dat dit zo te zeggen de tweede fase was.

De brede gangen waren koel, vergeleken bij de hitte buiten. Bill liep de deur van zijn eigen kamer voorbij en ging naar de volgende, waarin Merrill zijn intrek had genomen. Hij klopte aan en een stem, die hij met verbazing herkende, riep: „Binnen!"
Het was Carols stem en toen hij de deur opende, zag hij haar transpirerend en met verwarde haren bezig een valies met kleren uit te pakken. Merrill lag op bed, met een wit gezicht. Hij had juist weer een aanval gehad.
Dit schouwspel maakte Bill enkele ogenblikken sprakeloos – Carol, die, als het maar enigszins ging, nooit opstond voordat de koelte van de avond was gevallen, in de verstikkende middaghitte aan het werk voor een man die zij slechts eenmaal in haar leven had gezien!
Merrill knikte hem toe en trachtte te glimlachen. Hij had een

half versleten kostuum van grof wit linnen aan, dat geheel geel was geworden.
„Hoe gaat het?" vroeg Bill.
„Nu wat beter, dank je," antwoordde Buck. „De laatste paar dagen heeft het niet zo lang geduurd."
Carol keek op van de lade waarin zij bezig was de kleren neer te leggen. „Ik zag hem in de hal staan, zich vasthoudend aan de leuning. Er moest natuurlijk iemand voor hem zorgen, dus ben ik maar met hem meegegaan."
Dus dat was het. Bill voelde een plotselinge toorn opkomen. Jaloezie was het niet, het was toorn, vermengd met gekwetste ijdelheid. Voor hèm had Carol zich nooit de minste moeite gegeven, maar nu zorgde zij voor Merrill als voor een baby! Carol schoof de lade met een slag dicht.
„Waar heb je de hele dag gezeten?"
„Gewerkt – en ik heb in het paleis van de gouverneur geluncht."
„Wie waren daar allemaal?"
„Niemand van belang – behalve de Italiaanse die gisteren met Stitch en de barones zat te lunchen."
„Snob!" Carol streek zich het haar uit het gezicht en vroeg verder: „En hoe was ze?"
Bill bracht haar verslag uit over de markiezin; hij vergat zelfs niet melding te maken van de lange handdruk bij het afscheid nemen.
„Zij is een beeldschone vrouw," besloot hij. „Ik kan best werk van haar maken."
Dit zei hij uitsluitend met de bedoeling Carol te ergeren, maar zij begon alleen te lachen.
„Ik ken dat type – koel berekenend, venijnig en een beetje overrijp. Je begint de neigingen van een oude liefhebber te vertonen. Dat moet je niet doen. Daar ben je nog te jong voor."
Dat het hem niet gelukt was haar ergernis op te wekken, maakte hem opnieuw nijdig.
Merrill kwam overeind. „Zullen we wat drinken?" vroeg hij.

„Ik geef een rondje," zei Carol. „Ik trakteer."
„Nee," protesteerde Bill. „De eerste borrel in het nieuwe leven geef ik weg."
„Okay," sprak Carol.
Bill opende de deur en riep Silas, die met gekruiste benen in de gang voor zijn eigen deur de wacht hield, waarop hij hem opdroeg de borrels te bestellen. Nauwelijks had hij de deur weer gesloten, of er werd opnieuw geklopt. Op Carols „Binnen!" werd zij geopend en trad Stitch Trollope binnen.
„Mijn bediende vertelde dat jullie allen hier waren. Mag ik er ook bij komen?"
„Welzeker," antwoordde Carol. „We staan juist op het punt een borrel te drinken. Heb je al kennis gemaakt met meneer Merrill? Mevrouw Trollope. Wederzijdse kennissen van Bill."
Stitch glimlachte, doch het was alsof de glimlach haar uit de diepte van haar ziel werd gewrongen. Met de snelheid van een slang had zij het toneeltje in zich opgenomen: Merrill, op het bed zittend, Bill tegen de ouderwetse wascommode leunend en Carol staande tussen het bureau en het half uitgepakte valies. Stitch was binnengevallen in een kring waarin geen plaats voor haar was, een kring die tot op zekere hoogte buiten haar bevatting viel. Het was alsof een glazen wand haar van de anderen scheidde. Zij bevond zich met hen in hetzelfde vertrek, maar toch bestond er geen gemeenschap tussen hen. Er had zich een nieuw element gedrongen tussen haar en Carol en Stitch had met zeldzame intuïtie begrepen wat het was, zonder dat zij het wist.
In Carols binnenste liet zich een stem horen: „Ze is mij nagegaan. Ze bespioneert mij. Alles heeft zijn grenzen – daar moet ik niets van hebben."
De seconde waarin deze gedachten elkaar kruisten, kwam Stitch voor als een eeuwigheid.
„Ik zou ook wel trek hebben in een borrel," merkte zij droogweg op.

„Ik zal er een voor je bestellen, zodra Silas terugkomt," beloofde Bill.
Merrill bood haar een sigaret aan en gaf haar vuur. Carol ging door met uitpakken. Stitch verbrak het stilzwijgen met de woorden: „Het schijnt dat de man van de markiezin een hoge piet is in de fascistische organisatie. Zij is in het paleis van de gouverneur ontvangen en zij gaat naar Delhi om een bezoek te brengen aan de onderkoning."
„Ik heb vandaag naast haar gezeten aan de lunch," viel Bill in. „Ik vind dat zij niet bepaald een licht is."
Carol zag op van haar bijna geëindigde taak.
„Maar ze heeft sex appeal volgens Bill, die schurk."
„Ze is niet zo kwaad," zei Stitch. „In elk geval is ze goedhartig."
Daarop begon Bill tegen Merrill over de barones. Silas bracht de glazen binnen en ging toen weer naar beneden om een borrel voor mevrouw Trollope te halen.
„Is de markiezin een Italiaanse?" vroeg Bill.
„Nee," antwoordde Stitch. „Ze komt uit de Levant."
„Ze ziet er weelderig uit," voegde Carol erbij, de lade sluitend.
„En wat gaan we nu doen?"
„Nu, we hebben natuurlijk de wedrennen," opperde Bill. „We zouden met ons allen naar de bar kunnen gaan en dan naar de rennen."
„Behalve meneer Merrill," vond Carol. „Misschien voelt hij zich nog niet goed genoeg."
„O, ik geloof wel dat ik ertegen zou kunnen," antwoordde hij met een grijns. „Zodra de aanval over is, ben ik weer geheel in orde."
Zij dronken hun glazen leeg en gingen naar beneden. Toen zij buiten waren, verdween de spanning die in de kamer had geheerst, om plaats te maken voor een soort zenuwachtige vrolijkheid. De bar was stampvol met passagiers van de boot en toeristen.
„Morgenochtend," zei Bill, „gaan we met je naar een kleren-

zaak om je in de kleren te steken, Buck. In de uitrusting die je nu draagt, kun je je niet vertonen in de kringen die we voor je op het oog hebben. En de kosten moeten de Amalgamated Oil Companies maar dragen."
„Welnee," protesteerde Merrill.
„Zeker wel," hield Bill vol. „Dat gaat op mijn onkosten-rekening. Het zal mijn ouwe heer zelfs plezier doen, te weten dat een deel van zijn oneerlijk verdiende geld voor een goed doel wordt besteed. Hij is toch al begonnen met miljoenen weg te geven om zijn slechte geweten in slaap te sussen."
Zij namen twee taxi's naar de renbaan. Carol en Merrill stapten in de ene, Bill en Stitch Trollope in de andere. Stitch was er allesbehalve over in haar humeur; ze had bij Carol willen zitten. Bill had haar gezien in een neerslachtige bui, hij had haar nijdig gezien als een spin toen zij het met de barones aan de stok had, maar hij had haar nog nooit zien pruilen. Prettig vond hij het niet; ze kopte als een bedorven kind. Zij zat te klagen over de hitte en zei: „Ik weet eigenlijk niet waarom ik het in mijn hoofd heb gehaald hierheen te komen. Ik haat het Oosten."
Ze was eigenlijk, zonder geld en met een verwoest leven, onderweg naar Australië, haar vaderland, en ze was in Bombay blijven steken, omdat ze geen geld genoeg had voor de hele passage naar Sydney. Zij had gehoopt het ontbrekende bedrag van haar zuster te zullen krijgen. En nu ze het geld had, wel niet van haar zuster, maar van het wedden, wilde ze niet meer uit Bombay weg, omdat Carol daar was en zij zich het leven, hoe luxueus ook, niet zonder Carol kon voorstellen.
Tussen haar geklaag door vroeg ze: „Wie is die meneer Merrill?"
Bill vertelde haar zo kort mogelijk over Buck, waarop ze verachtelijk opmerkte: „O, een zendeling!"
„Nee," zei Bill en trachtte haar uit te leggen dat hij eigenlijk tegelijk dokter, leraar en landbouwconsulent was, maar dat

ging er bij haar niet in. „Een zendeling is een zendeling," beweerde ze, „ik ken dat slag."
Toen zei Bill, die anders altijd beleefd en gemoedelijk was, nijdig: „Het is niet hetzelfde, stik!" waarop mevrouw Trollope antwoordde: „Houd je mond; ik wil niet worden aangeblaft!"
„Dat zul je wel," merkte Bill op, terwijl hij een sigaret opstak, „als je zo'n humeur hebt."
„Ik heb geen humeur."
Daarna zeiden ze niets meer tegen elkaar.
Toen zij aan het terrein kwamen, stapte Stitch het eerst uit en liep naar het hek, terwijl Bill met de chauffeur afrekende.
Toen zij de paddock binnenkwamen, zaten Carol en Homer reeds in de schaduw van een jacarandaboom op hen te wachten. Zij zaten over het een of ander te lachen en het viel Bill op dat Merrill er nu al heel anders uitzag dan toen hij een uur geleden met een grauw gezicht in het hotel op bed lag. Op de bleke wangen vertoonde zich een flauw blosje. Toen Stitch en Bill op hen toetraden, kwamen er bij de laatste twee gedachten op. In de eerste plaats was het opmerkelijk welk een invloed Carol altijd op mannen had en in de tweede plaats viel het hem op dat ze zich met Buck bezighield, zonder dat het haar was gevraagd. Het was als vanzelfsprekend. Het leek wel of Bill niets meer met de hele aangelegenheid te maken had en nu dit een feit was geworden, beviel het hem niet. Zij zaten te lachen, naar het scheen omdat Carol hem juist de barones en Botlivala had aangewezen die, naar Carol beweerde, precies geleken op een paar torren, gewapend met kijkers. De barones had haar witte kostuum en topee aangevuld met een stok, zoals de jagers meenemen als ze op jacht gaan. Carol had zich ook vermaakt over de uitdrukking van verbazing die zich vertoonde op het gelaat van Botlivala, toen hij haar in gezelschap zag van een man die er zo sjofel uitzag als Merrill. Botlivala had hem als volkomen onschadelijk beschouwd en hem verder geen blik waardig gekeurd.

De barones had meer belangstelling aan den dag gelegd. Niet zodra had zij zich aan Merrill laten voorstellen of ze begon hem uit te vragen. Waar kwam hij vandaan? Hoelang dacht hij in Bombay te blijven? Waar logeerde hij? Wat voerde hij uit?
Merrill had al haar vragen bedaard beantwoord; alleen had hij zich een weinig verwonderd getoond over haar kruisverhoor.
Toen zij weg was, vroeg hij: „Wie is dat? Waar komt zij vandaan?"
„Ik zou het werkelijk niet kunnen zeggen," antwoordde Carol lachend. „Zij beweert dat zij in Caïro woont, maar ik geloof dat ze eigenlijk nergens een vaste woonplaats heeft. Zij zegt dat ze restaurants en nachtclubs exploiteert. Botlivala schijnt te vinden dat zij de moeite waard is om zich met haar bezig te houden, anders zou hij haar niet eens aankijken."
Mevrouw Trollope was nerveus. Zij zei: „Laten we ons nu haasten om op de tweede ren te wedden. We hebben er nog juist tijd voor."
„Okay," antwoordde Carol, „maar ik wed vandaag niet."
„Hoezo?" vroeg mevrouw Trollope onthutst.
„Ik weet niet," zei Carol. „Ik heb zo'n idee dat het mijn dag niet is."
„Waarom niet?"
„Ik zou het je niet kunnen zeggen," antwoordde Carol. „Maar ik zal wel met je meegaan. Je kunt me aanraken om je geluk aan te brengen, als je daar lust in hebt."
Dit was niet helemaal wat Stitch had gewild, doch het was beter dan in het geheel niets. Zij gingen met hun vieren naar de totalisator, de mannen achteraan.
Buck was net een kleine jongen die men voor het eerst meeneemt naar de kermis. In al de jaren dat hij in Indië was, had hij tweemaal het Taj Mahal Hotel vanbinnen gezien en op de rennen was hij nooit geweest. Mevrouw Trollope wedde

nogal zwaar op een paard, waarvan iemand in het Taj Mahal haar had verzekerd dat het vast en zeker als eerste zou aankomen. Het paard kwam echter als vijfde binnen. Carol zei: „Ik zou vandaag niet meer wedden. Ik voel dat het niet gaat. De sterren staan niet goed."
Dit laatste zei zij, omdat zij wist dat mevrouw Trollope bijgelovig was.
Bij de volgende ren onthield Stitch zich van wedden, hoewel haar vingers jeukten om tickets te nemen. Dit was geen bewijs van haar wilskracht; zij deed het alleen niet omdat zij meende dat zij Carol er een genoegen mee deed. Carol scheen er evenwel geen erg in te hebben, want zij had het te druk met Merrill verschillende mensen aan te wijzen.
Wat zij aan die man vond, kon Stitch niet begrijpen. Op haar maakte hij de indruk van een heel gewone man, erg naïef en aan wie niet veel aan was. Het was niet haar gewoonte om te trachten te doorgronden wat er onder de oppervlakte verborgen kon zijn. Uit ergernis wendde zij een „barstende" hoofdpijn voor.
Inmiddels hadden de barones en Botlivala hen op een afstand gevolgd. Zij voelden zich een weinig „buitengesloten". Zij liepen gemelijk naast elkaar voort; geen van beiden voelde iets voor het gezelschap van de ander. Zij spraken geen woord of wisselden enkele banaliteiten. Maar onvermijdelijk draaide hun gesprek weer uit op de vier anderen; en van die vier mensen interesseerden zij zich uitsluitend voor Carol.
„Ik heb een prachtige betrekking voor die jonge vrouw – een betrekking met vooruitzichten. Ik heb een club in Parijs. Zij zou geknipt zijn voor hostess – met zo'n voorkomen, zo'n persoonlijkheid!"
Botlivala's wenkbrauwen gingen omhoog. Hij had wel opgemerkt dat de barones zich buitengewoon interesseerde voor Carol, maar tot op dat ogenblik had hij niet geweten waaraan hij die speciale belangstelling moest toeschrijven. Enkele se-

conden tevoren had hij er nog over gedacht, er tegenover haar op te pochen dat Carol in het geheim met hem was verloofd, maar nu was hij blij dat hij zijn mond had gehouden. Hij wilde de barones eerst uit haar tent lokken, en vertelde haar daarom een ander geheim, voor een deel ook bedoeld om hem in haar ogen gewichtiger te doen schijnen.

„U weet toch dat zij en die Wainwright vroeger getrouwd zijn geweest?" merkte hij op.

Hij genoot van de verbazing, die de barones aan de dag legde.

„Wat bedoelt u?" vroeg zij.

„Wel, zij zijn getrouwd geweest en gescheiden; dat heeft ze mij zelf verteld."

„Zo!" was alles wat de barones antwoordde.

Deze mededeling deed haar een licht opgaan betreffende verschillende dingen, waarover zij zich tot dusver het hoofd had gebroken. Zij had urenlang wakker gelegen, peinzend over de vraag, in hoeverre Bill Wainwright haar plannen in de weg zou kunnen staan. Zij was al het een en ander te weten gekomen. Zij wist dat Carol zogoed als door haar geld heen was, dat zij toch wel iets meer was dan een gewone prostituée en dat zij niet te koop was voor een man. Dit alles bij elkaar genomen vormde een raadsel dat zij met haar Middeneuropese mentaliteit niet vermocht op te lossen. In elk land ter wereld, behalve in Amerika, zou een vrouw, die een levenswijze volgde als Carol, niets anders zijn dan wat de barones betitelde als een „snol" – een dure „snol", maar toch niet meer dan een „snol". Naar haar mening leidde Carol meer het leven van een man dan van een vrouw. Zij volgde in alles haar eigen zin en wist uitstekend op zichzelf te passen. En zulk een vrouw had de barones nu juist nodig – een mooie vrouw, die het hoofd koel hield en zich niet te koop aanbood. Dat was precies iets voor Parijs. Zij had er niet in kunnen slagen de hand te leggen op een dergelijke vrouw, sinds Violette met de senator was getrouwd.

Zij zei tot Botlivala: „Er is maar één middel om de gedachten van haar te leiden in de richting waarin je ze hebben wilt – als ze geen cent meer heeft en alleen staat. Ik bedoel: voor mij dan – niet voor u."
Op dit ogenblik doken de maharadja van Jellapore en Joey uit de menigte op. De maharadja was in een uitstekende stemming. „Hallo, Botlivala!" riep hij uit en tot de barones: „Hallo, Irma – ik zie dat je je goed hebt geprepareerd voor de rennen."
Haar gezicht betrok. De oogleden zakten enkele ogenblikken over de uitpuilende ogen, zodat zij eruitzag als een schildpad. „Noem mij geen Irma, hoogheid," zei zij. „U weet dat mijn naam Colette is."
„Neem mij niet kwalijk, barones," antwoordde Jellapore, in wiens ogen vermaak te lezen stond over haar verlegenheid en verontwaardiging.
„Zit het je nogal mee?"
„Ik heb vandaag niet gewed," antwoordde zij rustig.
„Nee," merkte de maharadja op. „Het is er ook geen geschikte dag voor. Hebt u de markiezin gezien?"
Opnieuw zakten de schildpadoogleden over de groene ogen. „Kent u haar dan?"
„Ik ken haar al vijftien jaar."
Bij deze woorden schoten de ogen van de barones vuur. „Dat is een hele tijd."
„Ja," gaf Jelly toe. „Dat is het ook. Ik hoor dat de markiezin hier om zo te zeggen wordt beschouwd als een officiële persoonlijkheid. Zij is ontvangen in het paleis van de gouverneur en nu gaat zij logeren bij de onderkoning in Delhi."
De barones grinnikte.
„U weet ook alles."
„Dat is niet moeilijk in Bombay. Het is precies een groot dorp." Peinzend liet hij erop volgen: „De markiezin was een aardige meid," en toen hij zag dat de schildpadoogleden zich

weer sloten en hij zijn doel dus had bereikt, voegde hij eraan toe: „Kom, laten we iets gaan gebruiken."
„Met genoegen," antwoordde de barones.
Terwijl ze doorliepen, vroeg de maharadja aan Botlivala: „Waar is je blonde vriendin vandaag?"
„Zij is hier ergens in de buurt," mompelde Botlivala. „Het vrouwtje heeft het erg druk."
Jelly wilde het tot Botlivala doen doordringen dat hij althans wist hoe Carol tegenover Botlivala stond. Aan diens verwrongen trekken zag hij wel dat de man hem had begrepen. De maharadja had nog niets gedronken en verkneuterde zich. In heel Bombay waren slechts twee mensen op de hoogte van het „bedrijf" van de barones. Eén van die twee was de markiezin. Terwijl Jelly met de barones en Botlivala iets zat te gebruiken, genoot een deel van zijn gecompliceerde geest van een uitstapje naar de goede oude tijd, toen de markiezin altijd voor hem werd gereserveerd als hij in Parijs vertoefde. En met een ander onderdeel van zijn gecompliceerde geest lachte hij Botlivala uit, die zich inbeeldde dat hij, nu hij met de barones uit was, op de rennen was gezien met een adellijke vrouw van betekenis uit de grote wereld.
Hij begon hardop te lachen en toen de barones hem nieuwsgierig aankeek, zei hij: „Ik zat er juist over na te denken. Misschien bèn je tenslotte wel een vrouw van betekenis."

Bij de vijfde ren werd Merrills gelaat weer bleek en geelwit en begon hij geweldig te transpireren. Bill was de eerste die het opmerkte, en terwijl hij dacht: Laten we nu niet te hard van stapel lopen met hem, zei hij tegen Carol: „We moesten maar liever naar het hotel teruggaan met Buck." En alsof hem dit plotseling nog inviel, liet hij erop volgen: „En zie dat je die mevrouw Trollope kwijtraakt!"
Carol begon te lachen. „Daar moet je zelf maar voor zorgen, beste jongen. Ze hoort bij jou."

Doch toen zij naar haar uitkeken, was zij nergens te bekennen.
„Zullen we nu tegelijk maar uitknijpen?" stelde Bill voor.
„Dat kunnen we niet doen. Ik zal haar wel opzoeken. Zet Buck op een stoel in de schaduw. Zij zal wel aan het wedden zijn."
Inderdaad trof Carol haar aan bij de pari mutuel. Zij voelde zich verlegen dat zij betrapt werd bij het wedden, terwijl Carol haar nog zo had aangeraden het niet te doen.
Carol dacht: Verwenste gekkin! In plaats van het geld bij elkaar te houden, blijft ze maar wedden tot ze alles weer kwijt is. Die mevrouw Trollope was toch eigenlijk een echte klit. In het begin had zij geen hoogte kunnen krijgen van de vrouw, doch nu had zij haar dóór. De eerste indruk die iemand van haar kreeg, was, dat ze flink en onafhankelijk was als een man; doch later bleek dan dat dit niet het geval was. Zij behoorde tot het soort vrouwen die altijd op een of andere wijze in moeilijkheden raken, dan bij de pakken gaan neerzitten en het aan een ander overlaten om haar eruit te helpen. Carol begon nu te begrijpen waarom de maharani van Chandragar had getracht haar te vermoorden.
„Waar heb je op gezet?" vroeg Carol, hoewel ze er geen belang in stelde.
„Op nummer zes en nummer twee," antwoordde Stitch. „Dat zijn mijn geluksnummers voor deze week, volgens mijn horoscoop."
„Ik ga weg. We gaan allen weg," zei Carol. „Meneer Merrill is niet goed geworden."
De bel kondigde aan dat de paarden hun plaatsen aan de start innamen en mevrouw Trollope werd ongeduldig.
„Blijf nog voor deze ren," verzocht Stitch. „Dan ga ik mee."
Als er één ding was dat Carol haatte, dan was het bidden en smeken. Als Botlivala het probeerde, wilde zij hem in twee of drie dagen niet zien. En nu probeerde mevrouw Trollope het!
„Neen, ik ga weg," antwoordde Carol op vastbesloten toon.

„Ga nu niet," smeekte Stitch, haar hand grijpend. „Laten ze maar alleen gaan."
Carol trok heftig haar hand terug. „Ik ga weg." De bel ging opnieuw. „Haast je maar, anders kom je te laat voor de ren. Telefoneer me maar even, als je terugkomt."
Deze list had de gewenste uitwerking.
„Dat is goed," antwoordde Stitch en verdween.
Carol keerde terug. Ze trof beide mannen in de schaduw van de jacarandaboom bij de ingang. Uit de verte klonk het wegstervende gejuich, ten bewijze dat de ren was afgelopen. Buck zat te roken, maar hij zag er nog bleek en slecht uit.
„Je vriendin mevrouw Trollope wordt een onuitstaanbare klit," zei ze.
„Ze is geen vriendin van mij, beste kind," antwoordde Bill. „Sedert jij haar zoveel geluk hebt aangebracht, besta ik niet meer voor haar."
Met een zucht van verlichting namen zij alle drie plaats in een taxi. Nu mevrouw Trollope er niet meer bij was, verdween ook het gevoel van beklemming dat de middag had bedorven. Toen zij wegreden, keek Carol nog even achter zich naar het bord, waarop de nummers van de winnende paarden werden aangegeven. Nummer drie, vijf en zeven waren de winnaars. De paarden waarop mevrouw Trollope had gewed, waren niet eens geplaatst. Allemachtig, dacht ze, nog twee zulke dagen en ze is failliet.
Merrill voelde zich vermoeid en duizelig; de inspanning en de gesprekken waarnaar hij de hele middag had geluisterd, hadden hem in de war gebracht. Het was een soort conversatie die hij nooit had gekend, zelfs niet vóór zijn komst in Indië en hij voelde zich alsof hij buiten het gezelschap stond. Hij was aldoor twee of drie slagen achter en was zich de hele middag eigenlijk niet bewust geweest van hetgeen er om hem heen gebeurde. De langzame gesprekken met Indiërs en Engelsen, vaak in slecht Engels, waaraan hij gewend was,

verschilden zoveel van het snelvuur tussen Bill en Carol, dat het hem vermoeide. Elke zin was kort, levendig en in enkele woorden saamgedrongen; de hoofdzaak van wat tussen hen omging, bleef ongezegd. Het was meer de poging geweest om hen bij te houden dan de hitte op de opwinding van de rennen dat hem zo vermoeid had.
Ik ben er te lang uit geweest, dacht hij, over een paar dagen zal het wel beter gaan.
„Ze zal me opbellen," hoorde hij Carol zeggen. „Hoe komen we daar van af?"
„Laat haar bellen."
„Dan komt ze naar mijn kamer."
„We zouden ergens kunnen gaan dineren."
„Waar?"
„In een Indisch restaurant."
„Neen, ik heb vandaag geen trek in Indisch eten."
„Dan bij Green."
„Daar zal ze natuurlijk dadelijk aan denken."
„Nu, wat zou je dan willen voorstellen? In de baai springen?"
„Nee. Laten we dan maar naar Green gaan. Maar dan moeten we er vroeg bij zijn."

Bill, Carol en Buck zaten geruime tijd na het diner op het terras bij Green, juist op de hoek van het dakterras dat op de zee uitzag. Het was een drukkend hete avond. De nevel verborg het eiland Elephanta en de lichten van de kustbootjes boorden zich slechts met moeite door de mist. Tegen negen uur verrees de volle maan boven de stad.
Het was bladstil. Geen briesje van land- noch zeezijde bracht enige verkoeling; en terwijl zij daar zo zaten, daalde een gevoel van rust en vrede op hen neer, wat Carol en Bill betrof, voor het eerst sedert hun aankomst in Bombay. Lange tijd vergenoegden zij zich ermee, zonder een woord te spreken te kijken naar de baai en de lichten op het water en te luisteren

naar de muziek. Langzamerhand trok de vermoeidheid weg uit Merrills trekken en begonnen de beide anderen hem allerlei vragen te stellen. Hij begon te vertellen, in het begin enigszins timide, over het leven dat hij gedurende de afgelopen tien jaar had geleid.
Het duurde niet lang of hij voelde bij intuïtie dat Bill en Carol werkelijk belangstelden in wat hij vertelde. Hij dacht: Misschien is het voor hen wel interessant, wat voor mij slechts iets alledaags was, omdat het zo hemelsbreed verschilt van hun levenswijze. Daarom vertelde hij verder, aangemoedigd door hun vragen en de belangstelling, die hij in Carols blauwe ogen las. Hij vertelde, hoe hij in een doodarm dorp een beweging had gesticht die zich had verspreid over geheel Indië; hoe hij in de loop van drie of vier jaar het leven in de dorpen had veranderd, evenals het karakter en het voorkomen van de bewoners.
Hij was er min of meer over verbaasd dat zij met belangstelling luisterden naar zijn verhalen over coöperatieve dorpsverenigingen die eieren verzonden naar Madras, Bombay en Calcutta; van runderen uit Karatsji en geiten uit Senegal en witte leghorns en Italiaanse bijen, ingevoerd in dorpen in de verste uithoeken, en die een algehele ommekeer hadden teweeggebracht in het plattelandsleven. Hij weidde erover uit, hoe zij de ingewandsziekte hadden weten te overwinnen en de malaria, die gesel van Indië, aan banden hadden gelegd. En hij vertelde hun hoe al deze feiten, die zij met eigen ogen hadden aanschouwd, het bijgeloof onder de dorpelingen hadden doen afnemen en de macht van de luierende, op de bevolking parasiterende priesters hadden beknot.
Onder het praten voelde Bill zijn oude genegenheid en bewondering voor Buck weer onweerstaanbaar in zich opkomen. Hij dacht: Zonder Buck was ik misschien al lang geleden onherroepelijk ten onder gegaan. Hij was er zeker van, terwijl hij toeluisterde, dat niets ter wereld in staat zou zijn Buck

ooit weg te halen van zijn dorpen en boeren; dat hij zou volhouden tot het bittere einde, onverschillig of dit vroeg of laat kwam, voor hen te werken en te vechten. In zijn ogen zag hij de blik van een groot kunstenaar; deze in Indië teweeggebrachte verandering was iets dat hij zelf had bereikt, zoals een schilder een doek schildert of een componist een symfonie schept.

Bill zag nu de waarheid in van kolonel Moti's woorden en was er ook door overtuigd – Buck moest zijn gezondheid terugkrijgen en blijven leven; al het overige was bijzaak. En hij was er ook van doordrongen dat datgene, waarover Buck zat te praten, àlles voor hem was, dat hij bereid zou zijn tot elk offer dat van hem geëist zou worden, om zijn oude kracht te herwinnen. Daar zou hij zelfs zijn strenge principes over moraal, zelfs zijn onsterfelijke ziel voor willen opofferen. Deze gedachte deed Bill huiveren, want dat zou een gevaarlijke weg kunnen zijn voor een man als Buck, wanneer hij die insloeg – hij, die alles zo diep voelde.

Het ontging hem ook niet dat er ogenblikken waren waarop Buck alleen tot Carol scheen te spreken, alsof hij, Bill, er in het geheel niet bij zat. Het was natuurlijk iets dat vanzelf sprak, dat hij het woord richtte tot Carol, niet alleen omdat zij een vrouw was – en een mooie vrouw –, maar ook omdat zij verstand had van het leven op het platteland. Hij was er verbaasd over dat zij zich nog zoveel herinnerde uit haar prille jeugd in het verre Minnesota. En hij was er niet minder over verbaasd dat zij en Buck reeds op zo vriendschappelijke voet stonden, hoewel zij elkaar niet meer dan een paar maal hadden ontmoet, dat zij elkaar binnen zo korte tijd beter schenen te verstaan dan dit tussen hem, Bill, en haar ooit het geval was geweest.

Dan kwam er een zonderlinge gedachte bij hem op. Hij dacht: Buck zit haar het hof te maken, terwijl hij met haar praat – en hij is te onschuldig om te weten dàt hij het doet. Doch

Carol wist het wel – en zij voelde er zich gelukkig door. Het is de eerste maal, ging Bill door het hoofd, dat iemand haar het hof maakt door met haar te praten over kippen en geiten, in plaats van over haar figuur. En in zijn binnenste kwam plotseling vrees op voor die twee en een beetje jaloezie, omdat hij haar nooit tevoren zo had gezien.

Het programma begon onder de schetterende tonen van de muziek en verbrak de stemming van de avond. Eerst trad er een Engels sextet op dat een aantal liedjes in verschillende Engelse dialecten ten beste gaf. Daarna vertoonde een goochelaar zijn kunsten en vervolgens kwam een danstrio op de planken. Nu verschenen de zes meisjes weer. Het was een onbeduidend programma, en toen het afgelopen was, bleek ook de stemming van die avond volkomen te zijn verdwenen.
„Waarom heb je vandaag niet gespeeld?" vroeg Bill eensklaps aan Carol.
„Ik had er geen lust in."
„Had je een idee dat je geen veine zou hebben?"
„Nee, integendeel – ik was bang dat ik te veel veine zou hebben."
Thans schoot hem te binnen wat zij zich had laten ontvallen: dat het haar vrees aanjoeg als zij te veel geluk had in het spel. Dàt was het dus! Hij zag haar opmerkzaam aan. Ja, hij las het in haar ogen: dàt was het.
Hij stak de hand in de zak om een sigaret op te steken en voelde daar de brieven die hij in het hotel in ontvangst had genomen. Hij had ze de gehele middag bij zich gedragen en van het ene kostuum in het andere gestoken toen hij zich verkleedde, zonder ze te lezen.
„Je hebt er hoop ik toch niets op tegen dat ik deze brieven even doorzie?" vroeg hij. „Ik had ze totaal vergeten – en ik zou nogal proberen me als een goed zakenman te gedragen."
Hij opende het eerst de brief van het kantoor in Bombay en las:

„Zeer geachte heer Wainwright,
Wij ontvingen zojuist een zeer treurige tijding betreffende de heer Hinkle. Volgens een bericht uit Saigon, dat ons heden bereikte, wordt hij daar verpleegd in een Frans ziekenhuis. Het schijnt dat hij te voet een gewonde tijger achtervolgde. Het dier wierp zich op hem en bracht hem een aantal ontzettende wonden toe. Bijzonderheden ontbreken nog, doch wij zullen u van het verdere verloop op de hoogte houden. Wij hebben erover getelegrafeerd.
Wij hebben u vandaag verschillende malen opgebeld, doch u niet getroffen; daarom besloten wij u schriftelijk op de hoogte te stellen. Ik zou het zeer op prijs stellen, indien u mij zou willen laten weten wanneer ik u kan spreken. Het ongeluk komt des te ongelegener, wijl wij bezig zijn met de reorganisatie. Wij geven er de voorkeur aan, daarmee niet verder te gaan, zonder dat de heer Hinkle of uzelf daarvoor toestemming verleent.
Inmiddels, met de meeste hoogachting,

uw dw.,
Albert K. Smithers."

Bill had te doen met de ongelukkige Hinkle. De arme kerel was met vakantie gegaan en nu had een tijger hem toegetakeld. Dit was zijn eerste opwelling. Toen echter drong de betekenis van het briefje voor hem persoonlijk tot hem door. De zaak kwam hierop neer dat hij genoodzaakt zou zijn in Bombay te blijven tot Hinkle hersteld was of tot men een plaatsvervanger had gestuurd. Smithers was er de man niet naar om de leiding op zich te nemen; uitstekend voor detailwerk als chef de bureau, maar zonder initiatief.
Op dat ogenblik was Bill het er met zichzelf niet over eens of hij daar blij om moest zijn of niet. Als het aan hem had gelegen, zou hij Bombay zo snel mogelijk de rug hebben toegekeerd, niet omdat hij ervoor terugschrok de verantwoor-

delijkheid op zich te nemen, maar omdat hij zich niet op zijn gemak voelde. Ditmaal was het geheel anders gegaan dan anders. Alles was in de war gelopen en verkeerd gegaan en hij had een eigenaardig voorgevoel dat het nog verder verkeerd zou gaan. Dat was al begonnen op het ogenblik waarop de douanebeambte voor zijn ogen verpletterd was, toen hij nog nauwelijks voet aan wal had gezet. Hij was niet bijgelovig; maar wellicht was die plotselinge dood een voorteken geweest. Dergelijke dingen gaan altijd in drieën, dacht hij, maar onmiddellijk daarop sprak hij tot zichzelf: „Onzin!"
Op de achterkant van Hinkles brief stelde hij een telegram op aan zijn vader in New York: „Hinkle op uitstapje ernstig gewond door tijger – stop – stel voor Downes Singapore of Helman Batavia hierheen om reorganisatie voort te zetten – stop – beste groeten."
Toen hij het geschrevene nog eens overlas, werd het hem duidelijk dat hij er geen lust in had om in Indië te blijven. Opziende, wierp hij een blik op Carol en Buck. Zij zaten samen te lachen. Carol was aan het vertellen over de farm in Minnesota. Bill hoorde haar zeggen: „En toen zei de oude meid: We zijn de hele morgen al bezig om die verwenste koe weer op de been te krijgen."
Bill wist niet waarover het ging, maar hij zag een verschrikte uitdrukking in Bucks ogen en dacht: Ik hoop maar dat ze niets geks vertelt. Hij zou zich een ongeluk schrikken.
Hij grinnikte spijtig in zichzelf toen hij bemerkte dat zij hem blijkbaar geheel hadden vergeten. Daarvan maakte hij gebruik om ook de andere brieven te openen en door te lezen. Er waren er slechts twee bij die van enig gewicht waren. Een ervan was van zijn vader, die hem een compliment maakte over zijn werk in Istanboel en Alexandrië. Hij schreef: „Ik heb altijd wel geweten dat er iets in je zat. Nu je je weg gevonden hebt – blijf erbij. Het bereiken van succes is de enige duurzame voldoening in het leven."

De brief was geschreven in het ouderwetse handschrift van zijn vader en plotseling kreeg Bill een warm gevoel voor de oude man. Hij was niet gemakkelijk; maar hij was nooit ongemakkelijker geweest voor anderen dan voor zichzelf. Hij had nooit in zijn leven enig vermaak, enige ontspanning gekend – tenzij het opbouwen van een machtspositie dan als vermaak te beschouwen was. Hij was zelfs pas getrouwd toen hij ruim, veertig was zodat Bill, toen hij geboren werd, reeds door een generatie van zijn vader was gescheiden.

Bill dacht: Hij is eigenlijk altijd net mijn grootvader geweest. Voortdurend speelden hem de woorden door het hoofd: „Het bereiken van succes is de enige duurzame voldoening in het leven."

De andere brief was van een vrouw uit Londen. Hij had veel plezier met haar gehad, doch hij had geen gedachte meer aan haar gewijd nadat de boot Marseille had verlaten, waarheen zij van Parijs was gekomen, alleen om hem goede reis te wensen. Zij schreef: „Er is geen aardigheid meer aan het leven, nu jij weg bent. Ik ben tweemaal in Parijs geweest na je vertrek, maar het is er zonder jou even saai als in Londen, lieveling. Schrijf me toch eens. Ik ben zo ongerust, want Hugh vermoedt iets. Verleden op een avond maakte hij me een van zijn gewone scènes en zei dat hij alles van ons beiden af wist. Hij moet inderdaad iets van ons te weten zijn gekomen, want hij was op de hoogte van Hotel Lotti. Hij dreigde met een scheiding en zei dat hij jouw naam erin zou mengen. Maar je behoeft je niet ongerust te maken. Ik breng je alleen maar zijn woorden over. Hij zal niet scheiden zolang ik het geld heb. Doch het is beter dat je me niet hierheen schrijft. Stuur je brief maar per adres mijn tante, lady Bronsholme, Stow Terrace, Regent's Park. Zij is theosofe en koestert nooit wantrouwen jegens iemand, omdat dit afbreuk zou kunnen doen aan haar geestelijke staat. Ik hoop maar dat de gouverneur en de onderkoning je goed hebben ontvangen. Ik heb aan

beiden geschreven om je voor de lunch uit te nodigen."
Hij scheurde de brief in stukjes, legde deze op een asbak en stak ze in brand. Hij dacht: Dat moest er nu nog bij komen, dat mijn naam wordt genoemd in een echtscheidingsproces in Londen, juist nu ik bezig ben om mijn leven te beteren.
Carol wendde zich tot hem met de woorden: „Wat is dat voor een vreugdevuur?"
„O, niets. Een briefje van een vriendin."
Daarop reikte hij hun het briefje van Smithers toe, dat zij beiden doorlazen.
Zij begreep de situatie onmiddellijk.
„Dus dat betekent dat je in Bombay zult moeten blijven?"
„Dat weet ik nog niet. Zou je liever willen dat ik wegging?"
„Ja en nee."
„Wat bedoel je daarmee?"
„Niets – behalve dat ik je graag bij me heb."
„Dank je."
Zij stond op. „Ik geloof dat het bedtijd wordt."
„Ik ga ook slapen," zei Buck.
„We hebben vanavond geboft," merkte Carol op.
„Hoezo?" vroeg Bill.
„Mevrouw Trollope heeft zich niet laten zien."
„O!" Bill grinnikte. „Ja, het is weleens aangenaam een avond door te brengen zonder dat zij erbij is."
Toen zij terug waren in het Taj, vroeg Bill: „Nemen we er een op de valreep?"
„Ik niet," antwoordde Carol.
„Ik ook niet," zei Buck. „Ik wil mijn kans niet verspelen om eens lekker te slapen."
„Okay. Ik moet nog een telegram verzenden."
Tersluiks om zich heen ziend merkte Bill de barones op. Zij was in gezelschap van een klein, slordig gekleed mannetje met dikke wallen onder de ogen, die hem een buitengewoon sinister aanzien gaven.

De barones sprak enige woorden tot hem, waarop hij plotseling belangstelling veinsde voor een boekenstalletje.
De barones bleek buitengewoon in haar nopjes te zijn. Zij vertelde hun dat zij en mevrouw Trollope en Botlivala weer naar het paviljoen van Jelly waren gegaan om een paar cocktails te drinken en dat ze toen waren blijven spelen. Ditmaal hadden zij en Botlivala gewonnen.
„En mevrouw Trollope?" vroeg Carol.
„Wij hebben haar daar achtergelaten."
„Won ze toen?"
„Nee," antwoordde de barones. „Zij was nog steeds aan het verliezen."
„Veel?"
„Enorm."
Daarom was ze dus niet komen opdagen.
De barones kreeg een inval.
„Willen we met ons allen teruggaan naar het paleis van de maharadja?"
Doch Bill antwoordde dat hij er geen lust in had; en de anderen vielen hem bij. Men wenste de barones goedenacht en Bill ging zijn telegram verzenden, terwijl Carol en Buck zich naar boven begaven. Terwijl Bill naar de lift liep, zag hij dat de barones zich weer bij het slordig geklede mannetje had gevoegd. Een raar kereltje, dacht Bill, en niet van het soort waarvan je zou verwachten dat zij zich ermee zou afgeven.
Terwijl de lift hem omhoogvoerde, dacht hij, in zichzelf grinnikend: Misschien heeft Trollope toch gelijk. Misschien is zij wel een spion. En het viel hem nu in dat de barones er zeer voldaan over scheen te zijn toen zij vertelde dat mevrouw Trollope aan het verliezen was.
Toen hij op zijn kamer kwam, zond hij Silas weg. Hij voelde zich vermoeid en niet op zijn gemak – hij wist zelf niet waarom. Misschien was het wel bij de gedachte dat hij Bombay vaarwel zou moeten zeggen. Hij was eerlijk genoeg om zich-

zelf te bekennen dat er slechts één andere reden voor kon zijn waarom hij uit zijn gewone doen was – en dat was Carol. Niet bepaald dat hij de neiging voelde weer opnieuw te beginnen aan iets dat zo kort had geduurd en waarvan hij zo spoedig genoeg had gehad. Het was een sensatie die hij vroeger nog nooit had ondervonden. Het bracht zijn zenuwen in de war; het was zelfs zo erg dat het hem korzelig maakte als zij maar met iemand anders sprak of naar hem keek.
Hij dacht: Wat overkomt mij nu? en trachtte het van zich af te zetten als een Indische aanval van zenuwen. Carol had vroeger nooit op zijn zenuwen gewerkt, doch nu raakte hij door het minste of geringste wat zij deed uit zijn humeur – hoewel dit dan weer spoedig overging.
Toen hij zich begon af te vragen wat daarvan de reden kon zijn, scheen het hem toe dat er een grote verandering in haar had plaatsgegrepen. Zij had ogenblikken waarin zij hem behandelde als een volwassene een kind, alsof zij, geërgerd, hem wilde doen voelen: Dit is iets, waar je toch niet bij kunt. Kinderen moeten niet zo lastig zijn. Alsof zij heel wat wist waarvan hij geen flauw denkbeeld had.
Alles welbeschouwd, dacht hij, terwijl hij zich ontkleedde, hoeft ze niet zo'n air aan te nemen. Ik ben toch ook niet van gisteren.
Hij trok zijn pyjama aan en tikte op de deur bij Buck. Hij was in een spraakzame bui.
„Binnen," riep Bucks stem.
„Heb je slaap?" vroeg Bill.
„Nee; ik kan niet zo gemakkelijk in slaap komen."
„Hoe voel je je nu?"
„Veel beter, dank je."
Bill grinnikte. „Dus de kuur helpt al?"
„Tot dusver wel."
„Je moet jezelf laten gaan. Dat is de hele zaak."
„Dat probeer ik ook."

„Hoe voel je je eronder?"
„Heel best. Ik voel me alleen wat verbijsterd."
Bill ging op een stoel naast het bed zitten. „Hoezo?" vroeg hij.
„Door al de mensen die ik heb ontmoet. Zulke mensen heb ik vroeger nog nooit gezien."
„Wees er maar blij om dat er zo niet veel zijn. . . tenminste niet zoals de barones en Botlivala."
„Carol mag ik wel."
„Zeker, het is een aardige vrouw. Ik ken haar al heel lang."
„Ik heb nog nooit een vrouw ontmoet zoals zij is."
Bill lachte. „Nee, dat denk ik ook niet."
„Al de vrouwen die ik heb ontmoet schijnen slechts tot twee categorieën te behoren. Of ze waren te moeilijk, òf ze waren te gemakkelijk."
„Dat is zo," antwoordde Bill. „Carol is heel anders. Zij gaat graag met mensen om en houdt ervan hen aangenaam bezig te houden."
Daarop verviel Buck in een stilzwijgen, en in het duister kreeg Bill eensklaps een gevoel van voldoening over zich. Op de achtergrond van zijn denken was plotseling een idee opgekomen. Misschien waren Carol en Buck beiden in de grond eenvoudige zielen, terwijl hijzelf een gecompliceerd wezen was, altijd uit op het scheppen van complicaties, die hij daarna weer uit de weg wilde gaan. Het was alsof hij van sommige mensen hield, maar toch altijd een zekere afstand tussen hemzelf en hen bewaarde.
Misschien had Carol wel gelijk in wat ze onder de lunch tegen me beweerde, dacht hij. Dit zat hem nog steeds dwars.
„Morgen moet ik Ali bezoeken," zei Buck eensklaps.
„We zullen eerst wat kleren voor je moeten aanschaffen."
„Okay," sprak Merrill. „Denk je dat zij lust zou hebben om mee te gaan?"
„Wie?"
„Carol – miss Halma."

Bill begon te lachen. „Je hoeft niet zo deftig te doen – tenminste niet over Carol." Hij was er zeker van dat Buck in het duister een kleur kreeg. „Natuurlijk," liet hij erop volgen. „Zij zal wel met je mee willen gaan, als je haar zo vroeg uit haar bed kunt krijgen."
„Wil jij het haar vragen?"
Bill begon opnieuw te grinniken.
„Vraag het haar zelf maar."
„Ik ben bang haar te vervelen."
„Vervelen? Je zult haar niet vervelen. Heb je geen ogen in je hoofd? Heb je helemaal geen verstand van vrouwen?"
„Nee," antwoordde Buck openhartig. „Nee – geen sikkepit."
„Je kunt het haar gerust vragen – maar ik geloof niet dat je van haar gedaan zult krijgen dat ze uit haar bed komt." Bill stond in het duister op en klopte Buck op de schouder. „In elk geval – ik ben blij dat wij elkaar hebben teruggevonden. En laten we elkaar nu niet weer uit het oog verliezen."
„Okay," zei Buck. „En dank je."
„Dank? Waarvoor?"
„Dat je je zoveel moeite voor me geeft."
„Klets niet. Wel te rusten. Zie, dat je maar gauw inslaapt."
Bill keerde naar zijn eigen kamer terug, sloot de deur en deed het licht uit. Maar slapen kon hij niet. Hij begon te piekeren – iets, waar hij nooit last van had gehad – over Hinkle, over het feit dat hij in Bombay zou moeten blijven, over die verbrande brief uit Engeland. En die zin uit zijn vaders brief scheen met vurige letters op de muur te staan geschreven: „Het bereiken van succes is de enige duurzame voldoening in het leven."
Hij probeerde op alle mogelijke manieren in slaap te komen, maar het wilde hem niet lukken. Om drie uur in de morgen werd het hem duidelijk wat eraan haperde – hij was bang.

In het enorme hotel waren ten minste nog drie andere perso-

nen die bang waren. In haar kamer op de vierde verdieping ontkleedde de barones zich langzaam. Geheel ontkleed bleef zij enkele ogenblikken staan en sloeg zichzelf gade in de spiegel, die haar het beeld toonde van een oude schildpad, met een fantastisch opgemaakt gezicht en een slap, uitgezakt figuur.
„Zo ben je nu," sprak zij tot zichzelf in het Tsjechisch. „Zo lelijk als de nacht. Alles wat je hebt, is een goed stel hersens. Op dat punt kunnen ze niet tegen je op – niemand."
Dit was een gewoonte, welke zij reeds lang geleden had aangenomen om zichzelf een hart onder de riem te steken als zij zich vermoeid of beangst voelde. Er waren slechts twee dingen in de wereld waarvoor zij bang was. Zij was niet zoals andere vrouwen. Schoonheid had zij niet te verliezen, want die had zij nooit bezeten. Voor de dood was zij niet bang en ziek was zij nooit geweest. Het enige, waarvoor zij vrees koesterde, was: haar geld verliezen en de gevangenis. In de gevangenis kon zij niets uitbroeden en geen plannen smeden. In de gevangenis zou zij stikken.
Lange tijd geleden, voordat zij rijk en machtig was, had zij drie maanden in de gevangenis te Wenen doorgebracht. De cel was helder en netjes. Dat hinderde haar dan ook niet – maar die verschrikkelijke gewaarwording van achter een gesloten deur te zitten! Soms lag zij 's nachts uren aan een stuk wakker, piekerend over die afschuwelijkste van alle verschrikkingen, toen zij dacht langzaam te zullen stikken.
En nu had de vrees haar opnieuw te pakken, gestimuleerd door de enige twee schrikbeelden die in staat waren om haar angst in te boezemen. Zij had slechte berichten uit Europa gekregen – berichten die elke dag een dreigender karakter schenen aan te nemen. Sluw als zij was, af en toe zelfs buitengewoon helder van blik, scheen het haar toe dat Europa in de handen van krankzinnigen was gevallen, dat een heel continent tot de oerstaat was vervallen, want voor haar was een beschaving die geld niet respecteerde, ontaard en ver-

loren. Tien jaar lang had ze haar beleggingen voortdurend van de ene stad naar de andere verplaatst in een eindeloze kring – Amsterdam, Berlijn, Frankfort, Parijs, Rome, Wenen, Stockholm. En nu waren Wenen, Berlijn en Frankfort uitgeschakeld, want in die steden namen ze eenvoudig je geld weg als ze het nodig hadden en in Engeland en Frankrijk werden de belastingen zo hoog dat het op confiscatie ging lijken. Het zou niet lang meer duren totdat alleen Amerika was overgebleven, en nu werd weer beweerd dat Amerika ook al begon met socialistische ideeën in praktijk te brengen.
Eensklaps voelde zij bijna de lust in zich opkomen om in tranen uit te barsten van zelf-medelijden, maar de schildpadogen konden geen tranen meer storten, zelfs niet over haarzelf. Die had ze al dertig jaar lang niet meer. Al dat heerlijke geld, waarvoor ze veertig jaar lang had geploeterd en dat ze al die tijd had opgepot; al de macht die het vertegenwoordigde – de enige macht die zij ooit had erkend! En nu scheen de hele wereld samen te spannen om het haar te ontnemen!
En de tweede angst die haar pijnigde, stond in verband met de sjofel geklede man die haar was komen opzoeken. Hij had haar eveneens slecht nieuws gebracht – van een vreemde man, die hem in een Indisch restaurant onverwacht had aangeklampt en hem lastige vragen had gesteld over wat hij voor de kost deed en in welke relatie hij tot de barones stond. Misschien had het niets te betekenen, maar misschien kon het uitlopen op – zij vermeed het de woorden zelfs te denken – op een arrestatie en de gevangenis.
Zij dacht: Wie kon er iets van weten in Bombay? Wie kon iemand op haar hebben afgestuurd? Alleen de maharadja en de markiezin wisten iets van haar af en de maharadja wist niets dat haar last kon veroorzaken – niets anders dan dat zij het huis had geëxploiteerd in de Rue de la Chaussée d'Antin, en dat hinderde niet. Alleen de markiezin wist iets dat haar inderdaad last zou kunnen veroorzaken.

De schildpadogen werden zo hard als staal. De markiezin was een ondankbaar wezen, na alles wat ze voor haar had gedaan. Zij zou nooit die oude, aftandse fascist in de wacht hebben kunnen slepen als de barones niet alles had gedaan om haar te helpen. Nu zag je alweer dat je nooit vertrouwen kon stellen in een hoer.
Aldus, door vrees bevangen, sloeg de oude vrouw weer het beeld van haar afschuwelijk gezicht en haar weerzinwekkend lichaam gade in de goedkope spiegel en zei bij zichzelf: „Nu ben je zo lelijk als de nacht; maar je hebt een goed stel hersens. Daar kunnen ze geen van allen tegen op."
Daarop deed zij het licht uit en ging naar bed, maar slapen kon zij niet; ze was moe en voelde zich oud en nooit in haar hele leven had zij zich zo alleen en verlaten gevoeld.

Flora Trollope trad haar kamer op de verdieping boven die van de barones binnen een paar uur nadat deze naar bed was gegaan. Zij had te veel champagne gedronken en had medelijden met zichzelf. Zij had zich voorgenomen verstandig te zijn en in het geheel geen champagne te gebruiken, maar zij had eerst een paar glazen genomen om zich wat op te monteren en toen was zij van kwaad tot erger vervallen. Toen zij eenmaal een begin had gemaakt, was zij blijven doordrinken om haar ongerustheid over Carol te verdrijven; zij wist niet waar zij was en wat zij uitvoerde. Door haar twijfel, haar angst en haar vrees speelde zij slecht; zij verloor twee flinke slagen omdat zij over Carol zat te denken, in plaats van aan haar poker. Zij was naar Jellapore gegaan om haar verlies op de wedrennen terug te winnen, maar nu had zij nog meer verloren.
En wat het ergste was: tegen middernacht had zij, toen zij even van de speeltafel opzag, haar zuster de maharani opgemerkt, die haar altijd ongeluk aanbracht; zij stond naast de maharadja naar het spel te kijken. Er stond een hoge pot

in, waaraan mevrouw Trollope reeds vierendertighonderd ropijen had bijgedragen, terwijl ze drie vrouwen in de hand hield. Ze blufte tegen de barones, die bedaard drie azen op tafel legde. Toen hoorde zij haar zuster lachen. Er knapte iets in haar beneveld brein en zij hoorde zichzelf schreeuwen: „Hou je vuile bek!”

Dat was het nu juist waarop de maharani had gewacht. Flora Trollope was altijd veel meer bijdehand geweest dan Nelly Chandragar, maar nu wist Nelly dat zij in het voordeel was. Flora was aangeschoten, terwijl zij zelf daarentegen broodnuchter was. Dat was het ogenblik waarop zij jarenlang had gevlast. Rustig en koel zei zij: „Je moet niet praten als je dronken bent,” waarop mevrouw Trollope antwoordde: „Ik ben drie dagen nuchter tegen jij één.”

„Dat is een vervloekte leugen. En je hoeft geen voet meer bij me over de drempel te zetten – na er stil vandoor te zijn gegaan zonder me zelfs met een woord te bedanken.”

„Bedanken? Waarvoor?”

Hier kwam de barones, die wilde doorspelen nu zij en veine was, tussenbeiden met de woorden: „Kom, nu is het genoeg. Laten we doorspelen.”

Doch Jellapore genoot meer van de ruzie dan van het spel. „Welnee, laten ze het uitvechten,” merkte hij op. „Ze hebben elkaar al jarenlang in de haren gezeten, dat moet eindelijk uit zijn.”

„Had ik je er misschien voor moeten bedanken dat je geprobeerd hebt me dood te schieten?” vroeg mevrouw Trollope.

„Ik heb niet geprobeerd je dood te schieten. Ik heb alleen geprobeerd je bang te maken, je weer bij je positieven te brengen. Jullie kwamen altijd bij mij als jullie in de penarie zaten – jij en die gauwdief van een man van je.”

De hele zaal begon op de zonderlingste wijze voor mevrouw Trollopes benevelde ogen te draaien – de barones, de maharadja, haar zuster Nelly en de grote lichtkronen smolten

samen tot een fantastische maalstroom van kleuren en geluiden. Zij kreeg een gevoel alsof zij zou barsten. De tranen stroomden uit haar vermoeide, brandende ogen en weer hoorde zij zichzelf uitroepen: „Hou je bek!"
Toen zegevierde plotseling haar lichaam over haar benevelde wil; zij stond op en liep huilend de zaal uit. Zij hield niet stil voordat zij de koetspoort had bereikt, waar zij de portier verzocht een taxi voor haar te halen.
Onderweg naar het hotel bleef zij zenuwachtig zitten huilen. Toen de taxi stilhield, stopte zij de chauffeur een biljet van tien ropijen in de hand en snelde, nog altijd huilend, de hal door naar de lift. Toen zij eindelijk veilig en wel in haar eigen kamer zat, kreeg zij haar zelfbeheersing terug. Zij liet zich in een stoel bij het raam vallen. De huilbui had haar ontnuchterd, zodat zij langzamerhand weer in staat raakte de toestand te overzien.
Thans kwam het haar voor alsof zij de hele dag reeds dronken was geweest, al uren voordat zij een glas champagne had aangeraakt. Des morgens was zij opgestaan om naar Barclay's Bank te gaan en daar een deel van het geld te deponeren dat zij in haar tas had. Uit bed gekomen had zij zichzelf voorgehouden dat het hoog tijd werd om verstandig te worden en toen zij door de hal liep, had zij Carol gezien met „die zendeling"; zij gingen juist samen in de lift.
Nu wist zij met volkomen zekerheid dat haar dronkenschap op dat ogenblik was gekomen. Zij had de deur van de lift achter hen zien sluiten en van dat moment af was er iets geweest dat bezit had genomen van haar gezond verstand en haar wilskracht. Een uur lang was zij beneden blijven treuzelen, haar best doend hen niet achterna te gaan en zich naar Barclay's Bank te begeven, doch het eind was dat zij naar boven was gelopen.
Op hetzelfde ogenblik dat zij de kamer binnentrad, waar Carol, Bill en Buck bijeen waren, werd het haar duidelijk

dat dezen niet van haar gezelschap waren gediend. Zij behandelden haar beleefd, doch zij voelde zich buitengesloten. Weer wilde zij heengaan, doch opnieuw voelde zij zich machteloos. Zij was bij hen gebleven, met hen naar de wedrennen gegaan en had een kwestie gekregen met Bill, die zij altijd als een vriend had beschouwd. Toen was zij gaan spelen, tegen de goede raad van Carol in en had verloren, was door blijven spelen, maar had weer verloren en was toen naar Jellapores paleis gegaan en had nog meer verloren en toen had ze te veel champagne gedronken en ruzie gekregen met haar zuster Nelly. En nu zat ze weer in haar kamer, alleen, en keek naar buiten.

Het was niet de eerste maal dat zij alleen voor het raam zat en naar buiten keek. Dat was haar honderden malen gebeurd; nu eens in Parijs, dan weer in Londen, nu eens hier, dan weer daar, bijna overal ter wereld. Het was altijd hetzelfde. Eerst begon het goed, maar juist als zij vriendschap probeerde aan te knopen in een omgeving waar niemand haar kende en niemand iets af wist van Jimmy Trollope – juist als haar leven betere wegen scheen te zullen inslaan, liep alles weer mis en werd haar leven weer even ongeregeld als tevoren en was ze opnieuw alleen en verlaten. En telkenmale voelde ze zich nog meer alleen en verlaten dan tevoren.

Zij dacht: Er rust een vloek op me. Zoveel verlang ik toch niet; ik wil niets anders hebben dan de vriendschap van Carol. Het enige wat ik verlang, is haar te aanbidden. En thans werd het haar eensklaps duidelijk, wat dat gevoel van dronkenschap was – dat Carol in een ongelofelijk korte tijd onmisbaar voor haar was geworden.

Niet uitsluitend omdat Carol haar had opgemonterd en haar geluk had aangebracht; het was veel méér dan dat. Als Carol niet bij haar was, scheen de hele wereld, alles wat haar omringde, in een grauwe sluier te zijn gehuld. De mensen die zich in die wereld bewogen, kon zij niet uitstaan; zij haatte hen.

In zekere zin had Carol, Carols gehele wezen, op een eigenaardige, geheimzinnige wijze haar bestaan gevuld. Zij had te veel champagne gedronken omdat zij de hele avond haatte, evenals de mensen om haar heen. Daarom had zij al haar geld verloren met pokeren en omdat zij voortdurend zat te denken aan die heerlijke avond, toen zij bij het chemin de fer de bank had gehouden met Carol en elke slag had gewonnen. En onder het spelen door had zij zich zitten afvragen waar Carol was en wat zij uitvoerde met Bill en die zendeling, in plaats van op haar spel te letten. Waar zouden ze zijn gaan dineren? En waar zouden ze het over hebben gehad? In een helder ogenblik drong het tot haar door, waardoor zij het gevoel had gehad, of zij zelf Carol was; dat kwam doordat Carol alles was wat *zij* niet was, alles, wat zij meer dan wàt ook zou willen zijn in het leven.
En zij herinnerde zich, wat de waarzegger haar had gezegd – dat er twee mannen waren, een blonde en een donkere, die tussen haar en haar geluk stonden. De donkere man was Botlivala, dat wist zij; doch die had niets te betekenen, dat voelde zij instinctmatig. Die vormde geen bedreiging. Het was de blonde man die zich tussen haar en haar gelukaanbrengster Carol had gedrongen; maar of het Bill Wainwright was of die stakker van een zendeling kon zij niet uitmaken.
Na daar met een beneveld brein lang over te hebben zitten nadenken, werd zij het er met zichzelf over eens dat het Bill moest zijn. Haar instinct, zei zij tot zichzelf, had haar de waarheid onthuld toen zij kwestie kreeg met Bill in de taxi. Zij was er nu zeker van, vooral na de praatjes die zij op de wedrennen had gehoord – dat Carol en hij vroeger getrouwd waren geweest. En ze was er ook zeker van dat hij opnieuw verliefd was op Carol. Bill was tot op zekere hoogte haar mededinger.
In de benauwende duisternis kreeg zij het gevoel of de kamer, het hotel, heel Bombay, niets anders was dan een val, een

gevangenis waarin zij opgesloten zat. Zij voelde zich in de ban van een vloek; het was alsof haar een ontzettende ontknoping wachtte, waaraan zij niet kon ontkomen. Zij had er lange tijd tegen gestreden, jarenlang, van de dag af waarop haar vader haar naar een school in Engeland had gestuurd om een „dame" van haar te maken. Nee, nog langer had zij gestreden: van de tijd af, dat zij een klein meisje was. En nu was zij afgemat – te moe en te afgemat om de strijd vol te houden.

Boven Flora Trollope, aan de andere zijde van het hotel, was Carol bezig, zich langzaam, in gepeins verzonken, te ontkleden. Zij had een eigenaardig kalm, rustig gevoel. Het kwam haar voor, alsof het jaren geleden was dat zij zo rustig naar bed was gegaan vóór twee uur in de morgen. En het zonderlingste van alles was dat zij zich kalm bij het feit neerlegde. Zij had een stil, vredig gevoel; zij vertoonde geen spoor van rusteloosheid. Het was een prettige sensatie, waarin iets van veiligheid lag – ze kon niet raden waarom – en van rust en ontspanning. Zij dacht: Ik heb nu net een gevoel of ik niet alleen vóór tweeën naar bed kan gaan, maar ditmaal ook kan inslapen. Voor de spiegel staande dacht zij, terwijl zij het rouge van haar wangen verwijderde, haar trekken beschouwend: Nu, kind, die Merrill is de aardigste vent die je ooit hebt leren kennen. Maar wees nu niet te lief tegen hem, want anders zit je naderhand zelf met de last. Aardige lui zoals hij zijn moeilijk van je af te schudden, als het tijd wordt hen aan de kant te zetten. Ze zijn veel lastiger dan de Botlivala's en de ouwe gekken. Pas op, kind.
Zij vond dat hij niet was zoals één van al de mannen die zij ooit eerder had ontmoet; tenminste niet, sedert zij Minnesota had verlaten. Bill was de enige geweest die daarop een uitzondering had gevormd; daarom was zij met hem getrouwd. Daarom voelde zij dan ook een soort speciale genegenheid

voor hem. Liefde was het niet, maar toch iets heel anders dan zij ooit voor andere mannen had gevoeld.
Hij is een schat, dacht zij, als hij maar blijft zoals hij is. Doch het eigenaardige was dat het hem de laatste tijd niet genoeg scheen te zijn, te blijven zoals hij was. Hij was ongedurig en lichtgeraakt. Er waren zelfs, zonderling genoeg, van die ogenblikken waarop hij zich aanstelde alsof hij jaloers was. En toen kwam er plotseling een gedachte bij haar op. Stel je voor! dacht zij. Nee, dat kon toch niet. Het was niet mogelijk dat zij, na al die jaren, last met hem zou kunnen krijgen. Het denkbeeld alleen leek haar zo dwaas dat zij hardop begon te lachen.
Voordat zij het licht uitdeed en in bed stapte, sloot zij de deur af, uit vrees dat mevrouw Trollope op dat late uur nog op het idee zou kunnen komen bij haar binnen te stappen om haar met confidenties lastig te vallen. Zij wist zeer goed dat mevrouw Trollope daar op het ogenblik best toe in staat was. Zij vertoonde er al kentekenen van en als er één ding was, waaraan Carol een hekel had, dan was het wel het moeten aanhoren van het zelfbeklag van een andere vrouw. Zij begon zelfs heel wat eigenaardige eigenschappen in mevrouw Trollope te ontdekken, eigenschappen die wel een goede kijk gaven op haar karakter, doch die haar minder geschikt maakten als vriendin.
En toen het licht uit was en Carol in bed lag, deed zij iets dat voor haar wel iets buitengewoons mocht worden genoemd. De ogen sluitend, kwamen haar plotseling de dagen van haar lutherse jeugd weer voor de geest en zij bad zachtjes: „O, God, dank voor al het goede dat ik in het leven heb genoten en sta mij bij, om alles weer ten goede te doen keren." Haar gebed werd haar niet ingegeven door vrees, doch door erkentelijkheid, omdat zij zich zo wel te moede en gelukkig voelde.

Toen Bill ontwaakte, afgemat door de hitte, stond hij op en klopte aan Bucks deur. Toen hij geen antwoord kreeg, overviel hem eensklaps de angst dat hij Buck misschien dood op bed zou vinden als hij naar binnen ging. Doch toen hij de deur had opengeduwd, bleek er niemand in het vertrek te zijn. Nu schoot hem te binnen dat Buck die morgen vroeg naar Ali en mevrouw Moti zou gaan. Daarop dacht hij: Waarom heeft hij mij niet gewekt? En bijna onmiddellijk daarna: Zou hij Carol meegenomen hebben? Deze gedachte wekte zijn wantrouwen weer op en bezorgde hem een onaangenaam gevoel, zo ongeveer of die twee een komplot tegen hem hadden gesmeed. Ze hadden hem toch kunnen meenemen – het zou zo'n leuke tocht zijn geweest met hun drieën.
Doch hij schaamde zich dadelijk over zichzelf bij de overweging dat hij zich meer aanstelde als een schooljongen dan als een volwassen man. Toch voelde hij zich niet op zijn gemak toen hij zich aankleedde en Silas instructies gaf voor die dag.
De manier waarop de man hem van terzijde aankeek, alsof hij er enig idee van had wat er in Bills binnenste omging, beviel hem niet. Hij dacht: Die verwenste Indiërs – ze schijnen het te ruiken! Hij kleedde zich haastig aan, om zich te bevrijden van Silas' zwarte, beschuldigende ogen – ogen die tegen hem schenen te zeggen: „Je bent een verduivelde idioot." En zodra Silas was verdwenen, telefoneerde hij naar Carols kamer.
Zij was er niet en toen hij bij de receptie informeerde, antwoordde de klerk dat zij vroeg de deur was uitgegaan. Zonder het zelf te willen vroeg hij: „Alleen?"
„Nee," antwoordde de onverschillige stem. „Zij is uitgegaan met meneer Merrill."
Bill legde de hoorn op de haak, denkend: Zo, dus ze hebben me aan mijn lot overgelaten. Reeds prikkelbaar door de hitte, mompelde hij: „Laten ze naar de drommel lopen! Ik ga aan het werk."

Hij belde Smithers en deze bood aan naar zijn hotel te komen, wat Bill weigerde.
„Nee,” zei hij, „ik zal wel naar kantoor komen.”
Toen hij naar beneden ging, lag er een telegram voor hem dat juist was gekomen. Terwijl hij het opende, bemerkte hij dat zijn hand trilde. Zo, dacht hij, nu zie je dat het je niets helpt om je leven te beteren. Juist nu ik gisteravond niets heb gedronken, heb ik de bibberatie te pakken.
Het telegram luidde:

Neem Hinkles post waar tot hij beter is stop Stel je onmiddellijk in verbinding met Calcutta en Madras stop Prachtgelegenheid om te laten zien wat je kunt stop Kans op directeurschap Verre Oosten stop Groeten stop

Anson W. Wainwright

Terwijl Bill het telegram in snippers scheurde, mompelde hij: „Verd. . .” Dat was nu juist iets voor zijn vader om te ondertekenen „Anson W. Wainwright”, in plaats van „Vader”. Dat was zakelijk. In zaken is geen plaats voor hartelijkheid en sentimentaliteit. Dus de oude heer verbeeldde zich dat hij iets zou voelen voor dat directeurschap. Het Oosten kon voor zijn part naar de bliksem lopen! De hele boel kon naar de bliksem lopen!
Toen hij het kantoor binnentrad, zat Smithers met een begrafenisgezicht. Hij had zoëven een telegram gekregen uit Saigon. Hinkle was dood.
„Beroerd. Arme kerel,” sprak Bill werktuiglijk; doch op dat ogenblik waren zijn gedachten niet bij Hinkle. Dus nu was het een uitgemaakte zaak. Hij zou hier moeten blijven. Zijn instinct zei hem dat het veel beter zou zijn, ervandoor te gaan, doch hij wist zeer goed dat zijn kans voorgoed verkeken was, als hij ze nu vergooide. Hij zou in Indië moeten blijven om de zaak op te knappen – of het was met hem gedaan; hij zou geleidelijk dieper zinken.

Hij veegde zijn voorhoofd en gezicht af en zei tegen Smithers: „Laat ons aan het werk gaan" en daarna: „Was hij getrouwd?"
„Nee," antwoordde Smithers.
„Goed, dan hebben we geen weduwe te troosten."

In de aan het instituut grenzende bungalow ontwaakte Indira Moti met de gedachte dat zij Merrill zou zien opdagen voordat de dag ten einde was. Zij wist dat hij Ali zou komen bezoeken en de jongen wist het ook. Toen zij hem wilde gaan wekken, was hij reeds op. Op de tast liep hij door het kale vertrek om de deur te vinden, die naar de veranda leidde. Daar zou hij de hele morgen in de schaduw blijven zitten, luisterend naar het gekwetter van de vogels in de tuin.
Zij richtte het woord tot hem in het Hindostani en de lippen plooiden zich tot een glimlach. Ali was gelukkig; en dat beviel haar.
„Komt sahib Buck vandaag?" vroeg de jongen.
„Ja, Ali," antwoordde zij, hoewel zij het niet anders wist dan door haar voorgevoel.
„Dat wist ik wel." De glimlach bleef om de mond van de jongen rusten.
Daarop nam zij de jongen bij de hand en staken zij samen de snikhete binnenplaats over tussen de bungalow en het laboratorium. Toen zij het laboratorium binnentraden, leidde zij hem naar de hokken met de konijntjes en de marmotten. Zij haalde er drie of vier van de dieren uit en liet ze hem vasthouden. Zij sloeg hem gade, terwijl hij ze aanhaalde met zijn magere, bruine handen, als gefascineerd door hun bewegingen. Terwijl hij de diertjes stond te liefkozen, keek ze naar de smalle, bruine handen, die haar vertelden van het zuivere gevoel en de liefde voor dieren bij kinderen. Het was alsof die handen artiesten waren in gebarenspel. Dat was een van de dingen waarvoor ze zich hartstochtelijk interesseerde – dat haar

steeds belang had ingeboezemd sedert die lang vervlogen tijd, toen ze zich als kind in het zenana in het verre Bengalen bewust was geworden van de oneindige schoonheid der kleine dingen, een schoonheid die, zoals ze tot haar verwondering later bemerkte, voor de meeste mensen verborgen bleef, alsof ze, evenals die arme Ali, blind waren. Het was de schoonheid van al die dingen die ze gedurende de vele jaren die ze in Oost en West gedanst had, in haar kunst had gelegd, een schoonheid, overgebracht op de minder begaafden en minder gelukkigen door de danskunst, gestileerd in de loop van tienduizend jaren van beoefening. Ze had nu de middelbare leeftijd bereikt en spoedig zou ze oud worden, maar ze kon nog dansen, haar lichaam zou lenig en volgzaam blijven en ze zou nog dat kostbare geheim bezitten, de gave van dat andere zien, dat haar nu de lieftalligheid openbaarde van de twee kleine, bruine handen van een blinde jongen die een marmotje streelden, een blinde jongen wiens handen de dans van het zien dansten, want dat was het wat hij nu deed – zien met zijn handen.
Zij begreep, waarom de jongen van dieren hield. Dat kwam doordat hij het grootste deel van zijn leven had doorgebracht in de stallen bij de olifanten en die grote dieren gaven iemand de indruk van wezens die van je hielden. En in de laatste tijd waren het de dieren van Merrills hoeve in het ver verwijderde Jellapore geweest, de dieren die, zoals dat in Indië gebruikelijk is, in en om het woonhuis leefden, zich vermeerderden en stierven alsof zij tot het gezin behoorden.
Zij dacht eensklaps: Dat voelt Merrill ook. Hij is een van diegenen die het geheim ook kennen. Daaraan had hij zijn ontroerende eenvoud te danken, de volkomen afwezigheid van bedrog of jaloezie of onreinheid. Dat had hem de kracht gegeven om alles te verduren en het te overleven. Dat was het, waardoor alles wat hij deed in het leven zo rein en zo zuiver was en ontroerde door de vriendelijkheid en de adel die eruit

spraken. Omdat de dieren en de aarde de bron vormen van al wat rein is en sterk. Zonderling, dacht zij, dat zijn leven zo ongelukkig had moeten zijn bij de wetenschap die hij bezat.
Zij was zodanig in haar gedachten en in het handenspel van de jongen verzonken, dat zij niet opmerkte dat het hek van de binnenplaats werd geopend. Ali hoorde dat en het knarsen van voetstappen op het grind het eerst. Het hoofd opheffend als een gazelle die gestoord wordt onder het grazen, riep hij uit: „Hoor! Daar komt sahib Buck!"
De blik op het hek richtend, zag Indira Moti Merrill op hen toekomen. Hij was niet alleen. Hij was in gezelschap van een Europese vrouw, een lange, blonde, buitengewoon mooie vrouw. Iedereen zou getroffen zijn geweest door haar schoonheid; doch alleen vrouwen als Indira Moti verstonden die schoonheid en de macht die ervan uitging.
Terwijl zij hen tegemoet ging, dacht zij: Er is iets met hem voorgevallen. Toen hij hen kort geleden verlaten had, was hij weggegaan als een vriend van wie zij hield, maar als een vage, vermoeide vriend, alsof er een sluier hing tussen hem en haar. En thans kwam hij terug als een ander mens, alsof de sluier was weggenomen. En zij dacht: Dat heeft die vrouw misschien gedaan. De wijsheid van haar oude ras zei haar dat dergelijke dingen mogelijk zijn. Zij voelde de indruk aan die zulke vrouwen teweegbrengen. Zij behoorde tot het slag van vrouwen die van haar kracht meedelen aan anderen die ziek, minder sterk, minder gelukkig zijn. Indira kende Europa en ze dacht: Ze ziet eruit als een snol, maar dat is ze niet; ze zou het niet kunnen zijn.
De blinde jongen liep snel op Merrill toe en de kleine bruine hand legde zich in diens grote hand.
„Ik heb naar de marmotjes gekeken," zei de jongen in het Hindostani.
„Zo," antwoordde Merrill. „Waarom neem je er geen mee naar de bungalow?"

„Mag dat van memsahib Moti?"
„Natuurlijk," zei Indira Moti. „Waarom niet? Ik zal er wel een voor je pakken." En terwijl zij een jong marmotje uit een van de hokken nam, zei zij tegen Merrill: „Ik wist dat je zou komen."
„Ik heb miss Halma meegebracht." Voor het eerst kwam hem die verzonnen naam belachelijk voor; hij had erom kunnen lachen.
Beide vrouwen wisselden een glimlach, waarop Carol zei: „Ik hoop dat u er niets op tegen hebt."
„Merrills vrienden zijn ook de mijne," antwoordde Indira.
De blinde jongen hield het kleine marmotje met beide handen vast. Hij hield het hoofd luisterend opzij gebogen.
„Is dat die mooie dame uit de trein?" vroeg hij zacht aan Merrill. „De prinses met al die juwelen?"
Indira en Merrill begonnen beiden te lachen en Merrill vertaalde de woorden van de jongen voor Carol, waarmee zij zeer in haar schik was. Zij lachte en legde de ene hand op het kleine, getulbande hoofd.
„Zeg maar tegen hem dat ik blij ben hem terug te zien," verzocht zij.
Merrill vertaalde het voor de kleine jongen en vertelde haar dat Ali zei dat het hem ook plezier deed haar opnieuw te ontmoeten, „omdat zij zo'n mooie stem had, net muziek".
„Kom nu mee," zei Indira. „Het wordt hier gloeiend heet. We zullen in de bungalow gaan."
Zij liepen de snikhete binnenplaats over en namen plaats in de schaduw van de grote vijgebomen, die zich als zonneschermen over de bungalow uitspreidden. Daarop verwijderde Indira zich om voor verfrissende dranken te zorgen.
„Het is hier heel aardig," merkte Carol op. „Zo vreedzaam." Zij wist haar woorden niet zo goed te kiezen, en wat zij bedoelde had een veel diepere zin. Hier binnen was het koel, niet alleen omdat het huis in de schaduw en als het ware ver-

scholen lag; er was nog iets anders waardoor zij getroffen werd: door de verheven reinheid. Na Taj Mahal en Malabar Hill – en bovenal na de tocht door de fabriekswijk, die haar een nachtmerrie scheen – was dit een andere wereld, een paradijs.
Indira kwam terug en er ontwikkelde zich een gesprek, terwijl Ali met zijn marmotje speelde.
Carol vergenoegde zich met toe te luisteren, terwijl Merrill en Indira het hadden over kolonel Moti's werkzaamheden en de vorderingen die hij op zijn gebied maakte en over Merrills arbeid in de dorpen en Indira's tournee door Europa, misschien wel de laatste voor lange tijd, als de dingen zich daar bleven ontwikkelen als tot nu toe. En terwijl Carol zo stil erbij zat, kreeg zij een zonderlinge gewaarwording. Zij voelde plotseling dat zij vermoeid was. Het was geen lichamelijke vermoeidheid, doch haar geest was afgemat, alsof het leven haar ondraaglijk was geworden.
Op een gegeven ogenblik stelde Buck voor een kijkje te gaan nemen in het laboratorium; misschien wilde zij de slangen van dichtbij zien.
„Heel graag," antwoordde Carol. „Ik heb eigenlijk nooit echte slangen gezien – alleen van die slangen waar de slangenbezweerders op straat hun kunsten mee vertonen."
Daarop gingen zij alle vier het laboratorium binnen, Ali met zijn marmotje in de ene arm, terwijl hij met de andere hand Merrills grote hand vasthield. Zij zagen hoe de serums werden vervaardigd en maakten kennis met de zonderlinge oude man die het gif uit de gifklieren van de slangen verzamelde. Hij was al zevenentwintig keer door de cobra's gebeten en zevenentwintig maal had Moti's serum zijn leven gered. Trots grinnikend liet hij zijn magere bruine armen zien die met littekens overdekt waren.
„Zijn armen lijken wel zeven," merkte Carol op. „Hindert hem dat nu niet?"

„Nee," antwoordde Indira. „Hij schijnt er vermaak in te scheppen. Als u Goejarati of Hindostani met hem kon spreken, zou hij u een verhaal doen over elke slang en over elke keer dat hij gebeten is. Hij is erg trots op zijn record."
Daarop bezochten zij de slangen in hun hokken en sloegen de cobra's gade, hoe zij zich achter het glas oprichtten en heen en weer zwaaiden in een vruchteloze poging hen te bereiken. De dikke Russell-adders lieten een gesis horen als kleine stoommachientjes.
Toen zei Ali iets tegen mevrouw Moti, waarop Merrill begon te lachen.
„Wat zegt hij?" vroeg Carol.
Merrill kreeg een lichte kleur, toen hij antwoordde: „Ali vroeg of mevrouw Moti zolang zijn marmotje wilde vasthouden, dan kon hij de mooie dame een hand geven."
Mevrouw Moti nam het diertje van hem over; Ali strekte tastend de kleine bruine hand uit naar Carol en zo wandelden zij – Carol en Buck – terug naar de bungalow, met het zoontje van de mahout in het midden.
Zij bleven op de waranda zitten tot Merrill op zijn horloge keek en zei: „Nu moesten we maar opstappen. Ik heb Bill beloofd dat ik met hem mee zou gaan om wat kleren te kopen. Hij vindt dat ik er niet deftig genoeg uitzie."
Indira begon te glimlachen.
„Kom me dan eens opzoeken. Ik zou je graag eens netjes aangekleed willen zien."
Zij namen afscheid en liepen terug naar hun taxi. Indira zei tegen Carol: „Kom maar dikwijls terug."
„Graag. Zo dikwijls als Buck me mee wil nemen."

Terwijl zij door de fabriekswijk terugreden, was Buck de enige die sprak. Carol beantwoordde nu en dan zijn vragen, maar bleef verder nadenkend zwijgen. Het scheen haar toe dat deze morgen de mooiste was die zij in lange tijd had beleefd.

Toen zij voor het hotel uitstapten, zei Merrill tot haar grote verbazing: „Laten we naar de bar gaan om iets te gebruiken."
„En je hebt tegen me gezegd dat het niet goed was om te veel te drinken."
Hij antwoordde lachend: „Hier is het iets anders. In de hitte doet de alcohol niet zoveel kwaad. En ik voel me best in orde."
Op het ogenblik dat zij de bar binnentraden, liepen zij in de val. Aan het eerste het beste tafeltje zat een zo uitgezocht gezelschap dat Carol dacht: Ik heb van mijn leven heel wat fraais bij elkaar gezien – maar dit is het toppunt.
Aan het tafeltje zaten de barones, mevrouw Trollope, Jellapore met Joey, Botlivala, de markiezin en Bill. Als uit één mond riepen zij: „Kom hier bij ons zitten."
Er lag iets gedwongens in de uitnodiging, alsof het hele gezelschap midden in de Rode Zee zwalkte en om hulp riep.
Mooi, dacht Carol, daar kom ik niet van af. Zij had samen met Buck een borrel willen drinken onder een gezellig praatje. Zij verlangde ernaar de heerlijke morgen vast te houden, hem te koesteren, te doen voortduren.
Zij kwamen van elkaar gescheiden te zitten, tot Carols leedwezen. Toevallig werd er plaats voor haar gemaakt tussen Jellapore en Bill en Buck kwam terecht tussen de barones en mevrouw Trollope.
Er scheen iets aan te haperen; daarom hadden zij als één man de noodvlag gehesen, toen zij Carol en Buck zagen binnenkomen. Er waren slechts twee leden van het gezelschap die daaraan niet hadden meegedaan – de barones, die ongevoelig was voor de ingewikkelde gevoelens van personen of groepen, en Jellapore, die vermaak schepte in een onaangename atmosfeer.
Hij had al lang weer genoeg van Bombay en verlangde naar Parijs. Als hij in een slechte luim was, werd hij gevaarlijk, niet alleen voor zijn eigen persoon, omdat hij in die toestand tot dwaasheden verviel, maar ook voor anderen, omdat hij dan

komplotten begon te smeden bij wijze van afleiding en kwade geruchten in omloop bracht om de mensen voor gek te laten staan. Daar was hij nu ook reeds mee bezig geweest; en daar zou hij ook niet mee ophouden, nu de duivel hem in zijn greep had.

Zij dronken allen een borrel en praatten met elkaar en maakten grappen, maar onder de oppervlakte broeide iets. Botlivala bijvoorbeeld maakte avances tegenover de markiezin tot Carol binnenkwam. De markiezin was juist een vrouw naar zijn smaak. Zij was knap en droeg dure kleren; zij bezat een titel en had er slag van zich voornaam voor te doen. Wie haar kende, wist dat dit alles slechts schijn was, maar Botlivala werd erdoor geïmponeerd. Daarom had hij geprobeerd indruk te maken op de markiezin, voordat Carol binnenkwam.

Hij ging niet tot de aanval over door zich voor te doen alsof hij wèg van haar was. Eigenaardig genoeg wist hij van zichzelf dat er niets bijzonders aan hem was – dat hij klein van stuk was en geen aantrekkelijkheid voor een vrouw bezat. Hij begon met de schijn te wekken dat hij schatrijk en een man van gewicht was. Hij legde zijn platina sigarettenkoker, bezet met smaragden en diamanten, naast zijn glas en begon toen een gesprek over de renstallen in Deauville en Cannes. Het was eigenaardig dat de markiezin, die het tegenover Bill had doen voorkomen alsof zij alleen Frans en Italiaans kende, thans veel beter Engels sprak met Botlivala, dan zij Frans had gesproken met Bill in het paleis van de gouverneur.

Haar doffe zwarte ogen hadden de sigarettenkoker opgemerkt en er verscheen een uitdrukking in als die van een happige conciërge in het vooruitzicht van een flinke fooi. Onder het gesprek moest ze er steeds weer naar kijken, alsof de diamanten en smaragden haar hypnotiseerden. Zij had er evenmin als Botlivala verstand van om de mensen te schatten; zij liep in de val, evenals hij zich door haar pover toneelspel om de tuin had laten leiden. Doch haar gedachten dwaalden somtijds af, vaak genoeg om Botlivala de indruk te geven dat er ogenblikken waren, waarop ze niet naar hem luisterde en andere, waarop hij niet zo aantrekkelijk moest zijn als hij meende. Hoewel Botlivala noch de ervaring, noch het inzicht bezat om het te kunnen begrijpen, was de aandacht van de markiezin verdeeld. Aan de ene kant voelde zij zich aangetrokken door Botlivala's sigarettenkoker en aan de andere kant tot Wainwright, de Amerikaanse gentleman die naast haar zat. Op zulk een tweesprong had zij gedurende haar hele leven reeds gestaan, van het ogenblik af dat ze een knap jong meisje was van gemengd Grieks-Syrisch bloed, in Adrianopel geboren. Wainwright, de Amerikaan, had reeds indruk op haar gemaakt toen zij de zaal betrad in het paleis van de gouverneur; en zij had de herinnering aan hem bewaard van het ogenblik af dat zij zijn hand iets te lang had vastgehouden, toen hij afscheid van haar nam. Meer dan een week lang had zij op de gelegenheid geloerd om hem weer te ontmoeten, maar had hem slechts één- of tweemaal op een afstand gezien, zonder de kans met hem te spreken. En toen zij nu deze morgen, gechaperonneerd door haar kamenier, even aan de ingang van de bar was blijven staan, had Jellapore haar in het oog gekregen en haar uitgenodigd plaats te nemen aan het tafeltje, waaraan hij zat in gezelschap van de barones en Wainwright. De aanwezigheid van de barones zou haar onder andere omstandigheden daarvan hebben doen afzien, maar de tegenwoordigheid van Wainwright maakte dat onplezierige feit weer goed.

Wainwright had voor haar de bekoring van een nieuw type. Hoewel zij een vrouw van rijpe ondervinding was, had zij toch nog weinig met Amerikanen omgegaan. Zij herinnerde zich alleen nog maar twee dikke, domme mannen van middelbare leeftijd die, hoewel zij inwendig weinig zeker waren van zichzelf, hun best hadden gedaan haar wijs te maken dat zij alles van de liefde af wisten.

Wainwright was blijkbaar heel anders. Ten eerste was hij niet dik en niet dom en ten tweede was hij zeker van zichzelf en wist hij ook wel, wat liefde was. Dat had zij wel gemerkt toen zij hem voor het eerst ontmoette in het paleis van de gouverneur. Zij voelde dat hij haar goed opgenomen en een plaatsje gegeven had in zijn kaartsysteem, teneinde bij gelegenheid nader met haar kennis te maken.
Het was geen intellect of instinct van haar kant dat haar dit alles deed raden, doch eenvoudig een gevolgtrekking waartoe zij kwam door een langjarige en gevarieerde ondervinding. Zij was op het idee van een kaartsysteem gekomen door de manier waarop Bill haar onder het gesprek had aangekeken en door de manier waarop zijn hand de brutale, uitnodigende druk van de hare had beantwoord. Zijn hand had haar doen weten: „Niet dadelijk, maar wellicht wat later." Zij was ervan overtuigd dat hij zich niet afzijdig had gehouden omdat hij last had van scrupules, of omdat hij haar niet als een mogelijkheid beschouwde. Zij hield het voor meer waarschijnlijk dat er hier of daar een vrouw was die zijn gedachten op het ogenblik vervulde.
Daarom had zij, niet zonder ongeduld, de gelegenheid afgewacht om opnieuw met hem in aanraking te komen en hoe langer deze zich liet wachten, hoe aantrekkelijker vorm het voorwerp van haar belangstelling aannam. Zonder dat zij hem zag, wist zij hoe hij zijn krullend blond haar droeg, hoe hoekig zijn vierkante kaken waren en hoe zijn grote, min of meer zinnelijke mond eruitzag. Doch het beste herinnerde zij zich de flikkering van spot in zijn blauwe ogen, die zij steeds weer voor zich zag. Eerst had haar dit enigszins in verwarring gebracht, omdat die ogen háár schenen te bespotten, maar daar was zij nu overheen. Er stak iets duivelachtigs in, dat haar ernaar deed verlangen hem nader te leren kennen.
Doch de markiezin had niet veel tijd – noch op de lange, noch op de korte duur. De neiging der Levantijnse vrouwen om

dik te worden zou zich binnen niet al te lange tijd ook bij haar openbaren – daarvan was zij overtuigd. Dat was de lànge duur. Wat de kòrte duur betreft: er restten haar nog slechts twee maanden voor een of ander avontuur. Dan moest zij weer terug naar Italië, terug naar haar oude echtgenoot en het kloosterleven, waartoe hij haar veroordeelde ter wille van zijn naam en eer. Zij genoot op dit ogenblik van haar jaarlijkse vakantie. Haar echtgenoot verkeerde er niet over in twijfel hoe zij haar vakantie besteedde; maar daar bekommerde hij zich niet om, zolang zij zich op haar manier amuseerde op plaatsen die ver genoeg weg waren.
Tot op dit ogenblik had zij nog geen enkel succes weten te boeken, noch onderweg naar Bombay, noch in Bombay zelf – en de tijd verliep. Daarom zette zij nu haar beste beentje voor. Aangezien zij niet behoorde tot de handige vrouwen die haar doel op intelligente wijze weten te bereiken, koos zij het oudste, vulgairste middel, dat haar te binnen schoot. Dat was de reden waarom zij zich brutaalweg naar Bill Wainwright had laten neervallen in plaats van aan de andere kant van de tafel naast de maharadja.
De eerste maal dat Bill haar voet tegen de zijne voelde, trok hij die wat achteruit en mompelde: „O, pardon." Zij zat met Botlivala te praten en scheen niets op te merken, zelfs niet eens zijn verontschuldiging. Zonder het hoofd om te wenden vervolgde zij haar gesprek met Botlivala. Doch even later, toen zijn been stijf werd en hij het een weinig uitstrekte, raakte zijn voet opnieuw die van de markiezin. Ditmaal maakte hij geen excuus. Hij dacht: Zo, dus het is menens. Nu – ik heb ze weleens slechter meegemaakt.
Zonderling genoeg echter wenste hij dat het geval hem een sterker gevoel van sensatie had bezorgd, vooral omdat hij nog uit zijn humeur was over het feit dat Carol en Buck samen weg waren gegaan, hem aan zijn lot overlatend. Hij had genoeg belangstelling voor de markiezin willen voelen om de

flirt met volle kracht door te zetten en Carol „eens te leren”. Doch hij was er niet voor in de stemming. Hij zat er onverschillig bij en wipte af en toe met zijn voet om de markiezin te laten weten dat hij begreep waar ze op uit was. Kort daarop keerde ze Botlivala de rug toe en wendde zich tot hem, waarbij haar knie in actie kwam.

„Waarom hebt u tegen me gezegd dat u geen Engels sprak?” vroeg Bill.

De volle, rode lippen plooiden zich tot een glimlach en de lange, valse wimpers trilden even.

„Omdat ik dacht dat het me interessanter zou maken,” antwoordde zij met haar eigenaardige, vreemde tongval.

Deze woorden beantwoordde hij met een even onbenullig complimentje: „Maar u behoeft zich volstrekt niet interessanter te maken.”

Hij dacht bij zichzelf: Verschrikkelijk – ze is nog dommer dan ik dacht! Ze hoort in een heel andere omgeving thuis. En tegelijkertijd kreeg hij een vermoeden van haar vroegere connecties met de barones. Hij had opgemerkt dat de oude vrouw hen zat gade te slaan.

Op dat ogenblik verschenen Buck en Carol aan de ingang en vergat hij de markiezin geheel en al. Nu wist hij het: hij was verliefd op Carol. Het had geen nut zichzelf nog langer een rad voor de ogen te draaien. En hij wist nu ook dat hij nooit verliefd op haar was geweest. Hij was nog nóóit op iemand verliefd geweest.

Zijn stem sprak tot de markiezin: „Ja, morgen vertrek ik naar Calcutta,” maar inwendig zei hij tot zichzelf: Ik zal mezelf op genade of ongenade aan Carol moeten overgeven en dat zal ditmaal niet zo gemakkelijk zijn. Zij kende hem zo goed dat hij haar zou moeten overhalen, zelfs omtrent zichzelf zou moeten misleiden.

Toen zag hij haar met een gevoel van aangename verrassing op zich toekomen en naast hem plaats nemen. Hij wendde

zich dadelijk tot haar met de vraag: „Wel, heb je je nogal geamuseerd?"
Op een wenk van de maharadja stond Joey op om aan de laatst aangekomenen te vragen wat zij wensten te gebruiken. Toen zij de bestelling hadden opgegeven, antwoordde Carol: „O, ik heb het buitengewoon naar mijn zin gehad. Ik hoop er spoedig weer heen te gaan."
„Wat een verduiveld smerige wijk, hè?"
„Daar heb ik geen erg in gehad."
„Dan moet je wel ziende blind zijn geweest."
„Nee. Ik heb zitten nadenken."
Hij grinnikte. „Waarover?"
„Dat gaat je geen steek aan."
(Dat was weer echt iets voor haar – ze hield hem overal buiten.)
„Jullie hadden mij wel mee kunnen nemen."
„Buck zei dat je zo vast sliep dat hij je niet wilde wekken."
„Buck is niet goed snik."
Zij zag hem verbaasd aan. „Dat hoef je zo niet te zeggen. Buck is de beste kerel die je ooit zult ontmoeten."
„O!" zei Bill.
Bill had in het geheel niet meer aan de markiezin gedacht – maar zij wel aan hèm. Zij had bijna een hele fles champagne op en dat maakte haar stoutmoediger. Hoewel hij met de rug naar haar toe zat, leunde zij toch met haar knie zwaar tegen de zijne; nu het om de tafel zo vol was, ging dat gemakkelijker. Ze zou in haar opzet slagen, maar Bill had zich wel willen omdraaien om te zeggen: Goed, goed, maar later, als ik het niet zo druk heb. Maar dat ging nu eenmaal niet.
Aan de overzijde van de tafel hield de barones hen nog steeds in het oog. Zij wist heel goed wat er gaande was, want zij kende de markiezin. De groene ogen loerden uit het rimpelige gezicht. Zij dacht: Goed zo – ik zal nog wel met haar afrekenen voordat zij Indië uit is.
Een ogenblik later was Carol alweer over haar teleurstelling

heen en begon zij zich te amuseren. Zij hield tenslotte van gezelschap en van mensen om haar heen – hoe zonderlinger en koddiger, hoe liever. Dat was een van de redenen waarom zij van Indië hield. Dat was de reden waarom zij hier bleef, in weerwil van hitte, ongemak, zenuwen en het feit dat zij bijna geen cent meer had. Zij voelde zich goed geluimd, zonder dat zij wist waarom, zonder dat zij er zelf erg in had dat, op hetzelfde ogenblik dat zij zich bij hen neerzette, al deze verveelde mensen weer in hun humeur raakten, alsof er een wonder was gebeurd, omdat zij mooi en vrolijk was en omdat zij eigenlijk van hen allen hield.
De maharadja was de enige die begreep wat er aan het tafeltje omging, omdat hij met zijn talent voor intrigeren de enige van het gezelschap was die de kunst verstond zich los te maken van de anderen en er genoegen in schepte hen gade te slaan en de bekoring te ondergaan van al de stromingen en verwikkelingen die over en weer gingen. Hij zag de trekken van mevrouw Trollope opklaren toen zij Carol opmerkte. Hij zag hoe de barones de markiezin haatte. Hij sloeg het spelletje van de markiezin gade. die wel zin had in Botlivala en zijn sigarettenkoker, maar onderwijl haar knie tegen die van Wainwright aangedrukt hield. Hij zag Bill haar de rug toekeren om met Carol te praten zodra ze ging zitten. Hij zag ook hoe de nieuweling, die ze Buck noemden, Carol met de ogen verslond. Er was niets dat hem ontging. Zijn duistere, gecompliceerde geest had de verveling afgeschud, omdat hij zich op dit ogenblik kon overgeven aan de sterkste passie die hij kende – het weven van komplotten en intriges. Hij begon de levens van de mensen rondom de tafel opnieuw te schikken, ze een plaats te geven als stukjes van een legkaart die, als ze eindelijk goed in elkaar pasten, een lelijk, stuitend geheel vormden.
Hij had reeds wekenlang in het geheim rondgelopen met het plan om afstand te doen van de troon ten gunste van zijn oudste zoon, onder het regentschap van zijn losbandige broer,

om een leven van boetedoening en contemplatie te gaan leiden. Doch daaraan dacht hij nu niet meer. De wereld en de mensen in die wereld oefenden thans een te grote bekoring op hem uit om ervan af te zien. Terwijl hij zich zo aan zijn bespiegelingen over gaf, vertoonden zijn trekken eensklaps een soort duivelse schoonheid en waardigheid, want de enige keer dat Jelly er niet onbeduidend uitzag, was, wanneer hij een of andere tragedie uitbroedde.

's Middags nam Bill Buck mee naar een van de grootste kledingmagazijnen om een garderobe voor hem te kopen. Dit kwam heel anders uit dan Bill had gedacht. Om te beginnen legde Buck zoveel belangstelling aan de dag voor hetgeen hij kocht dat Bill er verbaasd van stond, zich herinnerend hoe weinig hij vroeger altijd om kleren had gegeven. Nu echter was hij lastig in het maken van een keus in schoenen, stoffen, dassen en zelfs zakdoeken. Hij stelde zich aan als een burgerman die heel lang zijn fatsoen heeft gehouden, maar nu eens aan de boemel wil gaan; en dit was oorzaak dat zijn keus af en toe zodanig was, dat Bills meer conservatieve smaak erdoor geschokt werd.
Op een gegeven ogenblik zei Bill: „Je kunt die das niet bij die zakdoeken nemen. Je zult ermee uitzien als een halfbloed stationschef op zijn zondags."
Maar Buck kocht ze toch. Grinnikend antwoordde hij: „Dit is de eerste keer dat ik de gelegenheid krijg mijn persoonlijkheid in mijn kleren uit te drukken. Laat ik nu ook eens dat plezier hebben."
„Het is je begrafenis," zei Bill. „Als je het er nu eenmaal op gezet hebt om op straat een troep volk achter je te krijgen, dan ben je op de goede weg." En even later liet hij erop volgen: „Maar wat bezielt je ineens? Je bent nooit zo lastig geweest op het punt van kleren."
„Wel, nu doe ik toch wat Moti en jij van me verlangen, niet-

waar?" vroeg Buck. „Ik ben nu losgelaten. Laat me maar begaan."
Enigszins geraakt antwoordde Bill: „Okay! Maar we hadden er geen idee van dat je je zo zou toetakelen."
Er vertoonde zich een grijns op Bucks gelaat en een tinteling in zijn ogen die Bill niet beviel. Het was net of Buck zich inwendig verkneuterde over iets, alsof hij wilde zeggen: „Wacht maar! Jij en Moti hebben dit voor elkaar gebracht – let nu eens op!"
Het was geheel in de lijn van het zonderlinge gevoel dat hun verhouding tot elkaar kenmerkte, sinds zij in de bar aan hetzelfde tafeltje hadden gezeten met al die nachtmerrie-achtige lui om hen heen; er was iets ondefinieerbaars tussen hen gekomen, dat de oude vriendschappelijke verhouding had verstoord die zo kort tevoren met moeite was hersteld. Het was alsof er zand in een goed lopende machine was gekomen. In de hitte en de drukte van de winkel nam dit onaangename gevoel nog meer toe. Hoe langer het winkelen duurde, hoe prikkelbaarder Bill werd. En toen het tenslotte afgelopen was, zei Buck tot zijn verbazing: „Ik zal het zaakje wel afrekenen."
„Dat was de afspraak niet," antwoordde Bill. „Dit maakt deel uit van de kuur die ik heb voorgeschreven."
„Als je vader wat van zijn geld kwijt wil, laat hij het dan maar geven voor het werk dat ik doe. Maar dit kan ik zelf wel betalen. Ik heb nog wat geld dat mijn grootvader me heeft nagelaten. Ik heb er wel plezier in om het op deze manier uit te geven." Een domme grijns trok over zijn trekken. „Hij was een schijnheilige ouwe kerel. Hij heeft mijn hele jeugd bedorven. Dat zou een mooie revanche zijn – als hij wist hoe ik het nu over de balk gooi."
Opnieuw kwam de gedachte op bij Bill: Wat is er toch met hem aan de hand? Doch hij zei niets meer dan: „Het komt me voor dat je herstel bliksemsnel in zijn werk gaat!"
Buck begon te lachen. „Moti zei al dat het gauw zou gaan."

Met een zuur lachje merkte Bill op: „Nu, neem een goede raad van mij aan en overhaast je niet. Er bestaat niets gevaarlijkers dan dat een man van middelbare leeftijd zijn best gaat doen om de verloren tijd in te halen – tenzij hij een boemelaar is."
„O, je hebt me nog niet goed meegemaakt!" antwoordde Buck.
Bill gaf er geen antwoord op. Hij dacht: Nou – wat zijn we begonnen?
Onderweg in de taxi zei Buck tegen Bill: „Laten we Carol gaan halen en naar de wedrennen rijden."
„Ik kan niet mee. Ik heb werk te doen. Jij kunt gemakkelijk aan de boemel gaan, maar ik niet. Bovendien is ze waarschijnlijk toch al weg."
„Met wie?"
„O, met Botlivala en mevrouw Trollope, denk ik."
„Die mag ik geen van beiden," merkte Buck op. „Ik wilde wel dat ze niet zoveel met die twee omging."
„Als je soms denkt dat je haar kunt voorschrijven met wie ze mag omgaan en met wie niet, ben je aan het verkeerde kantoor. Dat heb ik niet eens van haar gedaan kunnen krijgen – en ik heb haar toch lang genoeg gekend. Zij heeft een zwak voor mensen met een slechte reputatie."
„Vooral die Botlivala is niet veel bijzonders. Ik ben lang genoeg in Indië geweest om te weten tot welk slag hij behoort. Zulke mensen moesten doodgeschoten worden."
„Daar behoef je niet voor in Indië te zijn geweest om tot die conclusie te komen." En Bill hoorde zichzelf erbij voegen: „Enfin, ze is met hem verloofd."
Buck richtte zich plotseling op.
„Daar geloof ik niets van," zei hij. „Wie heeft je dat verteld?"
Bill begon te grinniken, niet zonder leedvermaak. „Zij. Ze heeft me gevraagd om haar van die verloving af te helpen."
De reactie was onverwacht; hij voelde dat Buck zich in de

hoek van de taxi terugtrok, niet zozeer lichamelijk als geestelijk en hij begreep dat hij half-opzettelijk, half-onwetend nog meer zand in de raderen van hun onderlinge verhouding had gestrooid. Een tijd lang zei Buck niets, tot hij eindelijk opmerkte: „Ik geloof er niets van."
„Ik beweer alleen wat ze me zelf verteld heeft."
„Ik kan niet geloven dat het haar ernst geweest is."
„Dat geloof ik nu ook niet. In ieder geval is Botlivala ervan overtuigd. Het zou een geheim engagement zijn, maar ik zie er Botlivala wel voor aan om zijn mond niet te houden."
„Die smerige kleine schobbejak!"
Bill kon zich niet weerhouden hem te voeren. „Wie?" vroeg hij.
„Botlivala."
„O, hij kan geen kwaad. Carol heeft er nog wel erger klein gekregen," zei Bill en liet erop volgen: „Maak je daar maar geen zorg over. Ze is best in staat op zichzelf te passen. De meeste mensen denken dat ze geen hersens heeft. Ze weet zelf niet hoe bijdehand ze is, maar *ik* weet het, hoor!"
Buck keek hem aan, maar sprak geen woord. En Bill zei ook niets meer. Hij was over zichzelf verbaasd dat hij zo over Carols verstand had gesproken. Dat had hij zelf nooit zo ingezien. Het was hem zo maar eensklaps ingevallen. En hij wist dat het waar was, dat was de hoofdzaak.
Toen de taxi voor het hotel stopte, zei Bill dat hij nu naar kantoor ging en Buck wel op het cocktailuurtje zou ontmoeten. Toen hij weg was, belde Buck Carols kamer op; doch zij was er niet. De receptieklerk zei dat zij met mevrouw Trollope was uitgegaan – waarheen wist hij niet, maar hij dacht naar de wedrennen; er was niets anders.
Toen begon Buck zich eensklaps vermoeid te voelen. Hij kreeg het gevoel alsof hij plotseling ineens zou zakken, het gevoel dat lijders aan malaria zo goed kennen. Hij wist dat het beter voor hem zou zijn als hij naar boven ging naar zijn kamer om wat rust te nemen, maar hij wist ook dat hij dat niet kon doen. Hij

voelde zich enigszins onwel en was overstuur, zoals een jongen van zestien jaar die voor het eerst verliefd is. Hij wist zelf niet hoe hij het had. Het werd hem alleen duidelijk dat hij op de grens stond van een wereld die hij niet kende en waarvan hij geen begrip had. Niet alleen dat hij dingen over Carol had gehoord waar hij niet bij kon, maar Bill was er ook zo cynisch bij geweest.
Toen Buck zich voor de balie omkeerde en naar de mensen in de hal keek, zonder ze te zien, werd hij bang en dacht: Misschien ben ik te suf om ermee door te gaan; misschien had Bill gelijk toen hij zei dat het te laat voor me was om de verloren tijd in te halen. Misschien ben ik een geboren slappeling en zal ik dat altijd blijven.
Maar één ding was er dat hij beslist moest doen en dat was: Carol zoeken. Misschien zou hij het met haar hebben over hetgeen Bill hem verteld had, of misschien zou hij daar de moed niet toe hebben. Mogelijk ging hem dit alles niets aan en zou ze hem maar uitlachen. Maar hij moest haar spreken. En zo ging hij op weg, door de gloeiend hete straten, naar de wedrennen, terwijl zijn hoofd klopte en hij bijna stikte van de hitte. Het spel dat aan het tafeltje in de bar als gekheid was begonnen, was nu iets heel anders geworden.

Op de renbaan scheen het hem toe dat het er nog warmer was dan in de stad. Een dichte menigte verdrong zich onder de japaranda- en peepulbomen. Na zijn taxi te hebben betaald, mengde Buck zich onder de bezoekers. Hij voelde zich loom en verward en ziek. Zijn hersens schenen hem de dienst te weigeren, hij kon niet meer denken, voelde alleen maar een groeiende obsessie, een knagende drang om plaatsen te betreden waar hij niet mocht komen. Hij liep tegen Arabische paardenhandelaren aan, tegen Parsee-schonen, Britse ambtenaren en Indische vorsten. Hij liep geheiligde clubterreinen binnen en zelfs het voor eigenaars van paarden gereserveerde gedeelte. Het was een wereld, waarin hij een vreemde was, die niemand kende. Hij vond zelfs niemand van het groepje dat hij die ochtend aan de bar had ontmoet. Er was niemand aan wie hij iets kon vragen en langzamerhand werd het zoeken een nachtmerrie, waarin het hem voorkwam dat hij heen en weer werd geduwd door honderden vreemde mensen die hem wilden verpletteren.

Twee- of driemaal, toen hij door duizelingen werd bevangen, ging hij op een stoel in de schaduw zitten tot hij zich weer wat beter voelde. Hij was er zich van bewust dat de mensen hem nieuwsgierig aankeken, maar het kon hem niets schelen. En ten laatste dacht hij, in een van die heldere ogenblikken: Ze is niet hier. Als ik nu niet wegga, haal ik het niet meer alleen. Ik sla een gek figuur als ik hier flauwval. Waggelend stond hij op en liep naar de uitgang, waar hij zich in een taxi liet vallen.

Terwijl hij in de drukkende hitte naar het hotel terugreed, dreunden de straatgeluiden in zijn oren en waren er ogenblikken dat hij zijn bewustzijn voelde wegebben en weer terugkeren, zoals een vogel die door wolken vliegt. De rit scheen eindeloos en in de ogenblikken, waarin zijn brein helder was, ging steeds dezelfde zin door zijn hoofd: „Kruip voordat je lopen kunt."

Hoe hij de kracht had gehad de chauffeur te betalen, het hotel binnen te gaan en zijn kamer te bereiken, heeft hij nooit kunnen begrijpen. Na geruime tijd week de obsessie, maar hij kon zich niet herinneren waar hij geweest en waarom hij gegaan was.

Eindelijk viel hij in slaap op zijn bed, na lang heen en weer te hebben liggen woelen; en juist voordat hij insliep, op de grens tussen waken en slapen, was het hem alsof hij zich weer in de trein bevond, die door het snikhete Deccan reed en Carol naast hem zat en hem over het hoofd streek om te trachten de pijn te verzachten.

Jellapore had het denkbeeld geopperd naar het strand te Joehoe te gaan en een bad in zee te nemen. Hij bezat daar een buitenverblijf met een tuin, met uitzicht over het strand. Het was te warm om naar de wedrennen te gaan. Ze konden naar Joehoe trekken en wat bridgen, 's avonds genieten van de koelte aan zee en dan zwemmen. Hij nodigde Carol en mevrouw Trollope, Botlivala en de markiezin en een paar Parseevrienden uit. Het had niet in zijn bedoeling gelegen de barones mee te vragen; maar terwijl Joey voor het eten en de champagne zorgde, stapte zij op hem toe en zei geestdriftig dat het een pracht van een plannetje was – dus er zat niets anders meer op dan haar uit te nodigen.
Voordat zij het hotel verliet, schreef Carol een briefje voor Bill, om hem te berichten waar zij heen was gegaan, met het verzoek haar met Buck te komen opzoeken. Zij voelde niet veel voor het tochtje, maar zij was nog nooit in Joehoe geweest en wilde het graag eens zien. Ze vond ook dat het, nu Bill en Buck de hele middag bezig zouden zijn, geen zin had om in de drukkende hitte van de stad te blijven rondhangen. In ieder geval waren mevrouw Trollope en Botlivala er erg mee ingenomen; je kon dat aan hun gezichten zien toen het plan werd geopperd.
Zij was dus niet naar de wedrennen gegaan en Bill had haar briefje niet ontvangen en Buck had haar tevergeefs in de verstikkende hitte op de renbaan gezocht, tot zijn ongesteldheid hem weer naar het hotel terugdreef. Op het laatste ogenblik liet de markiezin, toen ze hoorde dat Bill niet van de partij zou zijn, weten dat zij niet meeging omdat zij hoofdpijn had.
Het was een bekoorlijk verblijf. Toen Carol de tuinpoort binnentrad, kwam zij tot de conclusie dat het best de moeite waard was die hele weg af te leggen om kennis te maken met Joehoe.
Het gebouwtje stond in een door een hoge muur omringde tuin, tussen de straatweg en de zee, in een bosje palmen. Het

huis was niet groot; het had een vooruitspringend dak en de marmeren omlijstingen van de vensters waren met kunstig beeldhouwwerk versierd. In het rond waren brede borders van bloeiende planten in grote potten, die iedere week werden verwisseld. Aan de zeezijde bevond zich een marmeren terras met een ruisende fontein en trappen van wit marmer, die door de kokospalmen naar een ijzeren hek leidden dat op het strand uitkwam.

Het gebouw bevatte vier vertrekken op elke etage; beneden bevonden zich de feestzaal en twee antichambres en boven twee slaapkamers, ingericht in Indische stijl en twee die in een lelijke Franse stijl waren gehouden, met vergulde ledikanten, bedekt met spreien van zwaar brokaat. De wanden waren van rijk gebeeldhouwd sandelhout, met onzedelijke Franse gravures behangen.

Hier was geen spoor te bekennen van de stadslucht. Er hing een zware vochtige zeelucht en de bedwelmende geur van bloeiende planten en bomen. Het kleine gezelschap – behalve Botlivala, die het reeds kende van vroeger – wandelde onder de bomen of liep door het huis. Joey zette de twee bedienden aan het werk om de champagne te serveren en even later zei Carol: „Ik heb geen lust om te bridgen. Ik wil lekker lui op het terras blijven liggen," waarop de maharadja, Joey, de barones en een van de Parsees zich aan een der speeltafeltjes zetten.

Mevrouw Trollope nam plaats op een ligstoel vlak naast Carol. Zij voelde zich gelukkig. Nu was zij met Carol alleen. Meer verlangde zij niet. Zij begon op een bijna vijandige toon over de markiezin te praten. Klaarblijkelijk had zij een hartgrondige hekel aan de markiezin en langzamerhand drong het tot Carol door dat Stitch Trollope misschien wel een hekel had aan iedereen in haar omgeving. Het kwam niet bij haar op dat Stitch een hekel had aan iedereen die met Carol in contact kwam, en jaloers was op ieder die maar met haar sprak.

„Een ordinaire Levantijnse vrouw – anders niet. Met haar titel en haar aftandse man!" sprak ze. En zo ging het maar door, tot het voor Carol onverdraaglijk werd.
Tenslotte zei Carol: „Hoor eens, Stitch, doe me een genoegen en ga weg, als je niet hier kunt blijven zitten zonder je mond open te doen. Het gebeurt me niet dikwijls, maar nu zou ik eens rustig willen denken."
Mevrouw Trollope trok een beledigd gezicht, alsof ze een slag in het gelaat had gekregen. Daarom ging Carol voort, een hand op haar arm leggend: „Je moet niet boos wezen, maar ik heb iets dat me hindert."
Bij de aanraking van haar hand trok de wolk onmiddellijk weg van Stitchs trekken, om plaats te maken voor een verheerlijkte uitdrukking.
„Natuurlijk, lieve, ik begrijp je volkomen. Als er iets is dat ik voor je doen kan, laat het me dan weten. Ik heb ook iets gehad dat me hinderde. Ik zal naar binnen gaan om wat te bridgen."
Toen zij wegging, riep Carol haar na: „Zeg tegen een van de bedienden dat hij me een glas champagne brengt."
Dat maakte mevrouw Trollope nog gelukkiger.
Carol dacht: Ik hoop maar dat ze niet weer aan het spelen slaat. En zich in de hitte lui uitstrekkend, dacht zij verder: Och, het kost niets om een beetje vriendelijk tegen haar te zijn – en het maakt haar gelukkig. Doch toen mevrouw Trollope haar verlaten had, voelde zij zich opgelucht dat zij van haar tergende tegenwoordigheid verlost was en verviel zij weer in diep gepeins.
Er was heel wat waarover zij haar gedachten moest laten gaan en daar was het hier juist de geschikte plaats voor, bij het geluid van de fontein en het zachte ruisen van de kokospalmen, dat de zenuwen rust gaf en de hitte scheen te temperen.
De bediende bracht de champagne in een hoge kelk, gekruid volgens Jellapores recept: een venusdrank, waarin de uit-

gelaten vrolijkheid van Parijs en de zinnelijkheid van Indië dooreengemengd waren – alles in één glas. In het begin was de drank in het geheel niet in haar smaak gevallen, doch later had zij hem lekker gevonden. Het gaf je een heerlijkse sensatie en door de kruiden scheen de champagne de eigenschap om hoofdpijn te verwekken, te verliezen. Weer een bewijs van naar de kelder gaan, peinsde ze vrij onverschillig. Dat was het juist wat haar ongerust maakte; over dat „naar de kelder gaan" moest ze eens goed nadenken. Hoe ze het moest voorkomen of zich eruit werken en haar hele bestaan moest wijzigen, wist ze niet. Wat anderen in haar niet begrepen en wat haar hele leven zo verward maakte, was het feit dat telkens, als ze een zeker stadium van verwording had bereikt, er iets Zweeds, iets Swedenborgiaans zelfs, uit haar jeugd zich kenbaar maakte en haar zowel beangst als beschaamd maakte. Het was een stem van het bloed die zei: „Je bent een Zweedse en de Zweden gaan nooit ten onder. Ze kunnen drinken en losbandig zijn en toch het hoofd boven water houden." Dat waren ogenblikken waarop ze er hartstochtelijk trots op was een Zweedse te zijn, trotser dan op wat ter wereld ook. En dit was een van die momenten.
Zij had zogoed als geen geld meer. Terwijl zij daar op haar gemak in de tuin lag van het kleine buitenverblijf dat Jai Mahal werd genoemd, trachtte zij het feit niet voor zichzelf te verdoezelen. Alles wat haar nog restte, waren de paar duizend ropijen die zij met spelen had verdiend; en daar zou zij niet ver mee komen, bij het dure leven dat zij leidde. Zij dacht: Morgen neem ik een biljet naar Parijs. Als ik daar eenmaal ben, zal ik wel weer verder zien.
Zij had al het geld verkwist dat Bill haar gedwongen had aan te nemen bij hun scheiding. Waar het gebleven was, wist zij niet; maar zij had er geen spijt van dat zij het had uitgegeven, omdat het haar gedurende korte tijd volkomen onafhankelijk had gemaakt – en zij had ervan genoten het weg te gooien.

Geen cent zou zij meer van hem aannemen, al werd haar toestand nòg zo wanhopig. Zij wilde niet eens voor hem weten dat zij het klaar had gespeeld zijn geld er in vijf jaar door te brengen.
Zij overlegde wat haar te doen stond om een degelijk bestaan te vinden. Naar het toneel kon zij niet terug. De markt voor het toneel was overvoerd met meisjes die veel jonger en misschien knapper waren dan zij. En voor actrice had zij geen talent. Dat was dus uitgesloten.
Zij kon misschien weer trouwen, maar op het ogenblik kon zij zich niet voorstellen met wie. Eén ding stond voor haar vast: onder géén beding met Bill, juist nu hij bezig was carrière te maken. Zij was er vast van overtuigd dat zij slechts een vinger naar hem had uit te steken; maar zij was er eveneens van overtuigd dat een dergelijk huwelijk op hun beider ongeluk zou uitlopen. Zij deugden niet voor elkaar, omdat zij vroeger te veel samen hadden genoten.
Dat ging goed zolang je jong was, maar op latere leeftijd ging het niet meer. Bill moest zich ernstig aan het werk zetten en zijn plaats in het leven innemen. Als zij weer trouwden, zouden zij weer beginnen met laat uit te gaan en een vrolijk leventje te leiden en Bill zou eindigen als een nietsnut en zo arm als een kerkrat. Zij mocht Bill heel graag en als hij de weg bleef volgen die hij thans had ingeslagen, zou hij hopen geld verdienen, maar zij wilde niet met hem trouwen, juist omdat ze zoveel met hem ophad.
Wat beter voor Bill paste, was een goede, conventionele Amerikaanse vrouw, die hem telkens de les zou lezen. In het begin zou hij daartegen in opstand komen, maar na enige tijd zou hij, als hij 's nachts laat thuiskwam, niet kunnen slapen als hij geen sermoen had gehad. Dat zou hem op het goede pad houden en hij zou zichzelf wijsmaken dat het zijn eigen sterkte van karakter was, waardoor dit wonder werd volbracht, in plaats van door de ijzeren hand van zijn vrouw.

Hij dreef reeds die kant uit. Alle voortekenen wezen erop. Over vijf of tien jaar zou Bill de volmaakte Amerikaanse echtgenoot zijn – of hij zou in de goot liggen en Carol was er de vrouw niet naar, om hem daarmee te helpen.
Zij kon altijd nog gebruik maken van het voorstel dat de barones haar, half in scherts, half in ernst, onder het genot van een glas champagne, had gedaan. Carol had niet zoveel op de barones tegen als met de meeste anderen het geval scheen te zijn. Zij zag eruit als een schildpad en had net zoveel manieren als een nijlpaard, doch dat hinderde Carol niet bepaald. Ze hield wel van haar, hoe mannelijk en slecht ze ook was.
Zij had wel enig vermoeden van welke aard de bezigheden van de barones waren. Maar als de betrekking, die zij Carol had aangeboden, niet verder ging dan het voor hostess spelen in een nachtclub te Parijs of te Caïro, had Carol er niets op tegen. Dat zou haar een goed bestaan opleveren, maar zij zou er niet op ingaan zonder schriftelijk te hebben laten vastleggen welk percentage zij zou krijgen.
En dan was er nog Botlivala. Doch Botlivala was van de lijst geschrapt. Thans zag Carol in, hoe dwaas zij was geweest toen zij tegen hem had gezegd, uitsluitend om van hem af te komen: „Nu, goed, goed. Als jij erop staat om *in het geheim verloofd te zijn*, heb ik er niets op tegen." Het gevolg was dat zij nu niet van hem af kon komen. Hij hing voortdurend aan de telefoon om te vragen of zij hier of daar met hem heen wilde gaan. En het was haar ook duidelijk dat er geen sprake meer was van een verloving *in het geheim.* Hij had er zorg voor gedragen het gerucht door geheel Bombay te verspreiden – en toespelingen te maken op nog veel erger dingen. Zij wist zeer goed dat hij haar in een scheve positie had gebracht, zodat de Europeanen in Bombay geneigd waren een andere kant uit te kijken als ze ergens verscheen.
Van de snobs kon haar dit niets schelen, omdat zij niet voornemens was zich in handels- of politieke kringen te gaan be-

wegen, maar aangenaam was het toch niet. Haar Zweedse aard kwam ertegen in opstand. Zij moest de zaak recht zetten. En in de grond was zij toch enigszins bang voor Botlivala. Hij behoorde tot de mensen die in staat zijn tot verraderlijke dingen – vooral wanneer zij in hun ijdelheid gekwetst worden. Mevrouw Trollope begon onverdraagzaam te worden; zij hing aan haar als een slak aan haar huisje.
Carol nam een teugje van Jellapores champagnemengsel en dacht: Je moet toch ièts doen, kind. Je moet zien dat je hier uitraakt. Zij zag geen ander heil in haar hele omgeving dan kolonel Moti en zijn vrouw – die zij nauwelijks kende – en Buck.
Haar gedachten zweefden weg van haar gecompliceerd, onbetekenend bestaan naar Buck en ontstellend duidelijk rees zijn beeld voor haar geestesoog op. Zij ontdekte dingen aan hem, die zij tot dusverre over het hoofd had gezien – geen dingen zoals de blauwe kleur van zijn ogen en zijn vierkante kaken en de sierlijkheid van zijn grote, werkzame handen, maar de manier waarop hij lachte, zijn eenvoudige vriendelijkheid, de wijze waarop hij zich amuseerde.
In sommige opzichten had hij verwonderlijk veel van Bill weg. Alle aangename eigenschappen van Bill bezat Buck ook, doch geen enkele van diens onaangename karaktertrekken – niets van de zwakheid van iemand die zich altijd verveelt, niets van dat air van wat kan mij de hele boel bommen. Dat was juist het gevaarlijke van Bill. In zekere zin besmette hij iedereen in zijn omgeving met zijn gemakkelijk aanvaardbare filosofie dat alleen het genieten van het ogenblik iets te betekenen had. Toch hield zij van hem, zelfs als hij onuitstaanbaar was.
Doch zij zette hem spoedig uit haar gedachten, om alleen aan Buck te denken. Zij wilde wel dat hij thans bij haar kon zijn en dat er niemand was in het witte, marmeren paviljoen achter haar – niet een van al die verveelde, vermoeide mensen

die zaten te gokken in de koele marmeren zaal en wier tegenwoordigheid deze plaats scheen te ontwijden.
Zij verlangde ernaar met hem alleen te zijn op een of andere afgelegen plek, zoals hier. Behalve toen zij samen in de taxi zaten, hadden zij nooit gelegenheid gevonden eens te praten zonder dat er anderen bij waren die de atmosfeer bedierven, en het samenzijn tot een scène, een gesprek, maakten, dat plaatsgreep op een toneel of op een film.
Zij werd zich er nu van bewust dat er iets was veranderd in de aard van haar bestaan tijdens hun bezoek aan de Moti's. Wat er was gebeurd, zou zij niet hebben kunnen zeggen, behalve dat alle glans was verdwenen van wat zij vroeger als vermaak had beschouwd. Zij zag in dat zij dáárom alleen hier op het terras lag, in plaats van met de anderen te spelen. Was dit misschien het begin van de verandering waarnaar zij had uitgezien? En opnieuw viel het haar in dat mevrouw Trollope het misschien nog niet zo helemaal mis had met haar onzin over voorspellingen.
Gebeurtenissen, omstandigheden, de atmosfeer zelf schenen soms vat op je te krijgen en je voort te drijven, of je wilde of niet. Dat was het geval geweest met mevrouw Trollope. Daarom geloofde misschien Stitch aan voorspellingen van helderzienden.
Carols gedachten gingen terug naar Buck en naar de middag van die dag in de trein, toen zij hem had zien krimpen onder de lichamelijke pijn die hij leed en die haar zulk een schrik had aangejaagd. De gedachte kwam bij haar op dat zij wellicht de enige was die hem kon helpen.
Met een glimlach om de lippen zei zij tot zichzelf: „Lieve kind – je bent toch niet verliefd geworden? Dat zou de klap op de vuurpijl zijn: jij, getrouwd met een zendeling!!"
Eensklaps drong boven het ruisen van het water en de palmbladeren een ander geluid uit het paviljoen tot haar door. Het was het rammelen van fiches.

Zich op de elleboog oprichtend, dacht zij: Het is weer zover! Ze is weer aan het spelen. Ze waren aan het bridgen, maar zij heeft net zolang gepraat tot ze gingen pokeren. Ze verspeelt het hemd nog van haar lijf!
Zij stond op en trad het paviljoen binnen om mevrouw Trollope zo mogelijk tegen zichzelf te beschermen – en voor het einde dat de helderziende haar had voorspeld, te behoeden.
In de kleine zaal zag Carol onmiddellijk aan het bleke, wanhopige gezicht, dat mevrouw Trollope weer had verloren. Zij wierp Carol een haastige, smekende blik toe en Carol dacht: Zij raakt al haar geld kwijt – en wat moet er dan van haar worden? Dan krijg ik haar op mijn dak – en ik heb ook geen cent meer. Het zou niet de eerste keer zijn dat mensen zich aan haar vastklampten; dat was al vaak genoeg gebeurd, hoe, dat wist ze niet precies! Ze wist alleen dat het grootste gedeelte van haar geld was uitgegeven aan mensen die zich aan haar hadden vastgeklampt.
Carol nam plaats aan de tafel en wenkte Joey om haar een stapeltje fiches te geven. Haar aanwezigheid scheen mevrouw Trollope een hart onder de riem te steken en haar zelfvertrouwen te doen herleven.
Doch het hielp haar niets. Zij bleef verliezen en Carol zelf had ook geen veine. Zij kon er niet achter komen hoeveel mevrouw Trollope had verloren, doch het moest heel wat zijn. Zelf verloor zij meer dan vierduizend ropijen – veel meer dan zij missen kon. Het grootste deel daarvan kwam in handen van de barones terecht, die als een spin met een schildpadkop het enige ter wereld waar ze van hield, zat te vergaren.
Het wilde vanavond niet vlotten met het spel en met het gezelschap. In plaats van te blijven en Joey voor een picknicksouper te laten zorgen, keerden allen naar Bombay terug; niemand had er iets op tegen. Toen zij weggingen, zei Carol tot Jellapore: „Het is prachtig, dit paleis."
Grinnikend antwoordde hij: „Ja, maar niet voor dit soort

gezelschap. Het is gebouwd voor *l'amour*. Als je nog eens een tweede huwelijksreis gaat maken, zal ik het tot je beschikking stellen."
„Er is geen sprake van een tweede huwelijksreis," antwoordde zij met een holle toneellach.
Hoe meer zij de stad naderden, hoe drukkender de hitte werd en hoe minder spraakzaam het gezelschap. Mevrouw Trollope zat met Carol in dezelfde auto. Toen zij voorstelde samen te gaan dineren, antwoordde Carol: „Nee, ik ben vermoeid. Ik ga in bed liggen en wat eten en dan ga ik slapen."
Toen zij in het hotel kwamen, wilde Botlivala per se met haar dineren en Carol moest haar toevlucht nemen tot harde woorden om hem van zich af te schudden.
„Wat heb ik eraan om op die manier verloofd te zijn?" liet hij zich schamper ontvallen, waar Carol onmiddellijk op liet volgen: „Ik ook niet; laten we er dan een eind aan maken."
Deze woorden joegen hem schrik aan; hij zei: „Je weet wel dat ik het zo niet bedoelde."
„Maar ik wèl, en ik wil er niet verder over spreken."
Eigenaardig: Botlivala leek plotseling een vreemde voor haar, iemand die ze nooit tevoren had gezien. Hij was niet alleen maar een lastig, pedant mannetje, dat zij in een goed humeur trachtte te houden. Vanavond had hij iets hatelijks en dreigends over zich.
De deur van de lift werd geopend. Zij stapte in en werd omhooggevoerd juist op het ogenblik dat Botlivala weer uit zijn woorden kon komen en een scène wilde maken.
Onderweg veranderde zij eensklaps van gedachten en verzocht de liftjongen te stoppen op de verdieping waarop Bill zijn kamer had. Zij voelde er niets voor om alleen te blijven. Zij had tegen mevrouw Trollope gelogen toen zij zei dat zij in bed iets zou eten en dan gaan slapen. Zij zou onmogelijk in slaap kunnen komen, nu mevrouw Trollope en Botlivala het haar beiden zo lastig hadden gemaakt. Haar zenuwen waren

tot het uiterste gespannen. Zij dacht: Misschien hebben ze beiden wel het boze oog. Stitch tenminste ziet er wel naar uit. Bill, dacht zij verder, zou haar wel weer aan het lachen maken en in een goed humeur brengen. Daarom liep zij op zijn deur toe en klopte aan. Zij hoorde zijn stem antwoorden: „Binnen!" en duwde de deur open.
Hij had juist een douche genomen en stond in zijn korte onderbroek, bezig een nethemd over zijn hoofd te trekken. Toen zij hem zo aanschouwde, dacht zij: Verduiveld, het is toch een aardige vent! Als er van binnen maar wat in hem stak!
„Ga zitten, kind," noodde hij. „Ik ben zó aangekleed."
„Okay."
Zij ging zitten en voelde zich al dadelijk opgelucht door Bills grinnikend gezicht.
„Mag ik je vragen wat een dame er op dit uur toe brengt me met een bezoek te vereren?"
„Ik had niets om handen. En ik moest zien van Trollope en Botlivala af te komen."
„Waar zijn jullie heen geweest?"
„Heb je mijn briefje dan niet ontvangen?"
„Welk briefje?"
„Dat ik beneden voor je heb achtergelaten."
„O!" Hij maakte de knoopjes van zijn hemd vast en keek ernstig. „Ik heb beneden niet gevraagd of er iets voor me was. Ik heb een verduiveld drukke dag achter de rug; ik heb orde moeten stellen op Hinkles zaken. Hij is dood en nu heeft de ouwe heer mij in zijn plaats aangesteld."
„Heb je dat aangenomen?"
Hij strikte zijn das voor de spiegel en keerde zich toen om.
„Bij mijn ouwe heer is er nooit kwestie van aannemen of niet. Je hebt eenvoudig te doen wat hij commandeert, of anders. . ."
„Dat betekent dus dat je hier blijft?"
„Ja, verduiveld nog toe."
„Ik dacht dat je het prettig zou vinden."

„Ik ook."
„Waar is Buck?" vroeg Carol.
„Dat zul je horen." Bill knikte met het hoofd in de richting van Bucks kamer. „Hij ligt dáár. Toen ik thuiskwam, vond ik hem op bed en kon hem met geen mogelijkheid wakker krijgen. Hij was absoluut buiten bewustzijn. Moti is hier geweest. Hij zei dat hij dat al meer had gehad. Het wordt veroorzaakt door uitputting."
Hij bestudeerde Carols trekken nauwkeurig en ontdekte daarin wat hij had gevreesd te zullen ontdekken.
„Moeten we niet voor een verpleegster zorgen, of zo iets?" vroeg ze.
„Moti zegt dat er geen goeden te krijgen zijn; er zijn er maar een paar in heel Bombay en er heerst nogal veel tyfus."
„Je was toch niet van plan uit te gaan en hem alleen te laten?"
„Moti zei dat het niets hinderde. Hij beweerde dat Buck zo zou blijven liggen tot morgenochtend en zich dan vermoedelijk veel beter zou voelen. Dit is een van de weinige keren dat hij werkelijk goed slaapt."
„Ik zal wel bij hem blijven," zei Carol.
„We kunnen evengoed samen blijven," antwoordde Bill. „We zullen wat eten boven laten brengen. Ik zal Silas roepen."
Silas kwam met een veelzeggende en spottende blik in de ogen binnen. Bill bestelde twee borrels.
Toen Silas weer weg was, zei Bill: „Die draai ik nog eens zijn nek om."
„Waarom?"
„Als je ogentaal kunt begrijpen – hij keek te onhebbelijk om zich heen."
„Misschien het enige genoegen dat hij kent."
„Wilde je de badkamer gebruiken? Het zal er wel slordig zijn."
„Dat hindert niet; de rommel ruim ik wel op."
Toen ze de deur achter zich had dichtgedaan, ging Bill naar de deur van Bucks kamer en sloot die vlug en geruisloos.

Met een werkelijk sensationele vlugheid kwam Silas met de borrels terug. Bill dacht: Hij wil niets missen, en zei daarop: „Zeg nu tegen de kelner dat we hier willen dineren en breng me het menu."
De zwarte ogen schitterden. „Sahib," antwoordde Silas, „kan hier niet dineren."
„Waarom niet?"
„Niet toegestaan."
„Doe wat ik je zeg," snauwde Bill met een van zenuwen en hitte vuurrood gezicht. „Ik wil het diner voor mij en memsahib hier. Zeg hem tafels en stoelen te kopen of te huren. Ik zal er wel voor betalen, maar ik zal hier eten."
„Okay," zei Silas. Zijn zwart gezicht nam een vrolijke uitdrukking aan. Hij zou naar beneden gaan en de gerant dreigen. Als bediende van een „grote heer" bezat hij opeens macht. Hij wist al lang dat zijn heer een „grote heer" was, maar hij verachtte hem, omdat hij er nooit naar handelde. „Grote heren" waren bullebakken die vloekten en snauwden en hem soms een trap gaven. Nu was Silas gelukkig; hij kon het hoofd ophouden.
Toen Carol uit de badkamer terugkwam, zag ze dadelijk de gesloten deur. „Waarom heb je die deur dichtgedaan?"
„Ik was bang dat ons gesprek hem zou storen."
„Maar we zouden het niet horen als er iets gebeurde."
Hij keek haar onderzoekend aan. „Ik zal af en toe eens gaan kijken."
Hij bood haar de borrel aan. „Dat zal je opkikkeren," zei hij.
„Ik voel me best."
Na enige tijd verscheen de chef-kelner in eigen persoon, gevolgd door de triomfantelijk glunderende Silas. Hij had de opdracht overgebracht; met de regel van het huis werd gebroken. De chef was onderdanig, maar de blik in zijn zwarte ogen werd bij het zien van Carol even spottend en veelzeggend als dat bij Silas het geval was geweest.

Bill bestelde een eigenaardig diner, zoals hij eens, lang geleden, voor hen had besteld, toen Carol nog bij de revue was. Carol moest glimlachen terwijl ze luisterde. Toen Bill haar vroeg: „Is het zo in orde?" antwoordde ze: „Het klinkt een beetje vrolijk."
„Nu? Waarom niet?"
Nu Bill openlijk de „grote heer" had gespeeld, was de bediening onberispelijk. Er werden een tafel en stoelen gebracht en er verschenen bloemen op het helderwitte tafellaken. De chef boog en vroeg: „Wenst u ook de radio?"
„Nee, dank je," antwoordde Bill. Maar opeens riep Carol: „Ja."
„Je kunt er toch niets anders dan Indische muziek uit krijgen."
„Ik zou het toch prettig vinden; het zal wat vrolijker zijn."
De chef bracht de radio binnen; het was een ouderwets toestel uit de kamer van de gerant. Toen Carol het zag, begon ze te lachen en vroeg toen weer ernstig: „Zal het Buck niet wekken?"
„Nee, Moti zegt dat niets hem in die toestand kan hinderen."
Bill had gelijk gehad; er was alleen Indische muziek. Hij begreep daar niets van, maar Carol zei: „Ik houd er wel van. Ze brengt me nader tot Indië dan iets anders, behalve mijn reis naar Jellapore."
Maar het was steeds hetzelfde. Toen het eten werd opgediend, klaagde Bill over de soep, hoewel Carol er niets op aan te merken had. De hele atmosfeer scheen verzuurd en verkeerd, evenals op die tocht naar het mooie paleisje van Jelly. Carol voelde het dadelijk en ze wist dat Bill het ook zo voelde, maar dat maakte hem in haar ogen nog onaangenamer. Hij gaf zich nooit de moeite zich af te vragen waarom alles verkeerd ging. Misschien ben ik de oorzaak, dacht ze. Of misschien zijn het de sterren.
Bill bestelde nog een fles champagne en tegen het einde van het diner vroeg hij botweg: „Wat is er eigenlijk met je aan de hand, Carol?"

„In het geheel niets. Waarom?"
„Je bent zo terneergeslagen – niets voor jou."
„Ik verveel me gruwelijk."
„Dank je."
„O, niet door jouw schuld. Door alles. Er deugt niets meer."
„Wat deugt niet?"
„De hele boel. Dit hele leven. Het is veel te ongeregeld."
Bill grinnikte. „Dat kan ik niet ontkennen."
Ze dronk een vol glas champagne leeg en vroeg toen: „Zouden we niet even naar Buck gaan kijken?"
Hij stond haastig op. „Ik zal wel even gaan."
Ze had zelf willen gaan, maar hij was haar te vlug af. Ze wachtte tot hij terugkwam en zei: „Alles wel, hij slaapt vast."
Hij ging weer zitten en keek haar aan, nog nadenkend over die nieuwe afwezigheid die soms over haar kwam. Toen vroeg hij op de man af: „Zit je zonder geld?", waarop ze onmiddellijk antwoordde: „Nee, waarom denk je dat?"
„Zo maar. Ik dacht alleen dat als ik het maar heel onverwacht vroeg, ik de waarheid wel zou horen."
„Slimmerd!"
„Ik ben blij dat we samen gedineerd hebben. Ik wou het een en ander met je bespreken."
„Vooruit maar."
„Je maakt het me niet erg gemakkelijk."
„Dat spijt me." Ze was zich ervan bewust dat ze maar half luisterde en in werkelijkheid aan Buck dacht.
„Ik vertrek morgenavond om een rondreis te maken door Indië en Birma," liet hij erop volgen. „Ik weet niet wanneer ik terugkom. En nu zijn er een paar dingen die ik vóór die tijd in orde zou willen brengen."
„Goed idee."
„Ik zou weer met je willen trouwen."
„Nee," zei zij snel. Toen glimlachte zij. „Dat was wel wat je noemt een bliksem-huwelijksaanzoek."

„Ik ben op je verliefd. Dat ben ik vroeger nooit geweest."
„Dat weet ik."
„Ditmaal zou het werkelijk beter gaan."
„Nee, het zou net eender worden."
„Ik ben veranderd."
„Nee, niet waar."
„En jij ook."
„Nee, ik ook niet."
„Jawel, anders zou ik niet verliefd zijn geworden."
„Hoe kun je het verschil dan weten?"
„Er is heel veel verschil, maar vraag me niet hoe ik dat weet."
Ze antwoordde niet en hij hernam: „En zit niet zo te grinniken."
„Ik lach je toch niet uit. Maar je bent altijd zo optimistisch. Je blijft altijd een kind."
„En je hebt beweerd dat je daarom juist van me hield."
„Ja, maar op een zekere leeftijd wordt het kind uit het sprookje eenvoudig een geval van een geremde ontwikkeling."
Hij werd bijna boos en moest er toch eigenlijk om lachen. „Jij met je verduivelde aardigheden!"
Tegelijkertijd kwam een nieuwe emotie, die hem plaagde, weer krachtig naar boven. Nooit was ze hem zo mooi en zo begerenswaard voorgekomen als nu, maar het was iets boven en behalve datgene, wat de emotie gevaarlijk maakte – een verlangen haar voor zijn hele verdere leven bij zich te hebben, haar te koesteren, haar het leven gemakkelijk te maken. Als hij haar niet kreeg, zou hij zijn leven lang eenzaam blijven. Hij was zich daarvan met een eigenaardige, verontrustende zekerheid bewust. Wat er ook met hem mocht gebeuren, met wie hij ook zou trouwen, hij zou altijd eenzaam zijn en naar haar verlangen.
Hij had haar hand gegrepen en blikte in haar blauwe ogen. „Ik meen het eerlijk," zei hij. „Ik meen elk woord dat ik zeg. Als je weer met me wilt trouwen, zal ik een model-echtgenoot zijn. Ik zal hard werken. Ik zal het leven tot een succes maken."

Zij glimlachte.
„Nee, Bill. Dat zou nergens toe dienen. Als je zó moest worden, zou je Bill niet meer zijn – althans niet *mijn* Bill. Ik zou niets van je moeten hebben. Je zou me gruwelijk vervelen. . . en als je niet veranderde, zouden we beiden in de goot eindigen."
Zij sprak op ernstige toon, doch het was haar hart dat sprak – niet haar verstand. Haar verstand was wel degelijk in verleiding gebracht. Het zou zo gemakkelijk zijn als ze Bill had om de weg voor haar te effenen; geen zorgen meer voor de toekomst; zich over niets druk behoeven te maken.
„Nee, het zou niet verstandig zijn; doe geen dwaze dingen," herhaalde haar hart en ze wist dat haar hart altijd gelijk had.
Hij liet haar hand los en stak een sigaret op. „Ik heb nooit met je kunnen praten," merkte hij op.
Zij stond op. „Ik ga eens naar Buck kijken."
Zij verdween in Bucks kamer.
Ditmaal had zij hem verrast; ze was al bij de deur voordat hij het kon verhinderen. Hij zag haar door de deur verdwijnen en rookte zijn sigaret zonder zijn ogen van de deuropening af te wenden. Hij fronste het voorhoofd en zijn ogen stonden nadenkend, alsof hij iets in zijn binnenste zocht.

Het enige licht in de kamer waar Buck lag, was het schijnsel dat door de deur uit Bills kamer binnenviel. Eerst kon Carol niets zien, maar toen zag ze Buck in het halfduister.
Hij lag op zijn zijde, met de ene arm over zijn hoofd. Hij sliep rustig. Carol dacht: Wat ziet hij er zo goed uit! Hoe vriendelijk! Hoe onbedorven! Zij sloeg de schoonheid van zijn gelaat gade. Het wekte de lust in haar op om te gaan wenen. Zij dacht aan de reis in de trein en hoe zij had geholpen om de pijn te verdrijven door over het verwarde, krullende haar te strijken. Toen had dit haar niet ontroerd; thans evenwel voelde zij zich door ontroering overweldigd. Zij bleef hem geruime tijd gadeslaan.

Ten laatste verliet zij het vertrek weer. Terwijl zij de deur achter zich sloot, dacht zij: Wat idioot! Als ik Bill aankijk, zal ik nu natuurlijk een kleur krijgen – en dat wil ik niet. Ze zag dat hij haar bijzonder opmerkzaam aankeek en ze dacht: Bill is jaloers, Bill, die nooit jaloers geweest is. Zij liep naar de tafel, terwijl haar het hart in de keel klopte.
„Okay, hè?" vroeg Bill.
Zij ging zitten en nam haar glas champagne op. „Ja. Hij slaapt."
„Het is Buck toch niet, die tussen ons beiden is gekomen?" vroeg Bill.
„Dat is een zonderlinge manier om het in te kleden."
„Je weet wel wat ik wil zeggen. Je moet het zelf ook wel gevoeld hebben dat jullie beiden bij elkaar passen. Ik heb het gevoeld."
„Ik weet het niet. Ik geloof het werkelijk niet."
Bill grinnikte boosaardig. „Kijk eens aan! Liefde op het eerste gezicht!"
„Nee, dat is het niet."
„Een pracht van een vrouw zou jij zijn voor een zendeling."
„Misschien heb ik daar ook weleens aan gedacht."
„Is het al zover gekomen?"
„Nee, dat niet, maar ik heb wel wat fantasie."
„Net als in een goedkope vervolgroman."
Zij stond op.
„Ik ga naar bed. Blijf jij bij Buck?"
„Misschien ga ik even naar de bar om wat te gebruiken."
„Als je nu wilt gaan, zal ik wel op je wachten."
„Nee, ik blijf hier. Ik ga alleen even naar beneden om wat lectuur te halen; ik ben zó terug."
„Goed."
Hij opende de deur voor haar.
„Het spijt me dat het feestje niet beter is uitgevallen. Het was mijn schuld."

„Ik heb het erg prettig gevonden."
„Dat kan ik niet zeggen; het was niet zoals vroeger. We hebben altijd samen schik gehad."
Ze glimlachte. „Misschien is het omdat je verliefd bent – als je de waarheid gesproken hebt – en ik niet."
„Misschien kom je daar nog eens toe," zei hij schouderophalend.
„Misschien; een vrouw weet het nooit zo precies, maar je moet er niet op rekenen."
Hij greep haar hand.
„Kus me goedenacht."
„Als je wilt."
Hij kuste haar en hield haar enige tijd in zijn armen, alsof hij haar op deze wijze tot andere gedachten zou kunnen brengen. Terwijl hij haar zo tegen zich aan hield, begon ze te lachen. Onmiddellijk liet hij haar los en deed een schrede achteruit.
„Wat is er voor grappigs aan?"
„Ik ben heus niet verliefd op je, Bill. Het deed me niets."
„Als je niet zo vervloekt openhartig was, zou het leven heel wat aangenamer zijn."
Carol lachte nog steeds.
„Wel te rusten, beste jongen. En bedankt voor het diner."
„Ik zal wel op Buck passen," zei Bill.

In de gang voor de deur zat Silas. Hij sprong overeind en maakte een salaam voor haar. Carol liep vlug naar haar kamer; ze wilde alleen zijn. Onderweg nam ze zich voor naar bed te gaan, het licht uit te draaien en over alles eens na te denken, maar toen zij de deur van haar kamer opende, zag ze mevrouw Trollope voor het raam naar buiten staan kijken. Toen Stitch zich omkeerde, bemerkte Carol dat zij gehuild had.
„Hallo! Hoe ben je binnengekomen?" vroeg Carol.
„Je bediende heeft me binnengelaten; ik had het niet moeten doen, maar kon niet alleen blijven; ik dacht gek te worden."

„Ga zitten. Ik zal wat laten halen om te drinken."
Carol opende de deur en droeg Krisjna op een paar glazen te gaan halen; daarop, de deur achter zich toetrekkend, zei zij: „Waarom heb je haar binnengelaten? Je mag niemand in mijn kamer laten."
Krisjna maakte een salaam en antwoordde: „Wist niet, memsahib; wist niet."
„Nu, schiet maar op en haal wat te drinken."
Toen zij weer binnenkwam, zag zij dat Stitch zich op een gewone stoel had laten neervallen; zij zat geheel in elkaar gedoken. Carol ging op haar bed zitten. Mevrouw Trollope begon te huilen.
„Ik zit aan de grond. Ik heb al mijn geld verloren. Ik kan niet eens de rekening van het hotel betalen. Ik kan mijn kleren niet betalen. En bij mijn zuster kan ik niet terugkomen. Ik weet niet wat ik moet beginnen. Wat moet ik doen? Wat kan ik doen?"
Carol liep op haar toe, legde de arm om haar schouders en zei: „Kom, kom, we zullen er wel weer uit zien te komen."
Doch mevrouw Trollope begon te gillen.
„Raak me niet aan! Ik geloof dat ik krankzinnig word. Niemand anders kan me redden dan jij!"
Op dit ogenblik werd de deur geopend en kwam Krisjna binnen met de glazen op een blad. Carol wisselde een snelle blik met de onthutste jongen, die de glazen neerzette en verdween. Hij had al heel wat scènes in dienst van de maharadja beleefd en beschouwde alle Europeanen als een beetje getikt. Het schreeuwen van mevrouw Trollope was niets bijzonders voor hem.
Toen hij de deur achter zich had gesloten, dacht Carol aan haar eigen slaapmiddel. Zij deed een dosis ervan in een der glazen en reikte dit mevrouw Trollope toe met de woorden: „Hier, dat zal je kalmeren. Het heeft geen nut zo tekeer te gaan."

Gehoorzaam als een kind dronk Stitch het slaapmiddel uit en toen begon zij te praten. Zij vertelde alles, voor zover zij het zich kon herinneren, van haar prille jeugd af; van haar leven als kind in het kamp in Australië, hoe ze naar Londen was gestuurd om een dame van haar te laten maken, hoe ze daar getrouwd was met de opzichtige Jim Trollope, die haar genomen had om haar geld, hoe hij was gearresteerd en in de gevangenis geworpen, van de schande, toen zij tot de conclusie kwam dat zij een man had die in de gevangenis zat en geen cent om van te leven; hoe zij eensklaps op het denkbeeld was gekomen naar Australië te vluchten, in Bombay aan wal was gegaan en hoe zij nu alles had verloren. Zij was een schipbreukelinge, gestrand in Bombay, alleen en zonder vrienden. Toen zij haar biecht had geëindigd, keek Stitch Carol aan en zei: „Als we hier maar vandaan konden, zou alles nog in orde komen. Waarom zouden we niet samen naar Amerika gaan? Ik ben ervan overtuigd dat ik daar wel een betrekking zou krijgen. Als er maar iemand was die me wat geld wilde lenen, zou ik me wel weer weten te redden."
„Ik heb ook geen geld," sprak Carol. „Ik zit zelf aan de grond."
In de ogen van Stitch stond haar ongelovigheid te lezen.
„Wat – met al die juwelen?"
Haar blikken werden hard, bijna vijandig.
„Dat is geen contant geld," zei Carol en voegde erbij: „En de meeste zijn niet eens van mij. Ik heb ze maar te leen."
Mevrouw Trollope stond op en ging weer voor het venster naar buiten staan kijken. Haar rug was welsprekend. Daarop stonden de woorden te lezen: „Je bent net als de anderen. Je liegt me wat voor. Je wilt niet eens trachten me te helpen."
Carol dacht: Wat moet ik met haar beginnen? En toen werd er op de deur geklopt. Zij stond op om open te doen.
Bill stond buiten; ze begreep dadelijk dat er iets naars aan de hand was. „Buck heeft weer een aanval. Hij heeft naar je gevraagd."

„Ik ga dadelijk naar hem toe," antwoordde zij haastig. „Maar dan zul jij je met mevrouw Trollope moeten bemoeien."
Zij gunde zich niet eens de tijd om zich te verontschuldigen bij mevrouw Trollope, doch liet haar alleen met Bill, die haar vertelde wat er was gebeurd.
Carol snelde de trappen af naar Bucks kamer, met angst in het hart. En toch voelde zij zich tegelijkertijd gelukkig, omdat hij naar haar gevraagd had.
Hij lag voorover, met het gezicht in het kussen gedrukt. Hij wist niet dat Carol in zijn kamer was, voordat zij zijn hoofd met haar hand aanraakte. Het blonde, krullende haar was doornat van het zweet.
Bij de aanraking van haar hand ontspande zich zijn lichaam een weinig en hij vroeg: „Ben jij daar, Carol?"
„Ja, lieve," antwoordde zij. „Wat kan ik doen om je te helpen?"
„Doe maar hetzelfde als toen in de trein."
De uitwerking van de aanraking van haar vingers grensde aan het wonderbaarlijke. Het was alsof al de spieren in zijn hele lichaam, pijnlijk en gespannen als koorden, zich ontspanden. De pijn was weliswaar nog niet verdwenen, doch hij kreeg nu een vredig gevoel dat zijn lichamelijk leed verzachtte, verdoofde.
Toen de pijn afnam, zei hij: „Het spijt me dat ik je lastig ben gevallen. Ik heb geprobeerd geen lafaard te zijn, maar soms is de pijn zo erg, dat ik het niet kan uithouden."
„Beste jongen, telkens als je me voor iets nodig hebt, kun je me laten roepen," antwoordde zij.
Zij ging voort met over zijn vermoeide hoofd te strijken, met volle toewijding, alsof zij bezield was met de wil haar eigen heerlijke gezondheid door de toppen van haar vingers in zijn afgemat lichaam te doen overgaan. Zij dacht: Misschien ben ik wel een wonderdoenster. Misschien doet een wonderdoenster net als ik nu.
Zij voelde het lichaam naast haar verslappen. Buck lag dood-

stil en Carol begreep dat hij door uitputting weer in slaap was gevallen. Doch zij ging voort met haar hand over zijn hoofd te strijken, uit vrees dat hij zou kunnen ontwaken als zij ermee ophield – en omdat het haar gelukkig maakte. Zij had zo kunnen voortgaan, zonder ooit op te houden.
Haar geest verviel in een halve droomtoestand. Zij hoorde kolonel Moti's kloppen op Bucks deur niet, noch het geluid dat de deur maakte toen hij ze opende, omdat niemand antwoordde. Zij wist niet dat hij in de kamer was, voordat zij zag dat hij zijn grote, zwarte, doordringende ogen, die alles zagen en alles wisten, op haar gericht hield.
Op zenuwachtige toon zei zij halfluid: „Het is alweer in orde. Hij slaapt."
Voorzichtig stond zij van het bed op, uit vrees dat Buck zou kunnen ontwaken. Zij voegde erbij: „Wij kunnen wel in de kamer hiernaast gaan om te praten – tenzij u hem alleen wilt spreken."
„Nee," antwoordde de kleine bruine man. „Er is niets dat hij zo hard nodig heeft als slaap."
Daarop ging Carol naar Bills kamer, gevolgd door de kolonel. Zij ging zitten en zei, als om zich te verontschuldigen: „Hij heeft mij laten roepen."
„Dat weet ik," antwoordde kolonel Moti, tegenover haar plaats nemend. „Hij heeft mij verteld dat u hem in de trein had geholpen. Ik had eigenlijk in het geheel niet behoeven te komen," liet hij erop volgen, „want ik kan toch niets voor hem doen. Ik zou ook niet gekomen zijn, maar Wainwright deed zo zenuwachtig aan de telefoon."
„O, Bill! Die kan iemand geen pijn zien lijden. Dat brengt hem geheel van zijn stuk."
„U niet?"
„O, nee."
Moti zag haar scherp aan.
„Wat wilt u eigenlijk van hem?"

„Niets. Waarom? Wat bedoelt u?"
Een glimlach gleed over Moti's trekken.
„Nu – de meeste vrouwen hebben het een of ander op het oog: een huwelijk, of geld, of een positie, of martelaarschap of iets anders. Buck heeft u niets aan te bieden – zelfs geen martelaarschap. Ik denk ook niet dat u dat wenst. Ik ken u niet goed en wat ik gezien heb, begrijp ik niet. U doet alsof u zich schaamt over wat u bent."
Deze woorden brachten haar een ogenblik van de wijs, maar toen ze erover nadacht, vlug en zoals haar brein altijd werkte, werd ze boos en vroeg: „Hebt u daar iets mee te maken?"
„Ja," antwoordde Moti. „En wel om drie redenen. Ten eerste omdat ik verbazend veel belang stel in mensen, ten tweede omdat Buck, niettegenstaande verschil in kleur, ras en religieuze achtergrond, degene is van wie ik het meest in de wereld houd en ten derde omdat hij verbazend belangrijk is."
Ze had wel willen zeggen: Ik weet wat u bedoelt; ik houd ook van hem, maar weet niet waarom. U en ik zouden goede vrienden kunnen zijn, maar dat is wat al te haastig. Ze zei slechts: „Ja, dat zijn goede redenen."
„Ik heb een merkwaardige vrouw," vervolgde hij. „U kent haar, geloof ik?"
„Jawel, ik heb haar ontmoet."
„Zij houdt ook van Buck. Ik zou bijna zeggen dat ze ook van u houdt, omdat u hem gelukkig maakt."
„Maak ik hem gelukkig?"
„Hij was geheel veranderd toen hij laatst met u aan het instituut kwam. Zij merkte het onmiddellijk op."
Carol voelde zich gelukkig door deze woorden, maar ze wist niet waarom. Zij hoorde kolonel Moti zeggen: „En nu kom ik tot u met een buitengewoon verzoek."
„Wat is dat verzoek?" vroeg zij. „Als ik er Buck mee kan helpen, zal ik het doen."
„Wat ik van u vraag," ging hij voort, „is dit. Ik kom u vragen

om met Buck weg te gaan, het komt er niet op aan waarheen, maar ergens buiten Bombay, en weg van de domme mensen die de renbaan, de Tau en de Malabar Hill vullen. Bijvoorbeeld naar Oedaipoer, Travancore, Cochin – een of ander romantisch, schoon plekje, waar u met hem alleen bent. Ik wil hebben dat u met hem weggaat. Ik wil hebben dat u een ziek lichaam en een zieke ziel geneest. Ik wil hebben dat u hem leert hoe en wat een vrouw kan zijn, als zij slechts wil – dat zij een kameraad kan zijn die bij hem past. Hij heeft zonderlinge denkbeelden over vrouwen. Hij is niet bitter of cynisch, alleen maar onwetend. Hij denkt dat alle vrouwen zijn zoals dat monster – zijn vrouw."

„En waarom denkt u dat ik dat alles kan bereiken?"

„O, ik weet het niet zeker. Maar ik hoop het. En als er iets gedaan wordt, moet het snel gebeuren."

Hij zag er eensklaps grimmig uit, zodat Carol bang werd. Hij zou toch niet bedoelen dat Buck zou kunnen sterven? O, nee, nee – dat niet! Hij mocht niet sterven!

„En het zwaarste van alles is," ging Moti voort, „dat u hem moet verlaten als hij weer in orde is en dat u hem nooit mag terugzien. U zou nooit met hem kunnen trouwen. U zou hem niet kunnen assisteren, wanneer hij weer aan zijn werk gaat. U zou de vuiligheid, de stank, de hitte, de ziekten en de lange uren niet kunnen verdragen. U zou hem nooit de morele steun kunnen verschaffen die hij nodig heeft. Houd het mij ten goede dat ik zo openhartig spreek. Het is bijna onmogelijk voor u om als Merrills vrouw naar Jellapore terug te keren, na de manier waarop u zich daar hebt gedragen. Iedereen in Jellapore kent u, zelfs de bewoners van de jungle. Ik kom u misschien hardvochtig voor, doch ik spreek verstandig met u. Mijn vrouw beweert dat u verstandig bent."

Carol glimlachte, doch er lag iets hards in haar glimlach.

„Misschien ben ik verstandig – misschien ook niet. Maar in de regel weet ik wel wat ik wil."

„Wilt u het doen?" vroeg hij op de man af.
„Ik kan hem niet met geweld ontvoeren," antwoordde zij sarcastisch.
„U zult het zo moeten aanleggen dat hij daar zelf naar verlangt," zei hij. „U kunt het doen."
„Waarom denkt u dat?"
„Waar komen al uw juwelen vandaan? Ali heeft me erover verteld."
„Ze zijn niet van mannen als Buck afkomstig."
Vreemd, dacht ze, dat ze niet boos of beledigd was. Ze bewonderde Moti eigenlijk om zijn eerlijkheid, zijn duidelijke taal, op de man af, zonder omhaal. Zo'n gesprek had ze nog nooit gevoerd. Ze was er zich van bewust dat hij veel respect toonde voor haar eerlijkheid en intelligentie. Hij had zelfs erop gezinspeeld dat ze zowel nodig als bruikbaar was in de wereld. Ze begon van deze man te houden. Alles is klaar en duidelijk aan hem, dacht ze.
Hij stond op en zei: „Ik ga nu naar huis; ik heb het druk. Ik hoop dat u ons zult helpen. U zult er geen spijt van hebben. U zult een groots werk verricht hebben, niet alleen voor Buck, maar voor duizenden, misschien miljoenen arme, lijdende mensen. Wilt u dat?"
„Dat weet ik nog niet."
„Dat móét u weten. Er is niemand die Buck kan vervangen. Een tweede bestaat er niet, geloof me maar."
Met deze woorden nam hij afscheid en ging heen, haar alleen latend.
Zij liep naar het venster en bleef een tijd lang staan uitkijken over de duistere haven. Zij dacht: Het komt er niet op aan wat er met mij gebeurt. Misschien heeft hij gelijk. Misschien kan ik helpen. In ieder geval zit ik toch al op de schop.
De lichten van een zeilscheepje gleden voorbij, de enige lichten op de hele rede. Ze keek er een poosje naar en voelde zich voor het eerst van haar leven eenzaam, even eenzaam als die

arme mevrouw Trollope. Evenals zij behoorde ze nergens thuis, bezat ze geen wortels. Ze behoorde evenzeer in Bombay thuis als in een kleine plaats in Minnesota. Voor het eerst in haar leven voelde ze wat een vreselijk iets dat was, wat de oorzaak was geweest van alle dwaasheid en roekeloosheid in haar leven en dat dit het was wat Moti in staat had gesteld met haar te praten zoals hij dat zojuist gedaan had, om wat ze was geweest en om het vermorsen van alles wat haar geschonken was.
Hoewel ze het toen niet wist, lag haar kracht in de aanvaarding van alles wat de heftige kleine man te zeggen had, dat alles volkomen waar was, dat ze niet het slachtoffer was geworden van zelfmedelijden, egoïsme of een verlangen naar martelaarschap.
Na een poos wendde ze zich van het venster af en dacht met een zucht: Tja, waar voert het lot ons heen? Daarop liep ze de kamer door naar die van Buck.
Zij opende de deur en trad binnen. Op hem neerziend, dacht zij: Misschien is er iets dat ons bijeen zal brengen – iets, dat zelfs machtiger is dan de wil van kolonel Moti; iets, waartegen wij geen van beiden iets vermogen. En eensklaps voelde zij zich weer gelukkig, omdat zij vastbesloten was zich nergens iets van aan te trekken en erop vertrouwde dat alles wel recht zou komen, onverschillig hoe zij het aanpakte, zoals dat vroeger ook altijd was gegaan.
Zij zette zich naast hem op de rand van het bed neer en begon over Bucks hoofd te strijken. Zij dacht: Kon ik maar altijd zo zitten – dan zou ik gelukkig zijn.
Na enige tijd hoorde zij een stem, die zei: „Ben je daar, Carol?"
„Ja, lieveling."
„Je bent een schat, om zo voor me te zorgen."
Zij antwoordde niets, doch na een poosje kwam zijn hand omhoog en greep de hare. Toen keerde hij langzaam het hoofd om en kuste haar hand, die hij stijf in de zijne geklemd hield.

Een ogenblik voelde zij zich een onmacht nabij.
Daarop zei hij: „Ik wist niet dat er vrouwen bestonden zoals jij. Ik bedoel, ik kende niemand die zo lief, zo aardig was."
Hij zweeg even, naar woorden zoekend. „Ik bedoel. . . iemand, zo natuurlijk – zo eenvoudig."
„Dank je, Buck", zei zij en liet erop volgen: „Kolonel Moti is hier geweest. Hij heeft me een voorstel gedaan – over jou."
„Wat was dat voor een voorstel?"
Zij verzamelde al haar wilskracht om haar taak te volbrengen. Het kostte haar de grootste moeite om te zeggen: „Hij zei dat het een prachtig idee zou zijn als we samen weggingen – alleen – naar een plaats waar jij zou kunnen uitrusten en ik je kon verzorgen tot je weer beter bent."
Hij antwoordde niet onmiddellijk en zij werd boos op zichzelf. Zij dacht: Ik heb hem gekwetst.
Opnieuw al haar krachten te hulp roepend, vroeg zij: „Wat zeg je ervan?"
Op eigenaardige toon antwoordde hij: „Ik vind het een buitengewoon denkbeeld."
„Zou je er werkelijk lust in hebben, Buck?"
„Ja." Er lag plotseling een diepe ernst in zijn stem.
„Moti had het over twee of drie plaatsen. Ik herinner me de namen niet meer. Een ervan was Oedaipoer."
„Ik ben er nooit geweest. Men zegt dat het er prachtig is."
Eensklaps viel het haar in waar zij heen moesten gaan. Niet naar Oedaipoer of naar een van die andere plaatsen. Ze moesten naar Jai Mahal gaan – het heerlijk gelegen buitenhuis van Jellapore aan het strand van Joehoe.
„Ik weet al een heerlijk plekje."
Zij vertelde Buck van het huis.
Hij luisterde aandachtig toe. Toen zij klaar was, zei hij: „Ik heb niet veel op met de maharadja."
„Als je het plekje hebt gezien, zul je het heerlijk vinden."
Op dit ogenblik hoorde zij de deur van Bills kamer opengaan

en het geluid van onvaste schreden. In gespannen aandacht bleef zij zitten luisteren. Toen zij het geluid vernam van een stoel die omvergeworpen werd, stond Carol op. „Ik ga naar hem toe. Ik geloof dat hij dronken is," zei ze en voegde er dadelijk bij: „Zeg niets tegen Bill."
„Goed."
Zij trad Bills kamer binnen en zag dat zij goed geraden had. Bill trachtte met dronkemanswaardigheid zover voorover te buigen dat hij de stoel weer overeind kon zetten, hetgeen hem na enige moeite gelukte. Toen hij zich weer oprichtte, kreeg hij haar in het oog.
„Waarom heb je je mond niet opengedaan? Ik houd er niet van bespioneerd te worden."
„Dat was geen spioneren," antwoordde zij lachend.
Zij zag wel dat hij flink dronken was; zo had ze hem nog nooit gezien. „Je zult mevrouw Trollope wel enorm geamuseerd hebben."
„Het was een gemene streek – haar mij op de hals te schuiven."
„Wat had ik anders moeten doen?"
„Ze heeft zich bijna dood gehuild." Hij fronste de wenkbrauwen, alsof hij zijn gedachten wilde verzamelen. „Ik geloof dat ze gek is, weet je. Ik ben bang van haar."
„Ze is ongevaarlijk."
„Nee hoor; op een goede dag zal ze iets verschrikkelijks doen."
„Waarom denk je dat?"
„Om haar manier van spreken. Ze heeft een wrok tegen de hele wereld. Ze denkt dat iedereen haar wat schuldig is en niet wil betalen." Hij hield zich aan de leuning van een stoel vast. „Vind je het erg als ik ga zitten?"
„Welnee, het is veiliger."
„Hoe gaat het met Buck?" vroeg hij.
„Hij maakt het heel goed. Hij slaapt," loog Carol.
Hij wilde opstaan. „Zal voor de zekerheid even gaan kijken."
Ze duwde hem in zijn stoel terug. „Nee, laat hem slapen."

Hij zag haar wantrouwend aan. Toen zei hij: „Ik geloof dat jij smoor bent op Buck. Maar hij is een dooie Piet. Ik probeer niet om hem af te kammen, maar ik ben aldoor over jullie tweeën aan het piekeren, omdat ik werkelijk veel van je houd. Hij is een beste kerel, maar hij is wat bot. Je maakt jezelf maar wat wijs." Hij dronk de lauwe champagne, die nog over was, uit.
Zijn gepraat stuitte haar tegen de borst. Al het geluk diep in haar binnenste stierf langzaam weg.
„Hoe laat is het?" vroeg zij. „Ik ga naar bed. Ben je nuchter genoeg om op Buck te passen?"
„Ik voel me best."
„Goed, dan ga ik. Een afscheidsfuifje morgenavond zou geen slecht idee zijn." Er schoot haar iets te binnen. „Heeft mevrouw Trollope geld van je geleend?"
„Ja."
„Hoeveel?"
„Gaat je niet aan." Dadelijk daarop zei hij: „Ik heb haar hotelrekening en haar kleren betaald. Ze scheen vreselijk in de klem te zitten. Enfin, ik kan het me veroorloven. Zeg, waarom heb je haar verteld dat je juwelen niet van jou waren?"
„Omdat het waar is. Ik heb ze onder valse voorwendsels gekregen... van Botlivala en de broer van Jellapore. Ik zal ze terugsturen." Ze wist dat ze niet met Buck samen zou kunnen zijn, terwijl ze al die juwelen nog had.
Bill grijnsde. „Missionaris bekeert goudgraver!"
„Dat is een lelijk gezegde."
„Ja, het spijt me, maar af en toe maakt de gedachte aan jou en Buck me aan het lachen."
Hij had gelijk, dat wist ze. Als ze niet zoveel om Buck gegeven had, als ze niet had ingezien dat het iets was dat tot de kern van haar wezen doordrong, dat haar hele leven zou veranderen – dan zou ze ook gelachen hebben. Maar hoewel ze de humor erin zag, vond ze het niet iets om over te lachen.

Het was iets, dacht ze, dat Bill nooit zou begrijpen.
„Ik zie het grappige ervan niet in," zei ze.
„In ieder geval raad ik je aan mevrouw Trollope te mijden."
„Dat ben ik ook van plan. Ga nu niet weer naar beneden."
„Dat zal ik niet doen. Tot morgen."
„Misschien kom ik aan de trein."
„Okay."
Ze verliet het vertrek en zodra ze de deur achter zich had gesloten, voelde ze het bruisende, onredelijke geluk terugkeren. Alle toespelingen in Bills dronkemansgesprek stierven weg. Ze dacht slechts: Het hindert niet. Als we maar voor een poosje gelukkig zijn, is het al genoeg. Ik kan hem weer beter maken, en dat is de hoofdzaak. Maar op de bodem van haar geluk knaagde iets van ongerustheid over Bill. Het feit dat hij dronken was, hinderde haar, omdat het misschien niet een alleenstaand geval zou kunnen zijn, maar het begin van iets ergers, iets waarvoor ze zichzelf verantwoordelijk zou houden, niettegenstaande het feit dat ze er geen zeggingskracht over had. En dat niet alleen – ongewild, onbewust had ze zich tussen twee vrienden gedrongen, van wie ze beiden op verschillende manieren hield, want ze voelde dat de oude band tussen Bill en Buck verbroken was, dat ze vijandig en achterdochtig tegenover elkaar stonden. Terwijl ze langzaam de stenen trap opklom, dacht ze: Dat verduivelde sekse-gedoe. Waarom moet dat zo ingewikkeld zijn?
Naar de drommel ermee! Overmorgen zou ze Buck naar Jai Mahal brengen, ze zouden de wereld buitensluiten en samen zouden ze gelukkig zijn in dat witmarmeren huis tussen de kokospalmen bij de zee. Ze zouden verlost zijn van mevrouw Trollope en Jelly, van de barones en de hele kliek.
Ze bereikte haar kamer op een golf van geluk en vrijheid. Krisjna lag dwars voor haar deur op de stenen vloer te slapen. Zij maakte hem niet wakker. Zij dacht: Morgen stuur ik al die verwenste juwelen terug en dan ben ik vrij.

Zij sloot de deur af om te voorkomen dat mevrouw Trollope weer bij haar kwam binnenvallen. Daarop liep zij naar de kast en opende deze om haar juwelenkistje eruit te nemen. Doch de plank, waarop het altijd had gestaan, was leeg.
Seconden lang bleef zij verschrikt naar de lege plank staan kijken. Het kan niet weg zijn, dacht zij. Ik heb het zeker ergens anders neergezet. Laat ik eens goed nadenken.
Doch al haar nadenken hielp haar niet. Zij zette het altijd op dezelfde plank. Er was geen enkele andere plek waar zij het kon hebben neergezet. Vijf minuten lang stelde zij een zenuwachtig onderzoek in de kamer in. Het was een schaars gemeubileerde kamer; vijf minuten waren ruim voldoende. Zij liet zich op een stoel neervallen en dacht: Ik moet mijn hoofd niet verliezen. Ik moet goed nadenken.
Een voor een overwoog zij alle mogelijkheden: dat mevrouw Trollope, zonder een cent en aan de wanhoop ten prooi, zich de juwelen had toegeëigend, dat Botlivala de juwelen had laten stelen om het haar betaald te zetten, dat de barones er misschien de hand in had. Nu zag zij eerst goed in hoe onguur al de mensen om haar heen waren. Zij kwamen allen voor verdenking in aanmerking, nu zij er goed over nadacht – al degenen met wie zij vertrouwelijk omging: mevrouw Trollope, de barones, de markiezin, Botlivala, zelfs Jelly.
Maar het kon tenslotte ook zijn dat een gewone dief de juwelen had gestolen. Zij had er volstrekt geen geheim van gemaakt dat zij ze bezat; dat wist heel Bombay. Doch wat nu, als Botlivala opspeelde en alles terug wilde hebben wat hij haar gegeven had, alleen om het genoegen te smaken met haar samen te worden gezien?
Zij keek werktuiglijk naar haar handen. Zij had vandaag geen geluk, dat was zeker. Zij had niets anders aan dan een grote diamant, een polshorloge en een armband. De rest was verdwenen – en het ergste van alles was dat de juwelen niet verzekerd waren.

Doch met denken kwam zij geen stap verder. Haar energie spoorde haar aan om te handelen. Zij liep naar de deur en, deze openend, raakte zij met haar voet de slapende Krisjna aan. Hij opende de ogen, sprong overeind en maakte een salaam.
„Krisjna," zei zij, „wie is er vanavond in mijn kamer geweest?"
De bediende maakte opnieuw een salaam.
„Memsahib Trollope en sahib Wainwright."
„Niemand anders? Geen enkele andere memsahib?"
„Nee, missy. Geen sahib. Geen memsahib."
„Ben je de hele avond niet van de deur weg geweest?"
„Nee, memsahib," zei hij, met een nieuwe salaam. „De hele avond niet."
Doch toen hij zich weer oprichtte, merkte zij een zekere schuwheid in zijn ogen op. Zij was er zeker van dat hij niet de hele avond voor de deur was gebleven.
„Goed. Ga maar weer slapen."
Zij besloot de directeur en de politie niet vóór de volgende morgen te waarschuwen; in het holst van de nacht zouden ze toch niet veel kunnen doen.
Zij trad de badkamer binnen; en daar, achter het bad, zag zij het juwelenkistje liggen. Degene die de juwelen had ontvreemd, had het kistje daar haastig neergeworpen. Terwijl zij ernaar stond te kijken, dacht zij: Misschien lag het daar al terwijl ik met mevrouw Trollope zat te praten. Misschien had zij de juwelen onder haar blouse verborgen terwijl ze met mij zat te praten.

Op de verdieping beneden haar lag Buck nog lange tijd wakker. Hij hoorde de stemmen van Carol en Bill in de kamer naast hem, en een zonderlinge gedachte kwam bij hem op – dat Carol de vrouw was met wie Bill getrouwd was geweest. Terwijl hij in het duister lag, kwam dit denkbeeld eensklaps,

zonder bepaalde reden, bij hem op. Dat zou hun gemeenzame omgang verklaren. Daardoor werd ook de eigenaardige geprikkeldheid verklaard, die plotseling tussen hem en Bill was ontstaan. Carol was Bills vrouw geweest – of zijn maîtresse. Langzamerhand voelde hij een verdenking bij zich opkomen – de verdenking dat de spot met hem werd gedreven. Misschien was Carol niet degene voor wie hij haar hield. Misschien had zij een hardvochtig en slecht karakter. Hij was het er met zichzelf niet geheel over eens wat hij verstond onder „slecht"; doch het denkbeeld dat hij voor speelpop werd gebruikt, liet hem niet met rust. Misschien had Bill ingezien wat hij, Buck, eerst vanavond had ontdekt – dat hij verliefd was op Carol – en had hij getracht hem daarvan af te brengen.
Maar hoe kon iemand weten of hij verliefd was? Misschien voelde hij zich wel zoals hij deed omdat hij ziek was en omdat Carol lief voor hem was geweest. Wat wist hij eigenlijk van haar af?
Hij wist heel goed dat hij nooit liefde gevoeld had voor zijn overleden vrouw. Zij was de enige blanke vrouw geweest honderden kilometers in de omtrek en op een of andere wijze had hij haar hoedanigheden toegedicht die zij niet bezat: lieftalligheid, begrip, intelligentie, schoonheid zelfs. Thans wist hij – dat had hij reeds lange tijd geweten – dat hij haar buiten de jungle, in de wereld waar andere vrouwen te vinden waren, nooit een tweede blik zou hebben verwaardigd. Er was een jarenlange strijd nodig geweest tegen de opkomende haat om hem te doen inzien welk een dwaas hij was geweest.
En nu stond hij wellicht op het punt zich ten tweeden male aan te stellen als een dwaas, want al de tijd dat Carol aan zijn bed had gezeten, had hij voortdurend over een huwelijk liggen denken. Doch nu kwam hij tot de overtuiging dat Moti in het geheel geen huwelijk op het oog had gehad, voor zover het Carol betrof; en dat ook zij er misschien nooit aan had

gedacht. Dat had ze met dat dubbelzinnige woord „voorstel" bedoeld. Gelukkig maar dat hij niets tegenover haar had laten merken van zijn onkunde. Hij kreeg een kleur bij de gedachte aan zijn eigen onnozelheid. Een speelpop – en niets meer!

Het gemompel van stemmen in de kamer ernaast was intussen verstomd en tegelijk was de deur geopend. Hij weifelde tussen twee verlangens – voorgeven dat hij sliep en niet met Bill spreken en wel spreken en hem datgene vragen wat hij graag wilde weten. Uit schuchterheid zou hij liever het eerste gekozen hebben, maar de onzekere binnenkomst van Bill deed hem denken aan de tijd toen ze als jongelui samen woonden en Bill af en toe in dezelfde toestand thuiskwam. Hoe die Bill kon praten! – soms tot het volle dag was. Buck dacht: Als ik nu tot hem spreek, komen we misschien weer terug tot de oude intimiteit; hij zal nu eerlijk zijn.

Hij wist dat Bill nu bij zijn bed stond en naar hem keek. Hij opende de ogen en zei: „Hallo, Bill."

„Hoe gaat het?"

„Best. Ga zitten."

Bill nam plaats. „Heeft het geholpen van Carol?" vroeg hij.

„Ja. Het is vreemd. Ik zou bijna gaan geloven aan handoplegging."

„Carol – en handoplegging! Haha!" Er lag een zweem van bitterheid in Bills stem. „Ben je te moe om te praten?"

„Nee," antwoordde Buck.

„Morgen ga ik vanhier weg. Ik krijg de zenuwen."

„Waarom, Bill?"

„Ik weet het niet – alles – ik wil niet in Indië blijven."

„Ik dacht dat je het hier prettig vond."

„Dat was vroeger wel zo."

Buck dacht een ogenblik na. „Wat is er aan de hand?"

„Ik weet het niet. Het komt me een smerige, vuile plaats toe – ik wil eruit."

Buck lachte. „Temperament, hè?"
„Misschien."
Hij wist dat Bill, niettegenstaande hij dronken was, niet de waarheid sprak en iets achterhield. Buck meende te weten waarom.
Zoals een duiker die aarzelt voor het koude water, haalde Buck diep adem voordat hij de sprong waagde.
„Bill, ik zou je iets willen vragen. Wat heeft er vroeger tussen Carol en jou bestaan?"
„Niets," antwoordde Bill. „Behalve dan dat ze met me getrouwd is geweest. Wist je dat niet?"
„Niemand heeft het me ooit verteld. Alles wat ik wist, was dat je een hele tijd geleden getrouwd was geweest. Ik wist niet met wie."
„Nu," antwoordde Bill, „het was Carol. Maar nu zijn we niet meer getrouwd, al zes jaar niet."
Het gesprek stokte. Buck wist dat hij op een muur was gestoten – en nu wist hij ook wat die muur was. Hij wist dat hij zand in de machinerie had gestrooid. Hij kon niet verder.
Tenslotte hernam Bill: „En nu is er iets dat ik jou zou willen vragen. Over Carol. Ben je erg verliefd op haar?"
Buck antwoordde niet dadelijk. Toen zei hij: „Ik weet het niet. Ik geloof het wel."
„Dat dacht ik al." Hij liet erop volgen: „Er is iets waar ik mijn hart over moet uitstorten. Gemakkelijk valt het me niet. Je moet goed begrijpen, Buck, dat ik op jullie allebei ben gesteld. En je moet niet denken dat ik zeg, wat ik je zal zeggen, om iets voor mezelf te bereiken. Daar is geen kwestie van."
Hij aarzelde even.
„Jij bent nog maar een kleine jongen, Buck, als het over zulke dingen gaat. Je hebt er geen verstand van. Je kunt er geen verstand van hebben. Carol is een schat van een vrouw, maar zij heeft veel te veel gezien van de wereld."

Buck viel hem in de rede: „Maar ze zou kunnen veranderen. Mensen veranderen dikwijls. Ik geloof dat we het best zouden kunnen vinden."
„Goed. Je neemt haar mee terug naar Jellapore. Wat dan? Ze zou het misschien twee weken uithouden. Jij kunt je werk niet in de steek laten en met haar weggaan. Wat moet je dan doen? Je kunt het werk dat je begonnen bent, niet opgeven. Dat zou je je hele leven berouwen en jullie zouden elkaar gaan haten."
Bill haalde een sigaret te voorschijn en stak die op.
Bij het geluid dat de aansteker maakte, opende Buck de ogen. Hij zag dat Bills trekken verwrongen waren. Hij voelde zich overweldigd door een eigenaardig medelijden. Hij dacht: Bill is het geluk op een presenteerblad aangeboden – en hij heeft het weggesmeten, de beminnelijke dwaas, met blad en al.
Bill vervolgde: „Ik ben uitgepraat. We zullen het er nooit meer over hebben. Ik zou mijn mond niet hebben opengedaan als ik niet twee mensen, die ik graag mag, had willen beletten elkaars leven te bederven. Afgelopen. En vergeet het nu maar, als je wilt."
Buck dacht: Bill heeft open kaart met me gespeeld. We hebben nu zowat alles gezegd wat er te zeggen viel. Er is nog maar één ding. . .
„Bill," vroeg hij, „betekent ‚voorstel' datgene wat ik denk dat het betekent?"
„Dat kan eraan liggen." Hij hoorde Bill zachtjes grinniken. „Ik denk het wel."
„Nu – Moti heeft haar een voorstel gedaan in mijn belang – als een soort kuur."
„Dat is net iets voor hem. Hoe weet je dat?"
„Zij heeft het mij verteld."
„O!"
Inwendig was Bill uit zijn humeur, omdat hij een ogenblik dacht dat Carol haar oude spelletje had voortgezet door met

een man te spelen alleen om zich te amuseren. Maar dat zou ze tegenover Buck toch niet doen! Dat zou hij niet toelaten!
„En wat heb je geantwoord?" vroeg hij.
„Ik heb ‚ja' gezegd; maar ik wist niet goed wat zij bedoelde. Ik dacht half en half dat hij misschien bedoelde dat ik met haar moest trouwen."
„Ik geloof dat Moti het bij het rechte eind had. Op die manier zou het veel beter zijn."
„Maar ik zou het op die manier niet willen," sprak Buck.
Toen Bill hierop niets antwoordde, ging Buck voort: „Misschien ben ik een domkop. Misschien is alles wat je zegt waar, Bill; maar ik heb het idee dat, wat *ik* wil, het beste is. En misschien komt alles voor Carol op die manier ook nog het beste terecht."
Bill begon te lachen.
„De mensenredder!"
„Bill," vroeg Buck, „wil jij soms weer met haar trouwen? Als dat zo is, trek ik me terug. Misschien zou het beter zijn als ze bij jou bleef."
Weer begon Bill te lachen.
„Ik wil wel weer met haar trouwen, maar ze wil me niet hebben. Daar behoef je je dus niet door te laten weerhouden."
Hij stond op en voegde eraan toe: „Je moest nu maar wat gaan slapen – en ik ook." Hij loosde een zucht. „Al dat praten is maar tijd vermorsen. De mensen bewegen zich toch maar in cirkels. Om twaalf uur vanmiddag loop ik nog wel even aan."
Het was afgelopen – zo plotseling, of er een ijzeren gordijn tussen hen beiden was neergelaten. Buck zag in dat hij niet anders kon.
„Okay," zei Buck, „om twaalf uur."
„Vanavond neem ik de Baroda-Expres naar Delhi." Hij bleef even aan de deur staan. „Het beste, hoor!"
Hij deed de deur achter zich dicht en ging geheel gekleed op bed liggen. Zo moe was hij van zijn leven nog niet geweest,

maar hij kon niet slapen. Het daglicht scheen hem in de ogen en de hitte kwam al opzetten. Maar erger dan het licht en de hitte waren zijn gedachten, die hem niet met rust lieten. Slechts één ding deed hem prettig aan – dat hij en Buck weer een poos vrienden waren geweest. Misschien is dat het beste om te bewaren – zo'n vriendschap tussen twee mannen, misschien het enige dat eeuwig duurt.
Een ogenblik haatte hij Carol, die zo gemakkelijk, zo zorgeloos door het leven kon gaan en de levens van anderen in de war kon sturen. Maar toen, met een bonzend hoofd woelend in de hitte, kwam hij tot de slotsom dat ze het niet kon helpen dat ze zo was. Ze waren alle drie op dezelfde manier begonnen – Carol, Buck en hijzelf – als kinderen van de zon!

De hele daaropvolgende dag had voor Carol de onwerkelijkheid van een nachtmerrie. Zij was tenslotte van uitputting in slaap gevallen en weer wakker geworden door de hitte, met het vage bewustzijn dat er iets rampzaligs gebeurd was. En toen schoot haar het verdwijnen van het juwelenkistje te binnen. Het was alsof zij ontwaakt was als een andere vrouw, minder meegaand dan zij de vorige avond was, minder menselijk. Na een douche te hebben genomen, werd zij weer actief, bijna berekenend en ondernemend. Zij kende slechts één motief. Zij dacht: Ik moet die juwelen terug hebben. Zolang ik ze niet heb, ben ik mijn onafhankelijkheid kwijt, ben ik in de macht van Botlivala, van de barones, zelfs van Bill.
Als mevrouw Trollope ze weggenomen heeft, zoveel te erger; ik zal haar aanpakken, maar ik zal ze terugkrijgen. Ze had ook een onbestemd gevoel dat het verlies de aard van haar terughouding tot Buck beïnvloedde. In haar ondernemende stemming dacht ze weer: Ik moet gisteravond krankzinnig zijn geweest.
Om te beginnen liet ze Krisjna koffie boven brengen en daarop liet ze de directeur verzoeken boven te komen.

Het was een minzaam mannetje met zwarte kraaloogjes en grijzend haar, altijd geplaagd door een clientèle die misschien de vreemdsoortigste en van het twijfelachtigste gehalte ter wereld was, een clientèle die in- en uitging, heel vaak zonder geld en soms met schande. Altijd gebeurde er iets, en daar hij een fatsoenlijke man was, werd hij voortdurend opgeschrikt. Hij kende Carol als een oude cliënte die geregeld haar rekening betaalde en geen last veroorzaakte; maar ook verder wist hij alles van haar af. Hij wist met welke zonderlinge elementen zij omging – elementen die er slechts toe konden bijdragen om schandaal te verwekken en misschien wel onheil te stichten. Hij luisterde rustig naar het verhaal dat zij hem deed over de juwelen. Zijn vermoeide trekken verraadden geen verbazing, tot zij hem vertelde wat de sieraden waard waren. Toen kneep hij de oogjes half dicht.

„Wie is er 's avonds in de kamer geweest?" vroeg hij.

„Mevrouw Trollope en de heer Wainwright."

„Hebt u verdenking tegen een van beiden?"

Carol antwoordde dat zij tegen niemand verdenking koesterde. De directeur maakte enkele aantekeningen op een blocnote.

„Hebt u barones Stefani ontmoet?"

„Nee; ik heb haar na zes uur niet meer gezien. Zij is nooit bij mij in de kamer geweest."

„Is uw bediende de hele avond hier gebleven?"

„Hij beweert van wèl."

De directeur liet een onbestemd geluid horen, dat twijfel uitdrukte, voortkomend uit een levenslange ervaring met inlandse bedienden.

„Is hij eerlijk?" vroeg hij.

„Absoluut," antwoordde Carol zonder aarzeling.

De directeur borg de blocnote in zijn zak en zei, opstaand: „U begrijpt natuurlijk wel dat wij de politie moeten waarschuwen. Maar ik zou het het liefst zo stil mogelijk willen houden."

„Ik verlang ook niets liever," zei zij snel. „Ik zal er met niemand over spreken. Hoe minder ruchtbaarheid, hoe liever het mij is."
Hij stelde haar nog een laatste vraag.
„Waren de stenen verzekerd?"
„Nee. Dat is te zeggen, de verzekering was afgelopen."
Zijn trekken ondergingen een verandering. De verandering viel bijna niet op, doch Carol begreep wat zij ervan denken moest. Hij zag haar thans in een nieuw licht – als een vrouw die afgedaan heeft. Voor een deel had hij waarschijnlijk de waarheid geraden: dat zij waarschijnlijk geen geld meer had; dat hij nu, naast zijn zorg over de gestolen juwelen, ook nog de zorg zou krijgen over de hotelrekening.
„Dank u," zei hij op slepende toon. „Ik zal u waarschuwen als de politie er is."
Hij wilde juist het vertrek verlaten, toen de deur openging en er een tweede gast verscheen, over wier rekening hij zich bezorgd begon te maken. Het was mevrouw Trollope.
Carol had gelijk gehad, toen zij vermoedde dat Stitch geld te leen zou vragen aan Bill. Het scheen dat zij er zelfs reeds een deel van had uitgegeven, want zij had een nieuw kostuum aan en een nieuwe hoed op.
„Hallo," sprak zij, „wat ben je vandaag van plan?"
Carol dacht: Nee, zij kan het niet gedaan hebben. Zo brutaal kon zij niet zijn. Zij deed alleen maar zo vrolijk omdat zij geld had losgekregen van Bill.
„Och, niets bijzonders," antwoordde zij. „Willen we samen lunchen? Dan zie ik je tegen twaalf uur wel in de bar."
„Goed. In de bar dan, tegen twaalf uur."
Met deze woorden ging zij heen.
Toen zij de gang door liep, voelde mevrouw Trollope zich op haar gemak. Het leven was zo kwaad nog niet. Carol had haar uitgenodigd voor de lunch. Bill had haar kleren en de hotelrekening betaald. En het bezoek dat zij bij Carol had af-

gelegd, was goed van stapel gelopen – zo goed zelfs, dat het zeer waarschijnlijk was dat Carol geen argwaan koesterde. Want het was mevrouw Trollope die de juwelen had weggenomen. Zij had ze in haar blouse gehad, terwijl zij de vorige avond met Carol zat te praten. Zij had haar plannen al klaar. Zij zou de sieraden verstoppen tot ze op een of andere manier aan het geld was gekomen om naar Australië te gaan. Daar zou zij ze stukje bij beetje van de hand doen. Niemand zou het ooit te weten komen.

De politie arriveerde; en toen Carol zich had gekleed, ontving zij de politiebeambten. Zij waren met hun tweeën: een lange, blonde Engelsman van middelbare leeftijd en een grote Pathan. Toen de Engelsman hem voorstelde als kapitein Iftikar Baig, dacht zij: Butch Baig! Hij ziet er niet zo kwaad uit.

Doch haar enthousiasme doofde toen zij haar begonnen te ondervragen. De vragen op zichzelf waren eenvoudig genoeg, doch de wijze waarop zij werd ondervraagd, was scherp, kortaf, op het beledigende af.

Op een gegeven ogenblik zei zij: „U moet mij niet behandelen alsof ik mijn eigen juwelen heb gestolen!"

„Het heeft geen ogenblik in onze bedoeling gelegen op zo iets te zinspelen," antwoordde kapitein Hollis, de Engelsman. „Wij doen alleen ons best achter de waarheid te komen."

„Ik vertel u de waarheid. U moet het niet laten voorkomen alsof ik dat niet doe."

Hun wijze van optreden bracht haar in verwarring. Het had er veel van of zij verdachte was, en dit joeg haar angst aan, alsof haar in de toekomst iets dergelijks stond te wachten – gemis aan eerbied, onbeschaamdheid, wantrouwen. Deze gedachte joeg haar een huivering door de leden, doch toen de beide mannen haar begonnen uit te vragen over de mensen met wie zij omging, begreep zij dat er wel enige reden voor bestond om haar voor iemand van niet onbesproken gedrag te houden.

Per slot van rekening was het zo'n fraaie verzameling niet – mevrouw Trollope, de barones, Jelly met zijn schandelijk verleden en een paar moorden op zijn kerfstok, de markiezin, de maharani, zuster van Stitch, en al het ongure volkje dat Jelly's huis bezocht. Ze kon wel inzien waarom ze dachten dat er iets verdachts aan die juwelendiefstal was.
Hun ondervraging draaide steeds weer om de barones, bijna alsof zij deze graag een of ander misdrijf hadden aangewreven.
„Ik ken haar ternauwernood," sprak Carol. „Ze is geen vriendin van mij."
„Wij hadden vernomen dat u een contract met haar had gesloten om voor haar werkzaam te zijn," merkte kapitein Hollis op.
Carol dacht: Hoe komt hij daaraan? Wie kan dat praatje in de wereld hebben gebracht? Snel antwoordde zij: „Er is geen sprake van een contract. Er bestaat geen contract. Dat is maar een grap geweest."
„O," zei kapitein Hollis koel. Opstaand, liet hij erop volgen: „Als u er niets op tegen hebt, zouden wij gaarne het juwelenkistje hebben om eventuele vingerafdrukken te nemen."
„Natuurlijk," zei Carol en liet erop volgen: „Ik zou de aangelegenheid gaarne zo stil mogelijk gehouden zien."
Kapitein Hollis keek verwonderd. „Meent u dat?"
„Natuurlijk, zeker. Ik verlang er geen ruchtbaarheid aan te geven. Ik ben aan het zoeken naar een betrekking."
„O!"
Daarop vertrokken zij. De Engelsman ging het eerst de deur uit; toen de grote Pathan zijn voorbeeld volgde, keerde hij zich om, nam Carol met een goedkeurende blik op, begon te grinniken en gaf haar een knipoogje. Zij keerde hem dadelijk de rug toe, deels omdat zijn optreden haar beledigde, deels omdat zij haar lachen bijna niet kon houden. Er was iets in de grijns en de wenk van de grote Pathan dat zij onweerstaanbaar vond – een soort van begeerte, een soort vleierij,

een soort humor. Ze bezat geen onderzoekende natuur en ze probeerde niet na te gaan waarom ze moest lachen of waarom ze de man wel mocht. Ze dacht alleen lachend: Die smeerlap. Maar haar opgewektheid duurde niet lang; het bezoek van de politie had haar een gevoel bezorgd, bijna of zij werkelijk van al datgene waarop de beide mannen hadden gezinspeeld. Zij kreeg een neerslachtig gevoel over zich.
Dit werd er niet beter op toen zij bijna onmiddellijk daarop een telefoontje kreeg. Zij kreeg een schok van angst toen zij de stem van Botlivala herkende.
„Goedemorgen, Carol," zei hij. „Ik heb je opgebeld om te vragen of je met me wilt lunchen."
„Ik vrees dat dat niet gaat."
„Dat spijt me. Ik wilde eens met je praten. Het doet me leed van gisteren."
„O, maak je daar maar niet druk over."
„Kan ik je later op de dag ontmoeten?"
Zij voelde grote lust om te antwoorden: „Nee – vandaag niet en geen enkele dag. Ik wil je nooit meer ontmoeten," maar haar instinct waarschuwde haar dat zij moest oppassen. Zij stond ànders tegenover hem nu de stenen waren verdwenen en zij ze dus niet kon teruggeven. Daarom zei zij: „Ja – tegen vier uur in de bar."
„Goed. Om vier uur in de bar dan."
Toen zij de hoorn op de haak had gehangen, ging zij weer zitten om „haar gedachten over de zaak te laten gaan". Haar wantrouwen tegenover Botlivala nam toe. Zij dacht: Misschien heeft hij de juwelen laten stelen om me in zijn macht te krijgen. Deze gedachte wond haar op. Hij kon naar de drommel lopen. Zó had nog nooit iemand haar klein gekregen – en dat zou ook nooit gebeuren. De hele zaak leek ongelofelijk, werd melodramatisch.
Maar zij begreep wel dat zij met denken niet verder kwam. Zij kreeg een hevig verlangen naar Buck. Als zij maar bij hèm

was, zou ze zich veilig voelen. Toen zij zich had opgemaakt, opende zij de deur om naar hem toe te gaan. Krisjna was er niet. Eerst werd zij boos; maar toen begreep zij wat er gebeurd was. De twee politiebeambten hadden hem meegenomen om hem een verhoor af te nemen.

Zij tikte zachtjes op Bucks deur. Toen zij hem „binnen" had horen roepen, opende zij de deur. Hij stond gekleed bij het venster, en toen hij zich naar haar omwendde, zag zij dat hij er bleek en ziek uitzag.
„Je had niet moeten opstaan en je aankleden," zei zij. „Je behoort in bed te liggen. Ga nu maar naar bed en sta vanavond pas op. Dan gaan we samen dineren."
Een uitdrukking van vreugde gleed over zijn vermoeide trekken.
„Zou dat gaan?" Hij ging zitten. „Dat zou fijn zijn, want morgen zou ik naar Jellapore terug moeten."
Even kreeg zij een wee gevoel. Toen zei zij snel: „Dat gaat niet. Moti zegt dat het je dood zou zijn."
„Nee, dat zou het niet. Ik ben taaier dan ik eruitzie. Bij dat werk kun je geen vakantie nemen."
Zij zag weer het gezicht van kolonel Moti, terwijl hij ernstig met haar sprak en haar inprentte dat Bucks leven alleen te redden was door rust en toewijding.
„Je mag niet gaan, Buck. Ik laat je niet gaan."
Hij glimlachte. „Je kunt gerust met me meegaan. Er is daarginds een methodistische zendeling, in Jellapore – een predikant – die ons kan trouwen."
Een duizeling overviel haar. Verward stamelde zij: „O, Buck!" Zij kon niet met hem trouwen. Zij kon niet uit Bombay weg voordat Botlivala geen gevaar meer opleverde; tot zij de zekerheid had dat de diefstal niet zou uitgroeien tot een schandaal. Bill had gelijk. Het zou gelijk staan met waanzin om nu met Buck te trouwen.

Doch zij vroeg alleen: „En hoe moet het dan met Ali? Je kunt hem hier toch niet alleen laten?"
„O, die is in goede handen bij Indira Moti. Heb je geen lust om mee te gaan?"
„Ik kan zo niet weg. Er zijn nog verschillende dingen die ik moet regelen."
Hij zag haar onderzoekend aan.
„Botlivala?" zei hij op vragende toon.
Zij raapte al haar moed bijeen. „Ja, in de eerste plaats."
In hoeverre was hij op de hoogte? Wie had hem ingelicht? Het ging niet uitsluitend om Botlivala. Daar was ook nog Jelly's broer in Jellapore. Plotseling zag Carol weer de afscheidsfuif, met de officieren die voetbal speelden met de bloemvazen. Zij hoorde Moti weer zeggen: „Iedereen in Jellapore kent u – tot zelfs de bewoners van de jungle."
„Is Bill met je aan het praten geweest?" vroeg zij eensklaps.
„Ja. Hij vindt dat we allebei stapelgek zijn. Hij gelooft dat het ‚voorstel' van Moti veel beter is. Ik wist niet zeker wat dat betekende, maar hij heeft het me uitgelegd." Hij glimlachte. „Ik weet niet veel van dat soort dingen af, zie je."
Dat was het dus. Het was zo klaar als een klontje. Zij mocht het niet doen. En Buck mocht nu niet naar Jellapore teruggaan voordat hij beter was. Hij mocht niet sterven.
„Buck," sprak Carol, „ik geloof ook dat we allebei stapelgek zijn. Ik voor mij weet tenminste zeker dat ik het ben."
Hij glimlachte.
„Misschien is dat juist wel goed. Misschien is het tot ons geluk."
„Dat kan zijn; maar zo komen we toch geen stap verder. Jij moet nu naar bed," liet zij erop volgen. „Tegen een uur of zes kom ik je halen. Dan kunnen we alles regelen. Beloof je me dat?"
„Ja."
„Dan ga ik nu weg. Na de lunch kom ik nog even naar je kijken."

„Dat zou ik erg prettig vinden."
„En zeur nu niet over teruggaan naar Jellapore."
„Daar kunnen we het later over hebben." Hij keek uit het venster. „Ik vind het hier vreselijk, ik voel me als een vis op het droge. Alle mensen hier geven me het gevoel alsof ik idioot ben. Ik houd niet van Bombay. Je had nooit hier moeten komen – en ik ook niet."
„Goed, we zullen proberen dat in orde te maken, maar nu moet je wat gaan slapen."
Toen ze weg was, kleedde hij zich lusteloos uit en ging weer naar bed. Maar slapen kon hij niet; de oude twijfel overviel hem weer – twijfel over Botlivala en Jellapore en diens broer en al de zonderlinge personages die Carol omringden. Hij dacht: Ja, ik moet wel verliefd zijn, daar is niets meer aan te doen; ik kan onmogelijk meer buiten haar. Ik kan niet weg, ik kan haar niet vergeten. Als ik nu terugging, zou ik het mijn leven lang berouwen.
En in zijn eenvoud wist hij dat het geen kwestie van keuze meer was; het was iets waarover hij geen zeggenschap meer had. Hij zou niet naar Jellapore terug hebben kunnen gaan, hij wist nu dat hij gezegd had te zullen gaan, eenvoudig om zichzelf wijs te maken dat hij nog een wil had, dat hij zijn lot nog kon beïnvloeden. Maar zelfs terwijl hij het zei, had hij geweten dat hij het niet kon doen en had een vreemd voorgevoel gehad dat hij zou sterven als hij wegging. Zijn lichaam zei hem dat.

De lunch met mevrouw Trollope maakte haar niets wijzer. Carol sloeg elk van haar gebaren met aandacht gade, zij lette scherp op elke intonatie van haar stem, doch zij werd niets gewaar dat haar achterdocht voedsel gaf. Stitch zei dat de sterren nu gunstiger stonden en dat zij naar de wedrennen ging. Of Carol lust had om mee te gaan?
Nee, daar had Carol geen lust in; doch zij vertelde er niet bij

dat zij niet kon omdat zij moest teaën met Botlivala. Zij dacht: Daar gaat nu het geld dat Bill haar heeft gegeven om haar hotelrekening te betalen.
Ze wilde er iets over zeggen, maar deed het niet. Misschien leer ik verstandig te zijn door haar niets erover te zeggen, me niet met andermans zaken te bemoeien, dacht ze. Maar ze vond het niet plezierig, het was allemaal zo lastig, dat nadenken en berekenen voordat je iets deed of zei.
Later kwam de markiezin bij haar zitten om de koffie te gebruiken. Zij vertrok die avond naar Delhi, zei zij, om bij de onderkoning te logeren.
„Daar gaat Bill ook heen," merkte Carol op.
„Meneer Wainwright?" vroeg de markiezin met geveinsde verbazing.
„Ja," antwoordde Carol. „Maar misschien gaat hij niet met dezelfde trein."
„Er is maar één nachttrein," merkte de markiezin op.
Carol kon haar gedachten niet bij het gesprek houden. Die bleven maar in een kring ronddraaien om Buck, Bill, mevrouw Trollope, Jelly en de barones.
De ongezellige lunch was ten laatste afgelopen en Carol verliet de beide dames zo spoedig mogelijk. In de hal liep zij de directeur tegen het lijf
„Ik heb nieuws voor u," sprak hij. „Veel bijzonders is het niet – alleen, dat uw bediende bekend heeft dat hij niet de hele avond voor uw deur de wacht heeft gehouden. Hij is twee uur weg geweest. Het hotel doet alles om dergelijke dingen te voorkomen, maar het kan geen verantwoordelijkheid op zich nemen voor uw bediende."
„Nee, natuurlijk niet." (Wat een kleine leugenaar, die Krisjna! Iedereen had het vertrek kunnen binnenlopen terwijl hij weg was.) „Dank u," zei ze tegen de directeur.

Botlivala zat op haar te wachten. Toen zij de bar binnentrad, zag zij hem opstaan van een tafeltje om haar tegemoet te komen en zodra zij hem opmerkte, bekroop haar weer de angst. Zij begroetten elkaar en namen plaats aan een tafeltje, zonder verder een woord te hebben gewisseld, tot hij haar vroeg wat zij wenste te gebruiken. Zij bestelde een gin sling. Daarop zei hij: „Ik heb spijt over de scène die ik je heb gemaakt. Zo heb ik het niet bedoeld. Ik beloof je dat ik me verder goed zal houden."

Zij antwoordde met een glimlachje: „O, daar behoef je niet langer over te piekeren. Dat maakt niets uit."

Als de juwelen maar niet gestolen waren, zou zij ze hem op dat ogenblik hebben teruggegeven en hem de rug hebben toegekeerd. Zij hield zich voortdurend voor dat ze zich vooral niet moest laten gaan. Vóór die tijd had ze zich nooit iets van Botlivala aangetrokken. Ze kon met hem doen wat ze wilde. Doch nu stond de zaak anders.

En het waren niet alleen de verdwenen juwelen, zelfs die zouden zo'n rol niet hebben gespeeld, maar het was Buck. Ze moest zich niets bijzonders wijsmaken. Sedert ze Buck kende, was meneer Botlivala weerzinwekkend en akelig voor haar geworden, en de gedachte dat ze hem ooit had veroorloofd te denken dat hij met haar was verloofd, stond haar tegen. Vaag drong het tot haar door dat Botlivala zich weer uitputte in overdreven praatjes. Hij maakte onophoudelijk excuses, beloofde dat het niet meer zou voorkomen – doch zij luisterde niet meer naar hem, omdat zij die beloften en verontschuldigingen al zo dikwijls had gehoord. Dat was de reden waarom zij reeds lang geleden tegen hem had gezegd: „O, je kunt het er voor mijn part voor houden dat je met me verloofd bent, als dat je gelukkig maakt." Zo was het ook gekomen dat zij de armbanden en de ringen van hem had aangenomen.

Toen de kelner hen had bediend, drong het tot haar door dat hij zat te huilen als een kind en zei dat hij een som gelds

voor haar zou vastzetten, die haar voor haar gehele leven onafhankelijk zou maken als zij slechts met hem wilde trouwen. Hij ging zelfs zo ver, haar te bezweren dat hij haar nooit zou aanraken en dat hij niets meer van haar verlangde dan dat zij zijn protserige huis met hem bewoonde, teneinde het voor de buitenwereld te laten voorkomen of zij zijn vrouw was.
Zij dacht: Een week geleden zou ik het misschien hebben aangenomen. En zij schaamde zich dood dat een vrouw, Carol Halma genaamd, die zo luchtig en opgewekt van het leven in Bombay had genoten, huisde in het lichaam dat nu tegenover die huilende Botlivala zat.
Geprikkeld zei zij: „Stel je toch niet zo aan als een dwaas! De mensen zitten ons aan te gapen."
Vlak bij hen zaten twee Engelsen, een heer en een dame uit de middenstand, conventioneel, dom en boosaardig. Zij hoorden alles wat Botlivala zei. De dame zei iets tot haar metgezel, waarop beiden begonnen te lachen.
Zo gaat het nu met lichtzinnige vrouwen, dacht Carol. Zo kan ik niet verder gaan. Alles is beter dan dit. En daarop zei ze: „Ik ben nooit van plan geweest om met je te trouwen, Botlivala – dat weet je heel goed."
„Ik heb in je geloofd," sprak hij. „Ik heb het aan al mijn vrienden verteld – en nu sla ik een gek figuur door jouw schuld. Ze zullen me uitlachen. Dat kun je toch niet willen?"
„Zeker zal ik dat," zei zij op ijskoude toon. „En er is geen mens die me kan tegenhouden. Ik wil je niet meer zien – nooit meer. Probeer in 's hemelsnaam om één keer in je leven een man te wezen. Al is het maar héél even."
Zij zag zijn korte, dikke gestalte zich oprichten, alsof men een ijzeren staaf door hem heen had gestoken. Zijn ogen gingen wijd open van verbazing, tot het geelachtige wit geheel rondom de pupillen te zien was. Plotseling overviel haar weer die angst en haar instinct deed haar dadelijk de waarheid omtrent Botlivala kennen. Zonder na te denken had ze in haar

ergernis de spijker op de kop geslagen. De waarheid was dat Botlivala inderdaad géén man was. Jarenlang, zijn leven lang, had hij getracht anderen te doen geloven dat hij een man was; dat was de reden waarom hij zich zo wanhopig aan haar had vastgeklampt, waarom hij al dat geld had uitgegeven, alleen om met haar gezien te worden, omdat ze zo mooi was en de mannen jaloers op hem werden. Dat was ook de reden waarom hij kon zeggen dat hij niets anders van haar zou verlangen dan dat ze in zijn huis woonde en de wereld zou denken dat ze zijn vrouw was. Ze zag het als in een flits, in een paar seconden. Tegelijkertijd zag ze met schrik dat hij opstond en zijn handschoenen opnam. Het was alsof ze gehypnotiseerd werd en niets kon doen. Als in een vertraagde film zag ze hem zijn glas oppakken. Hij nam het op en wierp haar de rest van de drank, die het nog bevatte, midden in het gelaat met de uitroep: „Bedriegster! Jij snol!" en toen begon hij in het Hindostani luid te schelden, drong zich met geweld tussen de tafeltjes door en snelde de bar uit.
Carol zag hem niet weggaan. Zij zag in het geheel niets – noch de kelners die kwamen toesnellen om de omgeworpen tafeltjes weer overeind te zetten, noch de nieuwsgierige gezichten die haar aanstaarden. Zij bleef zitten alsof zij verlamd was, tot zij een hand op haar schouder voelde leggen en dacht: Dat is zeker de politie. Doch zij hoorde een krassende stem, die zij maar al te goed kende.
„Kom met mij mee," zei de barones. „Ik zal je naar buiten brengen."
Gewillig als een kind gehoorzaamde Carol. Het was alsof zij geen eigen wil meer bezat. Voorafgegaan door de waggelende barones, die haar als een sleepboot door de menigte nieuwsgierigen vooruittrok, bereikte ze eindelijk de uitgang. Af en toe hoorde ze de krakende stem op bevelende toon kortaf zeggen: „Ga opzij, stommeling!" of: „Schuif je stoel weg en laat me passeren!" De barones had veel ruimte voor

zich nodig, zodat het gemakkelijk was haar te volgen. In de hal zei ze: „We zullen de trap naar boven nemen," en ging haar hijgend en blazend van inspanning voor.
Eerst toen Carol twee trappen had bestegen, keerde zij tot de werkelijkheid terug. Toen drong met afschuwelijke duidelijkheid de ontzettende betekenis van het toneel in de bar tot haar door. Zij was vernederd geworden in het bijzijn van al die mensen door een man met een van de slechtste reputaties in Bombay – een stad, waar de slechte reputaties voor het opscheppen lagen – in een stad, waar het rasverschil hoogtij vierde, waar zijn donkere huidskleur de belediging nog erger maakte. Nu was de maat vol. Erger bestond er niet.
De barones liep nog steeds voor haar uit. Het leek Carol vaag toe dat er iets waardigs, iets gebiedends van haar uitging – en plotseling wist zij wat dat was. De barones, de „madame", had haar opgeëist als haar prooi. Zij was voor haar in de bres gesprongen, zoals zij dat misschien zo dikwijls had gedaan voor een van haar „meisjes".
Een gedachte die haar deed walgen, kwam bij Carol op. Misschien is dat wel het lot dat me wacht, dacht zij. Misschien is het niet mogelijk me ertegen te verzetten.
In haar eigen kamer gekomen, wierp zij zich op haar bed en begon te snikken. Voor het eerst in jaren weende ze en nu was het alsof alle vermoeienis, alle verveling, alle leegheid van maanden en jaren werden uitgestort. Vergeten was de barones; vergeten was het afschuwelijke toneel. Haar geest verloor de kracht om te denken of zich te herinneren in de fysieke bevrediging die zij vond in een huilbui. Toch hoorde zij door haar snikken heen de barones zeggen: „Trek je daar toch niets van aan! Mannen zijn afschuwelijke beesten. Ik ken ze. Maar ik kan ze wel aan. Maak je niet bezorgd. Op de barones kun je rekenen."
Door deze woorden werd de barones in Carols ogen even afschuwelijk als Botlivala.

Met een poging om zich te beheersen, verzocht zij: „Ga alsjeblieft heen en laat me alleen – alsjeblieft. Alsjeblieft! Ik wil alleen zijn."
De oude stem antwoordde: „Ik ga al; maar ik kom terug. Als je de barones nodig hebt, telefoneer dan maar even."
Er volgde een korte stilte; daarop liet de stem zich opnieuw horen: „Als je er lust in hebt, kun je met me naar Parijs terugkeren."
Toen waggelde de oude vrouw weg, de deur zachtjes achter zich sluitend.

Het was reeds duister toen Carol tenslotte haar tranen bedwongen had. Ik ben geen steek beter dan de rest, dacht zij, om mezelf zo te beklagen.
Toen zij zich oprichtte, zag zij een man in de deuropening staan.
Het was Buck. Hij zei: „Ik heb geklopt, maar toen je niet antwoordde, ben ik maar binnengekomen."
Ze wilde hem nu liever niet zien; ze wilde vluchten om niemand te zien. „Het is goed," zei ze dof.
Hij sloot de deur en trad op haar toe. Haar beide handen in de zijne nemend, zei hij: „Ik heb gehoord wat er gebeurd is. Wat wil je hebben dat ik voor je doe? Ik wil alles voor je doen, maar ik wil het niet erger voor je maken. Ik zal de ellendeling vermoorden als je dat wilt."
„Er schiet niets anders over dan heen te gaan – weg uit Bombay – onverschillig waarheen."
Hij sloeg bedeesd zijn armen om haar heen.
„Als je wilt, gaan we vanavond nog naar dat plekje aan de zee."
„Dat is wel het beste wat we kunnen doen – tot er een boot vertrekt. Hier kan ik niet blijven. Ik ga met de eerste de beste boot weg. Ik trek ertussenuit."
„Dat maken we wel in orde," zei hij.
Daarop dacht zij: Laat ik verstandig zijn. Hij heeft gelijk.

Dat is de enige plaats waar ik heen kan. Zij kuste hem impulsief op de wang en antwoordde: „Je bent een pracht van een kerel, Buck." Toen maakte ze zich beschaamd van hem los. Zij liet erop volgen: „Ik zal tegen de maharadja zeggen dat hij ons het huis zolang moet afstaan. De wedrennen zijn afgelopen. Waarschijnlijk is hij thuis. Ik zal hem opbellen." Buck gaf geen antwoord. Hij keek haar alleen aan alsof hij iets niet begreep.
Zij kreeg Joey aan de telefoon. De maharadja zat te spelen, maar Joey zou eens zien of hij aan het toestel wilde komen. Enige ogenblikken later vernam zij Jelly's stem.
„Wel, kind, wat kan ik voor je doen?"
Aan de toon van zijn stem hoorde ze dat hij wist wat er in de bar was voorgevallen.
„Ik zou graag gebruik maken van dat huis in Joehoe – Jai Mahal."
Blijkbaar geamuseerd vroeg hij: „De tweede wittebroodsweken?"
„Ja," antwoordde zij, omdat haar niets anders inviel.
„Gaat Wainwright dan niet naar Calcutta?"
Carol dacht snel na. Als Jelly in de mening verkeerde dat het Bill was, zou het beter zijn hem in die waan te laten. Wat kwam het er op dit ogenblik op aan? Hij zou het later toch ontdekken.
„Nee," antwoordde zij.
„Nu, er is een huisbewaarder ginds. Ik zal Joey erheen sturen om te zeggen dat je komt en ervoor te zorgen dat er een kok is en een paar bedienden."
Hij vroeg in het geheel niet wanneer zij erheen wenste te gaan. Hij wist dat zij er zo spoedig mogelijk heen wilde – dat zij erheen móést.
Toen hoorde ze hem in de telefoon grinniken en daarop zijn insinuerende stem: „Wat zal mevrouw Trollope ervan zeggen?"
„Weet ik niet, kan me geen zier schelen, maar hartelijk dank, Jelly. Je helpt me ermee uit de moeilijkheden."

Ze legde de hoorn op de haak en zei, zich tot Buck wendend: „Het is in orde. Hij laat alles in gereedheid brengen."
„Kunnen we vanavond al gaan?"
„Ja."
Toen dacht ze plotseling aan de rekening van het hotel. Misschien had ze genoeg geld om die te voldoen en misschien ook niet. Ze begreep dat ze nu niet moest riskeren erom te vragen. Ze dacht snel na, in de overtuiging dat ze Buck niet moest laten ontdekken dat ze zo krap zat en dat ze het niet kon laten aankomen op een scène met de directeur. Ze dacht: Laat ik alleen maar een valies meenemen en de koffers hier laten. Daar kan hij niets op tegen hebben, en zolang Bill in Indië is, zal hij me niet manen.
Ze had zo iets nog nooit doorgemaakt, zo zonder geld had ze nog nooit gezeten. Opeens voelde ze zich te vermoeid om zich ergens iets van aan te trekken – ze wilde alleen maar wegkomen.
„Laten we maar gaan pakken, Buck," zei ze. „Ik neem niets anders mee dan een valies. We kunnen het beste aan de kant van de haven vertrekken." (Daar zouden ze niemand tegenkomen.) „Wil je om een taxi vragen en me dan komen halen?"
Plotseling nam hij haar in zijn armen en kuste haar.
„We zullen gelukkig zijn," zei hij op rustige toon.
Opeens verdween haar vrees. Geen van de mannen die ze gekend had, was zo geweest. Nooit had ze een man ontmoet die voor haar had willen zorgen. Met zwakke stem zei ze: „Dank je, Buck."
Hij ging weg en terwijl ze het een en ander inpakte, was ze, vreemd genoeg, weer gelukkig – een geluk dat nieuw voor haar was. Ze was bijna gereed toen er op de deur werd getikt en zij een stem hoorde zeggen: „Ik ben het, Bill. Ik kwam je even goede reis wensen."
Carol had hem liever niet gezien, doch zij riep: „Kom maar binnen."

Hij keek naar het valies dat op haar bed lag en toen begreep zij dadelijk dat hij het ook wist van de scène in de bar. Hij zei: „Je hebt gelijk dat je weggaat. Waar ga je heen?"
„Naar het huis van Jelly in Joehoe."
„Heeft Buck je voorstel aangenomen?"
„Ja."
„Het zou veel beter voor je zijn als je naar Europa terugging. Ongelukkig genoeg duurt het twee weken voordat er weer een boot gaat."
„Wou je me dan weg hebben?"
„Ja. Ik had expres hier willen blijven om voor je overtocht te zorgen."
„Dank je."
Hij stak een sigaret op en zei: „Nog één ding."
„En dat is?"
„Wees eerlijk tegenover Buck."
„Dat is mijn voornemen – eerlijker dan ik ooit tegenover iemand ben geweest, zelfs tegenover jou."
„Okay. Want als je hem slecht behandelt, zal ik het je betaald zetten."
„Goed, Bill."
„Als je geld of wat ook nodig hebt, laat het me dan weten. Per adres mijn maatschappij in Calcutta. Wat ik heb, is ook van jou en van Buck."
„Je bent een beste jongen, Bill. Ik wilde wel dat alles niet zo ingewikkeld was, want ik houd van jou ook, maar niet op dezelfde manier als van Buck. Het is me nog nooit overkomen en ik kan het niet veranderen."
„Maak je over mij maar niet bezorgd." Hij greep haar hand. „Nu, veel geluk. Je kunt wel wat geluk gebruiken."
Toen hij vertrokken was, ging Carol een briefje zitten schrijven aan de directeur, waarin zij hem meedeelde dat zij op reis ging, doch dat zij over veertien dagen weer terug hoopte te zijn. Dat was al eens meer voorgekomen.

Nauwelijks was zij daarmee gereed of Buck kwam binnen met zijn valies in de hand.
„De taxi staat beneden," kondigde hij aan.
Zij voelde zich plotseling opgewonden en gelukkig. Voor haar bestond niemand meer dan Buck – niemand anders op de hele wereld.
Krisjna was niet in de gang te vinden; hij moest toch al lang terug zijn. Maar dat hinderde niet; ze kon de directeur schrijven of hij Krisjna wilde zeggen dat hij naar Jellapore terug kon gaan.
Bijna dadelijk evenwel viel er een schaduw op haar geluk – ze wist wat er gebeurd was. Hij was weggelopen; Krisjna, die haar slaaf was geweest, die haar aanbad omdat ze hem een fiets had gegeven, was van haar weggelopen, omdat een losbandige Parsee haar een glas gin in het gezicht had gegooid in de overvolle bar van het Taj Mahal Hotel.
Een uur nadat Carol en Buck waren vertrokken, liep mevrouw Trollope door de gang naar Carols deur. Zij bezat weer geen cent meer. Al het geld dat Bill haar had gegeven, had zij bij de wedrennen verspeeld. Zij had willen proberen hem opnieuw aan te klampen teneinde nog meer van hem los te krijgen, doch Bill was niet in zijn kamer; en toen zij zich tot de receptie wendde, kreeg zij een ontstellende mededeling: Bill was reeds naar Calcutta vertrokken.
Zij wist niemand anders tot wie zij zich kon wenden dan Carol, en zo klopte zij op haar deur.
Zij kreeg geen gehoor en toen zij de deur had geopend, constateerde zij dat de kamer geheel in het duister was gehuld. Toen zij het licht opdraaide en de lege toilettafel zag, wist zij genoeg. Carol was ook vertrokken. Vermoedelijk was zij met Bill afgereisd naar Calcutta. Nu was er niemand meer die haar helpen kon.
Enkele ogenblikken bleef Stitch, in gepeins verzonken, in de verlaten kamer staan. Zij durfde het niet wagen, een deel

van de juwelen in Bombay te verkopen en als zij geen geld had, kon zij niet uit Bombay weg.
Toen kwam haat tegen Bill in haar op. Ze had gelijk gehad; hij was het die haar vriendschap met Carol had vernietigd. Hij had haar geld gegeven om van haar af te zijn en daarop Carol met zich mee naar Calcutta genomen. Het was de blonde man over wie de waarzegger had gesproken en die haar ongeluk zou aanbrengen. Ze had gelijk gehad toen ze die keer in de taxi onenigheid met hem had gehad.
Zij liet zich in een stoel zinken. Haar hoofd deed zeer. Zij kon haar gedachten niet bijeenhouden. Alles scheen in het rond te draaien in haar hoofd: renpaarden, speeltafels, Carol, Bill, Jelly, de barones, haar zuster Nelly, de zendeling. Alles warrelde dooreen, overgoten door een schitterend wit licht. Zij dacht: Misschien word ik wel waanzinnig. De gewaarwording hield enige tijd aan. Toen zij verdween, voelde Stitch zich moe en afgemat.
Zij dacht: Er blijft nog slechts één plaats over waar ik het kan proberen. Dat is Jelly's paleis. Als Jellapore goed gemutst was, zou hij haar misschien geld willen lenen om te spelen. Zij ging naar de bar, waar zij een borrel dronk en bestelde toen een taxi om naar Jelly te rijden.
Toen zij de in rood en goud gehouden speelzaal binnentrad, zag zij Jelly met een verveeld gezicht en blijkbaar een beetje aangeschoten aan het hoofd van de tafel zitten. Vrezend dat zij anders de moed zou verliezen om hem aan te klampen, ging zij onmiddellijk op hem toe en vroeg: „Zou ik uwe hoogheid een ogenblik alleen kunnen spreken?"
Hij scheen er weinig lust in te hebben, maar stond toch op en ging haar voor naar een ander vertrek. Daarop vertelde zij hem dat zij geen cent meer had en moest zien dat zij aan wat geld kwam; dat zij op Bill en Carol had gerekend, maar dat Bill naar Calcutta was vertrokken en Carol had meegenomen. De maharadja had toegeluisterd en toen Stitch zweeg, zei hij

op koele toon: „In de eerste plaats leen ik nooit iemand geld. In de tweede plaats: Carol is niet met Bill naar Calcutta vertrokken. Ik weet waar ze zijn."
„Waar dan?" vroeg mevrouw Trollope.
„Ik heb mijn woord gegeven het niet te zullen vertellen."
„Bill is beslist naar Calcutta vertrokken – dat heeft men mij in het hotel verzekerd," sprak Stitch.
Hij keek haar even met zijn zwarte ogen aan en vroeg: „Bent u daar zeker van?"
„Ja."
Toen ging hem plotseling een licht op. Hij glimlachte en zei: „Zo, dus het waren geen tweede wittebroodsweken. . . of misschien ook wel, maar met een andere man!"
„Waar hebt u het over?"
„Ze heeft me een leugen verteld. Ze is ervandoor met die zendeling. Dwaas, dat ik daar niet dadelijk op ben gekomen!"
Hij keerde haar de rug toe met de woorden: „Ik moet weer terug naar de speelzaal. Het spijt me dat ik niets voor u kan doen."
Hij ging heen, Stitch alleen achterlatend.
Opnieuw kreeg zij dat zonderlinge gevoel of haar hoofd zou barsten. Toen dit eindelijk overging en zij zich niet meer zo duizelig voelde, verliet zij het paleis en nam een taxi naar het Taj Mahal.
Nog één pijl had zij op haar boog. In de hal trof zij de barones aan met de sinistere kleine man die haar af en toe bezocht. Toen deze vertrokken was, sprak Stitch de barones aan en vertelde haar dat zij in geldverlegenheid verkeerde.
Doch de groene ogen van de barones werden zo hard als opalen.
„Ik kan je niet helpen," zei zij. „Ik heb nauwelijks genoeg voor mezelf."
Een week geleden had zij nog overwogen of zij mevrouw Trollope een baantje zou geven in haar etablissement in Parijs,

doch zij had ervan afgezien. Het stond voor haar vast dat mevrouw Trollope ongeluk aanbracht.
Toen ze weg was, draaide de barones zich naar de ontmoedigde gebogen rug om, stak twee vingers in de hoogte en spuwde er zevenmaal tussendoor. Daarna voelde ze zich beter. Het had nooit gefaald als middel tegen de invloed van het boze oog.

Bill dineerde bij Green. Hij voelde zich eenzaam en gedeprimeerd. Een stem in zijn binnenste zei: „Ik zou me maar bedrinken. Je zult toch niet slapen in die ellendige hobbelende en stotende trein met het rode stof in ogen, mond en haar." Maar hij bedronk zich niet, omdat een andere stem hem zei: „Wat heb je eraan, je komt er niet verder mee. Je staat nuchter op met hoofdpijn en je hebt er niets door vergeten. Het begint allemaal weer van voren af aan." Hij dronk een paar cocktails en bier bij het diner en vroeg zich af wat beter was: de vrouw van wie je hield ervandoor te zien gaan met je beste vriend, of met een ellendeling die je veracht. Dat was een moeilijke vraag. Misschien voelde je je over het ene even beroerd als over het andere, behalve dat het anders was. In ieder geval zou Buck goed voor haar zijn, hij zou geen gemene streken uithalen.
Het eigenaardige was dat hij zich niet bezorgd maakte over de vrouw die hij liefhad, maar over zijn beste vriend; als een van hen teleurstelling zou ondervinden, dan zou het Buck zijn. Carol kon haar boeltje pakken en weggaan als ze er genoeg van had of als het tussen hen niet zou vlotten. In ieder geval, dacht hij, was het allemaal heel ingewikkeld, zoveel gecompliceerder dan de meeste mensen die zich ongelukkig voelen, zich ooit bewust waren. Tot voor kort had hij zelf tot die „meeste mensen" behoord; wat hem was overkomen, had hem niet getroffen en maakte hem ook niet ongelukkig. Pas kort geleden was hij over zichzelf gaan na-

denken en over wat het was om te ontdekken dat er achter bijna alles wat hij deed of dacht of zei, een hoop complicaties waren. Neem deze warwinkel eens – verliefd worden op Carol lang nadat ze getrouwd en gescheiden waren, alleen omdat hij om de een of andere reden begon in te zien dat ze een geheel andere persoon was. En zijn gevoel jegens Buck, die hij nu in een nieuw en ander licht zag. Het zou heerlijk en gemakkelijk zijn geweest als hij Buck had kunnen haten. De moeilijkheid was dat je niemand van iets de schuld kon geven. Het was alleen maar gebeurd en je kon niets doen om het te veranderen. Maar dat maakte het niet gemakkelijker te aanvaarden, als je dacht aan al die jaren en alle plezier die je zou missen. Het zou te vergelijken zijn met een pijn die je onophoudelijk plaagde, of honger die nooit te bevredigen was. Het zou beter zijn te trachten en te falen dan nooit te weten. Nu zou hij nooit weten of hij en Carol gelukkig hadden kunnen zijn en een goed leven samen hadden kunnen opbouwen. De bediende van het hotel met zijn bagage stoorde hem in zijn overpeinzingen.

„Als u op tijd aan de trein wilt zijn, meneer, dan moet u nu gaan."

Hij ging erheen; of al zijn bagage compleet en op tijd was, liet hem onverschillig. Gewoonlijk was hij zenuwachtig op reis, maar nu waren zijn zenuwen afgestompt.

Op het station was het heet en lawaaiig met al die geluiden van treinen en het eeuwige schreeuwen van de koelies. Waarom moet er in Indië toch altijd zoveel lawaai over alles gemaakt worden, vroeg hij zich af. De hitte steeg van het plaveisel op. Enfin, deze avond betekent een nieuw dieptepunt van depressie, dacht hij grimmig. Ik zal me nooit beroerder voelen dan nu; dat is tenminste iets om dankbaar voor te zijn.

In de trein zag hij dat hij zijn coupé deelde met een dikke Engelsman en een Indiër in Europese klederdracht. Hij stapte uit de trein om op het perron wat heen en weer te lopen.

Hij was nog nauwelijks aan het eind van het perron, toen hij een stem hoorde zeggen: „Goedenavond, meneer Wainwright."
Allemachtig! dacht Bill. Hij kende die stem; het was de markiezin.
„Goedenavond," antwoordde hij. „Gaat u ook met deze trein mee?"
„Ja, tot Delhi. Ik ga bij de onderkoning logeren. Wilt u niet wat gebruiken? Ik heb een fles champagne in ijs bij mij."
Daar is niets op tegen, om een glas met haar te drinken, dacht Bill.
Zij had een coupé alleen. Het bed was opgemaakt met lakens van lichtroze zijde en een met kant afgezet kussensloop. Over een stoel hing een kanten peignoir. De champagne stond in een koeler van het Taj Mahal.
Net een chambre séparée van een snol, dacht hij. Een ogenblik dacht hij eraan te vluchten, maar hij zag geen kans het op een beleefde manier te doen. Hij hield niet van donkere, sappige, hijgende vrouwen. Ze trachtte de champagnefles te openen, maar hij nam die uit haar handen. Terwijl hij de fles openmaakte, vroeg hij: „Reist uw kamenier met u mee?"
„Natuurlijk; ze heeft een coupé apart."
De champagne was puik, alleen al het zien ervan bezorgde hem een prettiger gevoel, en de smaak bracht hem in een goede luim.
Ze had een lange Egyptische sigaret te voorschijn gehaald en wachtte tot hij haar vuur zou aanbieden. De manier waarop ze zich ietwat vooroverboog en hem in de ogen keek, sprak boekdelen.
„Ik neem altijd champagne mee op reis," zei ze, en Bill dacht: Verdorie, wat een saai mens, om een beetje afleiding zo ernstig op te nemen.
Buiten op het perron begon de drukte te heersen die aan het vertrek van een trein in Indië voorafgaat.
Bill dronk zijn glas leeg en zei: „Ik zal nu maar naar mijn

coupé teruggaan, voordat de trein vertrekt. Wel bedankt voor de verfrissende dronk."
„U hebt toch geen haast," zei de markiezin. „We zullen de fles samen leegmaken en dan kunt u aan het eerstvolgende station uitstappen en naar uw coupé gaan."
Nog een paar glazen, dacht Bill, dat kon geen kwaad. Hij kon zich dom houden en voorgeven dat hij niet begreep wat de markiezin voor had, om dan aan het eerstvolgende station over te stappen en zo weg te komen. In ieder geval was het te laat om naar zijn eigen coupé te gaan, want de trein zette zich al in beweging. En toen flitste het opeens door zijn bedwelmd brein: Wat een stommeling ben ik toch; dit is een exprès die pas in Baroda stopt – over acht uur!
Hij moest er eigenlijk om lachen: Onnozel bloed verleid! dacht hij. Enfin, hij zou nu niets anders kunnen doen dan aan de noodrem trekken en zich door het treinpersoneel laten redden. Buiten zag hij de lichten van de smerige fabriekswijk al voorbij het coupéraam schuiven. Wat maakte het uit? Hij was vrij man en Carol was er met Buck vandoor – voorgoed.
„Je kunt de nacht hier wel doorbrengen," zei de markiezin, er in haar omslachtig Frans bijvoegend: „Cela m'est tout à fait égal."
„Moi aussi," zei Bill. „Laten we nog een glas nemen." Je kon het net zogoed vrolijk doen.
„La vie," merkte de markiezin op, „est si souvent tellement belle."
„Nou en of!" antwoordde Bill grimmig. Hij nam nog een glas en vroeg toen: „Hebt u misschien nog een fles bij de hand?"
„Een halve kist."
„Laten we dan als aanloopje nog een fles in de koeler zetten."

Gedurende de lange rit naar Joehoe spraken Carol en Buck geen woord; ze zaten dicht tegen elkaar aan gedrukt, de handen ineengestrengeld.

Carol was zenuwachtig, omdat ze voor het eerst van haar leven vluchtte. Toen de taxi het huis van Jellapore voorbijreed (even voordat mevrouw Trollope hem om geld kwam vragen), deed ze de ogen dicht, gedreven door de eigenaardige overtuiging dat ze nooit meer voor de ingang zou voorrijden waar de oude portier stond. Wat er ook ging gebeuren, welke wending haar leven ook zou nemen, het zou nooit meer langs de oude paden gaan. Zelfs in haar ongerustheid voelde ze een beetje spijt, omdat ze in Jelly's huis zo vaak gelachen had, er plezier had gehad en veel geld had gewonnen. Ze was ook een beetje bang omdat dit avontuur een einde zou nemen, en dat was iets dat ze nooit tevoren had beleefd. Nooit had ze dat vooruit geweten, het een was het gevolg geweest van het ander en eindelijk, als ze er genoeg van had gehad, was het avontuur uit. Maar deze vlucht hield geen avontuur in. Er zou een dag komen, onverwacht, dat het uit zou zijn en ze wist dat het einde, hoe het dan ook zou komen, niet gelukkig kon zijn.
Om godswil, dacht ze, laat ik het niet bederven met piekeren. Maar die gedachte hielp niets. Op een ogenblik kwam het haar voor dat het maar het beste zou zijn de chauffeur te laten stilhouden, uit te stappen en weg te gaan en Buck te verlaten voordat het te laat was. Maar ze deed het niet.
Buck, naast haar, was bang om redenen die onduidelijk en verward waren. In zijn eenvoud en onschuld was hij bang haar te zullen vervelen, bang dat hij haar altijd naïef zou voorkomen en dat hij, als het nieuwe eraf was, saai zou worden. Zijn geweten plaagde hem niet meer, want hij had zich in het avontuur gestort en kon niet meer terug. Misschien is dat juist een duw die ik haar geef naar het hellende pad dat voor haar ligt, dacht hij en onmiddellijk daarop: Bill zou je om zo'n gedachte uitlachen, en misschien heeft hij gelijk! Dat was het verontrustende – dat Bill, alles wel beschouwd, geen domme jongen was. En hij dacht aan het ongelukkige

gevoel dat Bill nu moest hebben – zo alleen naar Calcutta onderweg, hij die zulk een beste kerel was, die nooit toestond dat je hem hielp. Toen ze bijna in Joehoe waren, zei Buck opeens: „Wat een prachtige nacht," en uit de duisternis van haar hoekje zei Carol: „De combinatie van kokospalmen en de Indische maan werkt altijd demoraliserend." Maar dadelijk had ze er spijt van dit te hebben gezegd. Het was een natuurlijke opmerking in de wereld die ze juist verlaten had, maar het zou op Buck alleen maar de indruk kunnen maken dat ze weer een „voorstel" deed.

Na twee- of driemaal de verkeerde weg te zijn ingeslagen, gelukte het de chauffeur eindelijk Jai Mahal te vinden.

Jelly had woord gehouden. De kokos- en betelpalmen achter de hoge muur baadden in het licht uit het huis. Binnen het hek heerste grote drukte – bedienden waren bezig de bladeren met heidebezems van het grind te vegen, de marmeren stoep werd geschrobd en er werd haastig een kamer met het uitzicht op de zee gestoft.

Een hoofdbediende, uitgedost in paars en goud, kwam hen met diepe salaams begroeten.

Hij sprak hen aan in het Hindostani. Buck antwoordde hem en zei toen tot Carol: „De maharadja heeft een koud souper gezonden. Morgen is er een kok aanwezig."

„Ik heb geen honger. Wil je hem bedanken?"

De man nam hun bagage over en toen kwam er plotseling een denkbeeld op bij Carol.

„Ga maar even de tuin in. Ik kom zo bij je," zei ze tegen Buck. Snel liep zij de wenteltrap op die naar de twee slaapkamers leidde. Zonder dralen nam zij de Franse platen van een bedenkelijk karakter van de muren. Zij wilde niet dat Buck ze zou zien.

Toen zij ze afgenomen had, deed zich evenwel de vraag voor waar zij ze moest laten. Zij doorliep de vier slaapkamers op zoek naar een geschikte bergplaats, doch zonder succes. Ten-

slotte kreeg zij de trap, die naar het dak leidde, in het oog. Zij klom naar boven en opende het dakluik.
Het dak was plat. Er stonden twee Indische bedden van gevlochten touw in het maanlicht, benevens een kist. Dit was een geschikte plaats. Zij ging weer naar beneden om de platen te halen en bracht ze naar boven. Toen zij ze in de kist had gelegd, daalde zij opnieuw omlaag naar de tweede verdieping. Daar zette zij zich neer voor een spiegel die de smaakvolle Franse toilettafel versierde.
Het beeld dat de spiegel weerkaatste, staarde haar aan: een bleek, vermoeid gezicht, met zwarte kringen onder de ogen. Zij bleef er enige tijd naar zitten kijken, denkend: Je moest liever wat gaan liggen. Je hebt er nog nooit zo slecht en afgemat uitgezien. Als hij van je houden kan met dàt gezicht, is het werkelijk een succes.
Haastig ging zij aan het werk om de sporen van de laatste vierentwintig uur uit te wissen. Toen zij daarmee gereed was, ging zij de aangrenzende slaapkamers inspecteren. De spreien van rood brokaat en de vergulde meubelen harmonieerden slecht met de min of meer kil aandoende reinheid van de marmeren wanden. Zonderling, dat Indische en westerse dingen nooit samen in één vertrek pasten.
Terwijl zij naar het onsamenhangende geheel stond te kijken, kwam er eensklaps een zonderlinge gedachte bij haar op – namelijk dat zij, een Zweeds meisje uit Minnesota, zich had laten schaken door een zendeling, met wie zij zich nu in dit vreemde huis bevond.
Maar bijna onmiddellijk daarop dacht zij weer: Zo gek is het misschien niet eens. Sommige mensen bewegen zich in cirkels. Buck heeft veel weg van mijn vader en moeder – meer dan iemand anders die ik ooit heb ontmoet. Hij is net zo eenvoudig en even goed van vertrouwen in de goedheid van de mensen.
Deze gedachte intimideerde haar, zodat zij onnatuurlijk en

schuw deed toen zij ten langen leste de trap afdaalde om hem op te zoeken.
In huis was hij niet, evenmin als op het terras. Een ogenblik sloeg haar de schrik om het hart. Misschien is hij wel weggelopen, dacht zij. Doch op hetzelfde ogenblik zag zij, ver weg in de tuin, aan de kant van het water, zijn lange gestalte afsteken tegen de baan van licht die de maan over de baai uitgoot. Zij ging niet onmiddellijk naar hem toe, doch bleef staan bij de fontein, terwijl haar hart zwol door het gevoel dat haar altijd overweldigde als zij hem zag.
Hij wandelde het pad op en neer, met de handen op de rug. Tweemaal had hij de breedte van het grote terras al afgelegd, voordat zij de trappen afdaalde en op hem toeliep. Plotseling begon zij hard te lopen, omdat haar eensklaps de vrees bekroop dat hij misschien weer pijn had – dat hij zo op en neer liep om ertegen te vechten.
Hij kreeg haar niet in het oog voordat hij haar stem hoorde, die vroeg: „Ben je in orde, Buck?"
Snel wendde hij zich om en antwoordde: „Jawel, lieveling. Je bent lang weggebleven."
„Ik heb geprobeerd me wat toonbaarder te maken."
„Maak je daar niet bezorgd over. Je ziet er lief uit."
„Ik dacht dat je misschien weer pijn had, omdat je zo op en neer loopt."
„Nee. Ik liep er juist over te denken dat ik toch eigenlijk te veel verbeelding van mezelf heb, om te geloven dat de dorpelingen het zonder mij niet meer zouden kunnen stellen. Ik wed dat, als ik heenging, ze spoedig weer een ander zouden hebben om mijn plaats in te nemen."
Dus daar liep hij over te piekeren – dat Moti het bij het rechte eind had, dat hij haar niet kon meenemen naar Jellapore, omdat zij geweest was – wàt zij was geweest. Hij trachtte zichzelf wijs te maken dat alles wat hij tot dusver had gedaan, alles waar hij voor had geleefd, niets meer te betekenen had.

„Laten we het daar nu niet over hebben," antwoordde zij. „Laten we iets drinken en ons op de stoelen op het terras uitstrekken en ons nergens iets van aantrekken. (Dat kon immers later wel gebeuren; ze behoefden nu nog geen beslissing te nemen.) Daar zijn we toch voor hier gekomen – om te rusten," voegde zij erbij.
De bediende in paars en goud, die hen had ontvangen, bracht hun de bestelde dranken. Hij heette Ezekiël, zei hij.
„Zeg tegen hem dat hij naar bed kan gaan en de andere bedienden ook," zei Carol tot Buck. „We hebben hen niet meer nodig."
„Dat is een goed idee."
Buck zei tot Ezekiël dat hij wel kon gaan, en kort daarop zagen zij hem en de andere bedienden langs het pad lopen dat naar de bediendenverblijven leidde. In de tuin was nu geen enkel geluid te horen dan het ruisen van de fontein en het klotsen van het water tegen de oever aan het einde van de tuin.
Carol sloot de ogen en zei: „Het is hier heerlijk. Het is net een sprookje uit ‚Duizend-en-één-nacht'."
„Indië is een heerlijk land, lieveling," sprak Buck ernstig.
Aan zijn toon hoorde Carol, hoeveel hij van Indië hield – het Indië dat zij in het geheel niet kende.
Lange tijd bleven ze zo onder de besterde hemel liggen, gelukkig en vredig. De vermoeienis gleed van haar af en ze verviel in die toestand tussen slapen en waken waarin alles eenvoudig en klaar werd, ontdaan van alle complicaties en scheefheid. En ze wist dat wat ze doormaakte goed was, beter dan alles wat haar ooit overkomen was of ooit weer zou voorkomen. Langzamerhand verloor ze alle begrip van tijd, tot ze Buck hoorde zeggen: „Je zult wel moe zijn, lieveling."
„Ja."
„Het is niet gezond hier – te veel dauw."
„Misschien niet." Ze stond op en keek langs de baan van

maanlicht naar de baai. Het was wonderlijk dat dit kon gebeuren in het huis van Jellapore, met zijn atmosfeer van verdorvenheid en slechtheid. „Buck," vroeg ze, „zou je mee naar mijn kamer willen komen?" Ze keek hem aan en zag hem grinniken.
„Ja, heel graag."
Het had niet anders kunnen zijn, niet sedert het ogenblik toen ze in de trein had opgekeken van de juwelen die ze aan Tommy en Ali had laten zien en hem in de deuropening had zien staan met die eigenaardige klare blik in zijn blauwe ogen. Het was heerlijk, voelde ze onmiddellijk, omdat het onvermijdelijk was.
Hij sloeg zijn arm om haar heen en lange tijd bleven ze daar naast de kleine fontein staan. Vrees kenden ze niet meer; tijd en ruimte bestonden niet meer voor hen.

Vijftien dagen lang bestond de wereld buiten Jai Mahal niet meer. Het een eigenaardig bestaan dat ze leidden; het was als een droom, waarin de dagen en nachten ineensmolten en als in een nevel voorbijgingen. Ontbijt, lunch en diner werden opgediend en de tafel werd weer afgenomen, de zon kwam op en ging weer onder en de uitbarstingen van fantastische tropische kleuren, die ermee gepaard gingen, vloden bijna onopgemerkt voorbij, als tussenspelen in een onwezenlijke gloed van geluk.
En in die merkwaardige nevel van vrede en bevrediging speelde zich het opwindende avontuur af van twee mensen die nieuwe werelden van ziel en geest en persoonlijkheid peilden, want voordat ze naar Jai Mahal waren gekomen, hadden ze elkander in het geheel niet gekend. Tot dat ogenblik waren ze eenvoudig twee mensen geweest die door een mist de handen uitstrekten naar wat ieder van hen bij intuïtie wist dat vrede en voldoening was. Het was het gebeuren in tijd en ruimte van twee uit miljoenen mensen, die dicht aan elkander voorbij

waren gegaan en plotseling tot elkander waren gebracht als twee deeltjes bij de vorming van een nieuwe wereld. Ze hadden elkander in het geheel niet gekend, behalve als symbolen van iets, waarnaar ieder van hen een even grote behoefte had als de dorstige aan water en de hongerende aan voedsel. Misschien was het dat, wat Moti in de koele afgetrokkenheid van een fel idealisme had gezien, terwijl hij tussen zijn microscopen en serums vertoefde, want voor hem waren die twee niet meer geweest dan twee elementen in een schema dat moest worden afgewerkt. Dat hij van Buck hield en een eigenaardige, opstandige sympathie voor Carol had gekregen, hield hem niet van zijn voornemen terug hen beiden te gebruiken voor zijn eigen fanatieke droom om een heel volk, een heel ras, tot nieuw leven te brengen. Hij alleen, de zuivere geleerde, had begrepen wat er gebeurde en had het voor zijn eigen bedoelingen aangewakkerd.

In de onwerkelijke afzondering van het witmarmeren huis met zijn tuin vol kokos- en betelpalmen leerden die twee elkaar kennen en al die talloze kleine intieme dingen die te zamen genomen het atoom menselijkheid, genaamd Buck Merrill, en dat wat een vrouw, bekend onder de onzinnige naam Carol Halma, vormden.

Het gebeurde in de nacht en soms onverwacht overdag dat ze momenten van innigheid beleefden, zoals het weinig mensen ooit gegeven is te ondervinden – ogenblikken dat Carol, bedeesd en verschrikt door hetgeen er met haar gebeurde, hem naast zich vond, haar geruststellend, haar vriendelijkheid en kracht schenkend, wonden helend, van welker bestaan ze zich tot nu toe niet bewust was geweest, de ongevoeligheden van geest en ziel verzachtend die aan de vrouw, bekend als Carol Halma, kleefden. Niemand kon zo goed zijn als Buck, dacht ze nu en dan in haar geluk. Wat er gebeurt, is niet echt; het is een droom waaruit ik met een kater zal ontwaken. Haar hart zei haar dat dit heftige, ijle geluk niet ge-

noeg was, omdat het geen fundament had om het stevigheid en duurzaamheid te geven. Het was iets dat scheen te bestaan in een leegte, los van alle laagheid van het dagelijks leven.
Want zijn eenvoud, zowel als zijn welwillendheid verwonderden haar – dat, als hij haar aanraakte, hij dat niet deed met het zelfzuchtige, ruwe verlangen van de meeste mannen die ze gekend had, maar met bezorgdheid voor haar, alsof ze een kind was dat zich pijn had gedaan en geschrokken was. Het was zo anders geweest met Bill, die geplaagd werd door de complicaties en mysteries van zijn eigen karakter. Met Bill was de liefde iets aangenaams, maar ook onbeduidends geweest, dat haar vrouwelijk hart en lichaam altijd onvoldaan had gelaten, hongerend naar de diepte en schoonheid die haar instinct haar zei dat ze moesten bestaan, maar die ze nooit ondervonden had. Naast Buck ontdekte ze hoe tederheid kon zijn, zijn eigen tederheid zowel als die welke ze op haar beurt uit haar eigen diepte opwekte, de tederheid, die daar altijd geweest was, die haar vriendelijk deed zijn tegen vreemden, zoals mevrouw Trollope en de barones en zorgeloos met gevaarlijke dwazen zoals Botlivala – de tederheid die haar ertoe gebracht had een vreemde te helpen die vreselijk ziek was in een spoorwegcoupé op de gloeiende hoogvlakte van Deccan. Maar altijd had ze, uit angst dat het gekwetst zou worden, dat gevoel verborgen achter een pantser van gelach en onbeduidendheden. Nu evenwel was er geen noodzaak meer dat gevoel te verbergen; het vond voldoening. Het was alsof een deel van haar, weggestopt en verstikt, plotseling bevrijd was en mocht groeien en bloeien.
Er was in Buck een soort reinheid, misschien dat „nette", dat zij en Bill beiden altijd voelden als hij bij hen was; het vervulde alles, haar zelf, het huis, de tuin, en verdreef zelfs de atmosfeer van slechte en wellustige herinneringen, waarmee het huis besmet was. Het was het gevoel van zuiverheid en dus van „juistheid" dat haar liefde voor hem die diepte en rijkdom had

verleend, die ze altijd had gezocht en tot nu toe nooit had gevonden. Soms riep haar hart in triomf uit: „Ik heb gelijk gehad; ik wist dat het zo kon zijn!"
Bedeesd had ze gehoopt op deze reinheid (de hoop school achter het verstoppen van de aanstoot gevende platen). Ze had dat gevoel niet zozeer voor zichzelf als wel voor Buck gewenst. Ze had bij zichzelf gezegd: „Voor mij hindert dat niet, ik kan het wel verdragen, maar voor hem moet dat zo zijn." En zo was het ook – even eenvoudig, even goed, even zuiver als de natuur zelf.
Wanneer ze zich het gelukkigst voelde, op ogenblikken dat ze voelde dat het onmogelijk was dat het leven zo rijk en mooi kon zijn, liet zich een stem in haar binnenste horen, die uitriep: Het kan zo niet blijven; er zal een eind aan komen... en wat dan? Maar vlug, bewust, onderdrukte ze dan die stem en vluchtte weg in die eigenaardige nevelige wereld van geluk. En zo, in de vervulling der dingen, werd haar lichaam mooier; de vermoeienis verliet haar en de stralende blik keerde terug. Zelfs de bedienden voelden de verandering. Alsof ze zich bewust waren van een merkwaardig verschijnsel dat ze nooit tevoren hadden gezien en misschien nooit weer zouden zien, werden hun stemmen zachter en hun tred lichter, totdat ze spoedig weinig meer waren dan donkere schaduwen in die nevelachtige wereld van geluk. En naarmate Carols schoonheid en vitaliteit terugkeerden, begonnen ze op hun Indische manier, evenals het bergvolk van Jellapore, te geloven dat ze een godin was, die over de aarde wandelde. Ze aanbaden haar, evenals Krisjna, die weggelopen was, haar eens had verafgood. Als ze zo overdag tussen de palmen of op het terras wandelde, was ze voor hen geen Zweedse revue-girl, maar de godin Sita; alleen was haar verblindende blondheid nog wonderlijker, nog schoner dan de zwarte schoonheid van Rana's bruid.
En voor Buck waren deze dagen van een heerlijke, verblin-

dende schoonheid. Het was alsof hij herboren was, alsof alle moedeloosheid, teleurstellingen en ziekte van hem waren afgevallen, want er was iets dat hij nooit gekend of zelfs vermoed had – dat een vrouw zulk een aanvulling van de man kon zijn, dat een vrouw zo teder kon zijn, dat het lichaam van een vrouw zoveel genot en haar geest zoveel vrede kon verschaffen. De twijfel die hem in den beginne bezwaard had, begon in zijn voldoening ineen te schrompelen en verdween in het heldere licht van wat hem overkomen was. Zijn geluk, zowel naar lichaam als naar geest, was zo groot en zo overweldigend, dat alles, zelfs zijn zelfverwijt over het verlaten der dorpelingen, verdween. De oude twijfel verdween spoedig, want zijn instinct zei hem: Een vrouw als zij kan geen slechte vrouw zijn. Voor alles wat ze gedaan heeft, moet een reden bestaan. Wat ze ook gedaan mag hebben, speelt geen rol meer. Want ook hij was verblind.

Het kwam niet bij hem op dat het geluk op een goede dag een einde zou nemen. In zijn onschuld en optimisme zou het zo altijd voortduren, omdat er geen reden was waarom dat niet zo zou zijn. Over een poos zouden ze Jai Mahal verlaten en dadelijk naar Jellapore teruggaan, waar ze zouden trouwen en tot het einde van hun dagen samen zouden zijn. Hij zei haar dit niet met zoveel woorden, maar sprak altijd alsof er geen gevaren en geen twijfel bestonden. Hij sprak over hetgeen ze zouden doen en over de schoonheid van de jungle en de tochten die vaak tussen de dorpen met ossewagens gemaakt werden, als er geen wegen waren. Hij beschreef het huis waar hij woonde, met de tuin en de brede trap naar de rivier. Zij zou het daar wel prettig vinden, meende hij. Het was een mooi plekje en in de winter was het er ook aangenaam, want het huis stond in het heuvelland, waar de dagen heerlijk warm en de nachten koel waren.

Liggend op het strand of op het terras bij de kleine marmeren fontein luisterde ze toe zonder een woord te zeggen, verzonken in geluk en verrukking over zijn stem en de schittering in zijn helderblauwe ogen – een uitdrukking die haar soms aan het huilen kon maken. Ze liet hem niet blijken dat hij verblind was door wat hem overkomen was en dat het niet eeuwig zo kon doorgaan. Ze vertelde hem niet dat, als hij naar Jellapore terugging, hij alleen zou gaan. Ze zette de gedachte aan die dingen van zich af en zei bij zichzelf: het is voldoende dat je nu gelukkig bent. En er waren ogenblikken waarop ze, onder de invloed van zijn liefde en zijn enthousiasme, zelf geloofde in het verhaal van hun toekomst dat hij haar met zoveel onschuld en vertrouwen vertelde. Ze hield zelfs de gedachte niet terug: misschien zou het zo kunnen zijn. Waarom niet? Wat zou het kunnen beletten? Omdat er in haar gezondheid en geluk momenten waren, waarin haar niets onmogelijk scheen, momenten waarop ze dacht: Ik ben een andere vrouw. Als hij bij me is, verlang ik niets meer. Er is niets dat er verder op aan komt. Ik heb hem zo lief. Ze kon zich niet voorstellen hoe het zou zijn te ontwaken, door de straten te lopen, naar de vogels te luisteren, de zon op haar lichaam te voelen, als hij er niet bij was. En op een goede dag kwam de gedachte bij haar op dat ze in Jai Mahal waren als Adam en Eva in het paradijs, voordat er zonde in de wereld was. Het moet iets zijn geweest zoals dit, dacht ze, en het is Buck die het zo maakt.

Voor hem bestond er slechts één schaduw: de herinnering aan zijn overleden vrouw, die hem thans niet zozeer wrok, maar veeleer medelijden inboezemde – omdat zij was geweest zoals zij was. Hij zag nu in dat zij was gestorven zonder ooit geleefd te hebben.

De gedachte aan zijn overleden vrouw kwam telkens en telkens weer bij hem op. Doch zijn lichamelijke pijn werd met de dag minder. Hij zag er ook niet meer zo tegen op, nu hij Carol bij zich had, die hem door de aanraking van haar hand ervan genas. Voor het eerst in maanden sliep hij rustig. En

diep in zijn binnenste begon zijn vitaliteit weer met het oude vuur te branden.
Toen zijn krachten terugkeerden, kwamen ook de oude rusteloosheid en lust in arbeid terug en begon hij ook weer aan zijn dorpelingen te denken. Carol merkte de verandering op die bij hem plaatsvond. Zij zag iedere dag de kleur meer op zijn wangen terugkomen en zij voelde de stroom van zijn herlevende vitaliteit. Dit vervulde haar met vreugde; doch tegelijkertijd maakte het haar angstig. Want elke dag bracht haar nader tot het ogenblik waarop kolonel Moti tot haar zou zeggen dat hij haar niet meer nodig had en dat zij kon gaan.
Tot op zekere morgen Buck tegen haar zei: „Ik vind dat we nu toch eens moesten gaan zien hoe Ali het maakt."
„Ja, het is al een hele tijd geleden dat je hem voor het laatst hebt gezien."
In Joehoe een taxi te krijgen was niet eenvoudig. Er moest iemand naar Bombay worden gestuurd om er een te halen. Een bediende ging onmiddellijk per fiets op weg, doch voordat hij terug was, verscheen er iemand die een brief van het instituut voor Buck bracht. Carol sloeg hem gade toen hij het couvert opende en het briefje las. Hij stopte de brenger een ropij in de hand en hoorde hem glimlachend iets in het Hindostani tegen de man zeggen.
Toen deze vertrokken was, wendde hij zich tot haar met de woorden: „Het is goed nieuws."
„Daar ben ik blij om," antwoordde zij. Doch inwendig dacht zij: Goed nieuws! Misschien voor hem, maar niet voor mij.
„Vanmiddag wordt het verband van Ali's ogen genomen," zei Buck. „Moti zegt dat hij vermoedt dat Ali graag zou hebben dat ik erbij was."
„Natuurlijk moet je gaan."
„En hij deelt me verder mee dat zowel de universiteit van Aligarh als de onderkoning voornemens zijn iets voor me te

doen ter erkenning van mijn verdiensten bij het werk in de dorpen."
„Dat is prachtig, lieveling!"
Hij overhandigde haar de brief van Moti. Zij las hem door en zag dat er meer in stond dan hij haar had verteld. Aan het slot stond het volgende: „De dewan verzocht me je mee te delen dat er cholera is uitgebroken onder de dorpelingen. Op het ogenblik is de toestand niet zo ernstig en de gezondheidsdienst doet al het nodige. Hij zegt dan ook dat je je vakantie er niet voor behoeft te onderbreken."
Zij zag Buck aan en vroeg: „Waarom heb je me niets verteld van de cholera?"
„O, dat is niets. Er heerst voortdurend cholera in meerdere of mindere mate. Als het erger wordt, kunnen we direct naar Jellapore gaan."
Carol verliet het vertrek onder voorwendsel dat zij zich moest verkleden. Doch in werkelijkheid liet zij hem alleen om „haar gedachten te laten gaan".
Er waren twee dingen die zij niet begreep: dat Buck zo rustig bleef bij het vernemen van de tijding over het uitbreken van de cholera en dat hij Ali geheel scheen te hebben vergeten sedert zij samen waren, alsof hij niets meer om de jongen gaf. In haar geluk had zij er nauwelijks erg in gehad dat hij niet aan Ali scheen te denken. Nu echter het bericht van de dewan was gekomen, was dit feit van belang. Misschien zou het wel gaan zoals Bill had voorspeld – dat het eind zou zijn, dat zij Bucks leven verwoestte door hem geheel te veranderen, door te maken dat hij alles om zich heen vergat, uitsluitend door zijn liefde voor haar – niet voor altijd, maar tot de dag waarop hij, ontwakend, tot de ontdekking zou komen wat er was gebeurd en de schuld voor de tragedie op haar zou werpen. Misschien was het beter dat zij nu uit zijn leven ging voordat het te laat was en zelfs de herinnering aan al het schone eronder zou lijden.

Doch opstandig dacht zij: Nee, dat kan ik niet! Dat doe ik niet! Dat kan ik niet doen! Waarom ook? Ik ga met hem naar Jellapore. Ik wil niets meer te maken hebben met Jelly of met zijn broer. Ik blijf bij Buck in zijn dorpen en ik ga niet meer naar de hoofdstad terug. Dat zou trouwens toch niet zo gemakkelijk gaan, want om dat te kunnen, zouden wij getrouwd moeten zijn; en nu was Buck in zekere zin een officiële persoonlijkheid. Nu kwam het er dus wèl op aan met wie hij trouwde.
Het was precies zoals kolonel Moti die avond had gezegd toen ze in Bills kamer hadden zitten praten. In de vochtige hitte begon ze plotseling te rillen. Misschien was het nu allemaal voorbij. Misschien zouden ze nooit meer in Jai Mahal terugkeren. Misschien zou Moti in de mening verkeren dat de kuur afgelopen was en haar terugzenden en dan zou ze moeten gaan, omdat er niets anders opzat en ze met blijven Buck en alles waarvoor hij geleefd had, slechts te gronde kon richten. Plotseling dacht ze: was Bill maar hier. Want Bill met al zijn onzin had gevoel voor verhoudingen, wellicht geboren uit zijn eigen alledaagsheid, ervaring en cynisme. Bill zou haar hebben geholpen de dingen verstandig in te zien, want ze wist dat ze zelf niet verstandig was.
Kort daarop kwam de taxi. Ezekiël ging met hen mee naar de uitgang en vroeg Buck in het Hindostani wanneer ze dachten terug te zijn. Buck antwoordde hem en zei toen tegen Carol: „Ik heb hem gezegd dat we vanavond terug zullen zijn. Is dat goed?"
„Ja." Maar in haar hart geloofde ze het niet; ze was bang.

Ali zat in de verduisterde kamer naast Indira Moti's slaapkamer. Daar zat hij dag aan dag, heel rustig en bedaard, terwijl het marmotje naast hem lag, tegen zijn bruine been aan. Mevrouw Moti deed haar best de lange uren van duisternis voor de jongen draaglijk te maken, maar ze was ervan over-

tuigd dat alles wat ze deed om hem afleiding te bezorgen, nutteloos was. Ze wist dat zij en haar echtgenoot niet bestonden voor de jongen; hij leefde alleen voor Buck.
Toen de bediende, die de boodschap naar Jai Mahal had overgebracht, met bericht van Buck terugkwam, liep Indira Moti naar Ali toe en legde haar hand op het kleine hoofd.
„Ali," zei ze, „sahib Buck komt vanmiddag."
Ze voelde de jongen even sidderen en toen wist ze ook dat hij zachtjes huilde, zoals het de zoon van een mahout van een van Akbars oorlogsolifanten betaamde.
„Ik zal je waarschuwen zodra hij komt," zei ze. „We zullen het feestelijk vieren." Daarop ging ze heen; hij kon dan ook vrij huilen, zoals een kind dat doet.
Ze vertelde de jongen niet dat hij deze middag ook zou weten of hij het gezicht zou terugkrijgen, of dat hij de rest van zijn leven in duisternis zou moeten doorbrengen. Ze had hem met opzet niets ervan gezegd, omdat ze het wilde doen voorkomen of het afnemen van het verband iets heel gewoons was.
Op de lange rit door de hitte van Joehoe naar het instituut werd Carol bestormd door de twijfel die Moti's brief bij haar had doen opkomen. Het was een vechten tegen zichzelf en tegen het pijnigende gevoel dat haar overviel bij de zekerheid dat, toen zij het hek van Jai Mahal achter zich sloten, zij het paradijs achterlieten – misschien wel voor altijd. Zo iets, dat wist ze, kon niet eeuwig duren en ze dacht: Ik heb geluk gehad het zelfs maar voor zo'n korte tijd te hebben gekend. De meeste vrouwen kunnen niet dromen dat er zo iets bestaat.
In de hitte en het stof raakte ze van streek, niet wetend wat ze daarna zou doen. Als ze niet naar Jai Mahal terug zouden gaan – en zelfs als ze terugkeerden, nu ze het eenmaal verlaten hadden, zou het nooit meer hetzelfde worden, een stuk van Buck zou erbuiten blijven. Ze zou hem nooit meer geheel voor zichzelf hebben op de manier waarop vrouwen steeds een man willen bezitten.

Naast hem gezeten, trachtte ze over koetjes en kalfjes te praten, opdat hij haar neerslachtigheid niet zou kunnen merken, maar ze zag al die kleinigheden die haar zeiden dat hij weer in de oude wereld terugkeerde. Je kon dat zien aan de veranderde blik in zijn ogen, een blik waarin zij niet begrepen was; de andere klank in zijn stem, de opmerkingen die hij nu en dan maakte over zijn toekomst en zijn werk. Hij was haar al ontsnapt naar een wereld waarin geen plaats voor haar was.
Indira Moti stond op de veranda, toen de taxi de binnenplaats opreed. Zij glimlachte toen zij Buck en Carol in het oog kreeg, omdat zij verheugd was hen terug te zien. Doch haar doordringende zwarte ogen zagen meer dan hun lichamelijke gestalten. Zij zagen de blik van nieuw leven in Bucks ogen; zij zagen geluk – en het deed haar pijn te weten dat iemand die zo mooi, zo gelukkig was, zoveel leed zou moeten worden aangedaan.
Na hen te hebben begroet, zei zij tot Buck: „Ik heb Ali gezegd dat je zou komen. Ik heb hem niets gezegd van het afnemen van het verband. Ik vond dat Moti het beter gewoon kon verwijderen; dan zou het hem niet zo zeer doen als datgene, wat wij hopen, niet gebeurde, omdat jij erbij bent."
Nu verscheen de kolonel om hen te begroeten en Carol zag aan zijn blikken hoezeer het hem verheugde dat Buck er zo goed uitzag.
Het was haar onverschillig dat zij wist dat zij hem niet interesseerde. Zij dacht: Ik zou hem eigenlijk moeten haten, maar dat kan ik niet. Hij is beter dan een van ons allen.
Moti stelde dat zij nu dadelijk naar Ali zouden gaan. Zij traden het vertrek binnen, waar de jongen zat met het marmotje dicht tegen zich aan. Moti ging op hem toe.
„Nu zullen we het verband eraf halen," zei hij. „De dokter zegt dat het nu tijd is."
De jongen wendde hem het gelaat toe. Hij vroeg niet: „Zal ik weer kunnen zien?" maar alleen: „Is sahib Buck gekomen?"

„Hij is onderweg. Hij zal zo hier zijn."
Daarop maakte Moti het verband los en nam het van de ogen af.
Carol hield de adem in. Nu zou het gebeuren! Thans zou Ali zien of hij zou voor altijd blind blijven.
Het vertrek was bijna geheel in het duister gehuld.
Ali, die met gekruiste benen zat, staarde een ogenblik onzeker voor zich uit; toen draaide hij langzaam, als een automaat, het hoofd naar rechts en toen naar links, alsof hij het licht zocht te ontdekken. Tweemaal draaide hij het hoofd heen en weer, terwijl de anderen in spanning toezagen. Carol voelde Bucks hand in de hare glippen en bemerkte dat hij beefde.
Daarop draaide de jongen het hoofd weer om en zijn ogen bleven op Bucks gelaat rusten. Plotseling strekte hij de benen rechtuit en het kleine, smalle, donkere gelaat was als één glimlach. Het was een glimlach, zoals Carol nog nimmer had aanschouwd, een glimlach van aanbidding, alsof de zoon van de mahout, toen hij de ogen opende, Allah in eigen persoon voor zich had zien staan.
Zij hoorde kolonel Moti's stem dankbaar zeggen: „Hij ziet! Hij ziet!" Toen zag zij de jongen van de divan glijden en recht op Buck toelopen, met een zonderling, verstikt stemmetje roepend: „Sahib Buck! Sahib Buck!" Zij zag Buck neerknielen en zijn armen om de zoon van de mahout slaan.
Toen wendde zij zich om, want zij voelde de tranen over haar wangen stromen. Nog nooit had zij zoveel van Buck gehouden. Zij dacht: Ik zou hem nooit kunnen wegnemen, zelfs niet van die kleine jongen. Het was haar, alsof de jongen het symbool was van al de lijdende dorpelingen van Indië, voor wie Buck zo onmisbaar was, omdat hij hen begreep en hen kon helpen.
Zij hoorde Ali aldoor herhalen: „Sahib Buck! Sahib Buck!" Toen liep hij naar zijn plaats terug om zijn marmotje te halen. Hij hield het voor Buck in de hoogte, om het hem te tonen.

„Dat diertje is zijn grootste vriend geweest terwijl je er niet was," zei mevrouw Moti. Zij liet erop volgen: „Ik geloof dat we nu allen wel een kop thee zullen willen hebben. Ik zal de thee hier laten brengen, dan kan Ali bij Buck blijven. Hij mag nog niet in het felle licht."
Buck ging op de divan zitten met de jongen tussen zijn knieën. Nu Ali Buck weer bij zich wist, begon hij pas goed te genieten van het feit dat hij zijn gezicht terug had. Hij keek om zich heen, nu eens hier, dan weer daarheen. Hij richtte zijn zwakke ogen op Moti, op Carol. Deze laatste bleef hij geruime tijd aanzien; toen vroeg hij iets aan Buck, die begon te lachen.
Daarop zei Buck tot Carol: „Hij wil weten of jij die koningin was met al die juwelen. En toen zei hij dat hij al wist dat je mooi was, maar dat hij je nog veel mooier vindt dat hij zich had voorgesteld."
De jongen zei nog iets, waarop Buck hem antwoord gaf in het Hindostani en toen voor Carol vertaalde: „Hij zegt dat hij wel weet dat het eigenlijk niet zo hoort, maar hij vraagt of hij je goed lang mag aankijken. Ik heb tegen hem gezegd dat hij nog tijd genoeg zou hebben om je aan te kijken, want dat je meegaat naar Jellapore, om voorgoed bij ons te blijven."
Carol schrok van deze woorden. Bijna had zij uitgeroepen: „Zeg dat toch niet, want het is niet waar! Ik kan niet terugkeren in Jellapore."
Doch zij hield zich in en zei niets. Een ogenblik later drong het tot haar door wat de bedoeling was van deze opmerking. Het was niet alleen tot haar gericht, wat Buck had gezegd. Dat was eigenlijk bedoeld aan het adres van Moti. Hij zei tegen Moti dat hij niet moest commanderen of er zich mee bemoeien. Plotseling dacht zij: Buck, wat ben je toch een schat! Je weet meer dan je een van ons allen wilt laten blijken.
De thee werd binnengebracht en nu zei Moti tot Buck: „Ik heb nog een telegram gehad van de dewan. De cholera-epidemie is ernstiger dan men aanvankelijk meende. Hij drong

er bij mij op aan dat ik je zou meedelen dat je tegenwoordigheid ginds vereist zou zijn, als de ziekte zich uitbreidde."
„Heel goed," antwoordde Buck. „Ik zal blij zijn als ik weer aan het werk kan gaan. Misschien is het beter als we er onmiddellijk heen gaan."
Toen men gezamenlijk de thee had gebruikt, zei Indira Moti tot Buck: „Kun je even meekomen? Ik wilde met je spreken over een paar rekeningen in Jellapore."
Carol dacht: Dat doet zij omdat Moti met mij alleen wil praten; nu zal het gebeuren!
Buck zei iets tot Ali, die weer op de divan ging zitten met zijn marmotje. Toen Buck en mevrouw Moti het vertrek hadden verlaten, sprak Moti: „Dat is prachtig voor Buck!"
„Ja," antwoordde Carol, niet goed wetend wat hij bedoelde.
„Hij heeft altijd grote verdienste gehad, doch het is aangenaam dat dit wordt ingezien terwijl hij nog jong is. De universiteit zal hem een graad toekennen en de regering is voornemens hem een titel te geven en vermoedelijk ook een vast honorarium. Denkt u dat hij daar blij mee zal zijn?"
Als Carol de waarheid had willen zeggen, zou zij uitgeroepen hebben: „Ik geloof niet dat hij zich daarom bekommert." Maar zij antwoordde: „Zeker! Waarom niet?"
„Hij schijnt zich heel goed te voelen."
„Hij heeft niet dikwijls meer van die verschrikkelijke aanvallen." Waar wil hij toch heen? dacht ze. Ze voelde zich niet op haar gemak; de grote donkere ogen van de geleerde bleven onafgewend op haar gericht. Het was alsof hij een experiment gadesloeg. En ze voelde dat Ali haar ook zat aan te kijken, maar met een blik van adoratie in zijn ogen.
„Hij is geheel veranderd," merkte Moti op. „Hij is weer geheel en al de oude. Hij is als een man die weer heeft leren lopen na lang ziek te zijn geweest. Ik ben u buitengewoon erkentelijk. Heel Indië zou u erkentelijk zijn als het de ware toedracht van de zaak kende."

Zij dacht bitter: En nu zal hij dadelijk wel tegen mij zeggen dat ik overbodig ben. Maar ik laat me niet wegsturen. Ik ga niet weg.
Plotseling vroeg Moti: „Wat bedoelde Buck toen hij het erover had, dat ‚we' terug zouden keren naar Jellapore?"
„Dat weet ik niet. We hebben het er nooit over gehad wat er verder zou moeten gebeuren, toen we Jai Mahal verlieten. Hij laat zich altijd op die manier uit, alsof het iets is dat vanzelf spreekt."
De kolonel fronste de wenkbrauwen en Carol was dankbaar dat de jongen op de divan in de kamer was. Zij liep naar hem toe en ging naast hem zitten. De jongen keek haar aan en glimlachte. Daarop legde hij schuchter zijn kleine hand in de hare.
Moti sloeg haar gade en zei glimlachend: „Nu wordt Buck een soort ambtenaar. Een paar maal per jaar zal hij voortaan aan officiële diners moeten deelnemen en naar Delhi gaan."
„Ja," antwoordde zij dof, blij dat Ali's hand in de hare rustte.
„Ik heb nieuws voor u," sprak hij daarop. „Vanmorgen is de politie hier geweest."
Zij richtte zich eensklaps op.
„Waarvoor?"
„Het ging over de juwelen. Zij vonden dat uw gedrag vrij zonderling was – om weg te gaan en u verder niets van de zaak aan te trekken. Het schijnt dat de stenen een flink kapitaal vertegenwoordigen. Ze waren erachter gekomen, dat ik vermoedelijk wel zou weten waar u was. Het heeft in alle kranten gestaan dat u was verdwenen."
„Wat? Ik begrijp niet wie daar belang in zou kunnen stellen."
„Ik geloof dat u er zich niet goed rekenschap van geeft dat u een bekende persoonlijkheid bent in Bombay. Bijna iedereen is van uw geschiedenis op de hoogte."
Zij kreeg een wee gevoel. Zij had lust om uit te roepen: „Waarom laten ze me niet met rust? Als ik me niets aantrek

van het verlies van die juwelen, wat heeft een ander er dan mee te maken? Waarom laten ze me niet met rust?" En nu zag zij in, hoe Moti haar aan de dijk wilde zetten. Hij had er langs een omweg op aangestuurd. *Hij* schakelde haar niet uit; hij liet haar zichzelf uitschakelen door haar duidelijk te maken hoe onmogelijk de gehele situatie was.
„En er heeft natuurlijk een heel verhaal in de bladen gestaan."
„Men had mij beloofd dat het stilgehouden zou worden."
„Dat zal dan ook wel in de bedoeling hebben gelegen. De Indische bladen hebben er het eerst de lucht van gekregen. Dat komt natuurlijk doordat er in Bombay heel wat jonge fanatiekelingen rondlopen die blij zijn als ze iets aan de grote klok kunnen hangen ten nadele van de Europeanen. Zij doen alles wat zij kunnen om de Europeanen in een slecht daglicht te stellen. En dit was een kolfje naar hun hand."
Carol zag in dat het paradijs nu voorgoed voor haar was gesloten. Zij was dwaas geweest te menen dat, terwijl zij in Jai Mahal vertoefde met Buck, de wereld daarbuiten niet meer bestond, dat zij had opgehouden te draaien, alleen omdat zij verliefd en gelukkig was.
Kwaadwilligheid en schandaal waren achter haar rug aan het werk geweest. Al haar dwaasheden werden nu aan haar gewroken.
„En natuurlijk," vervolgde Moti, „moesten de Engelse bladen wel volgen, toen de Indische bladen ze waren voorgegaan. En de zaak werd er niet beter op toen Botlivala een klacht tegen u indiende."
„Een klacht tegen mij indiende? Op grond waarvan?"
„Hij wil zijn juwelen terughebben. Hij beweert dat u ze hem onder valse voorwendsels hebt afhandig gemaakt."
„O!"
Voor de eerste maal in haar leven voelde zij dat zij een werkelijke bezwijming nabij was. Het vertrek scheen in het rond te draaien. Woest dacht zij: De schurk – de smerige schurk!

Daarop hoorde zij Ali snel iets zeggen tegen Moti, die hem antwoord gaf. De duizeligheid verdween en Moti's gelaat kwam weer wazig uit de nevel te voorschijn.
Met een glimlach zei hij: „Ali zegt tegen me dat ik u geen kwaad mag doen, want dat wil sahib Buck niet hebben. Ik heb tegen hem gezegd dat het volstrekt niet mijn bedoeling was om u kwaad te doen, maar dat ik u nieuws moest overbrengen dat niet zo aangenaam was, maar dat u toch moest weten. Dat is immers zo, nietwaar?"
„Jawel – dat geloof ik tenminste."
„Het was u toch immers aangenamer dat ik het u alléén vertelde, nietwaar?"
„O ja – ja." (O, waarom waren ze toch niet in Jai Mahal gebleven?)
„De juwelen zijn teruggevonden," sprak Moti.
„Waar? Wie had ze gestolen?"
„Uw vriendin, mevrouw Trollope." (Dus Stitch had ze al die tijd bij zich gehad, veilig verborgen in haar blouse, terwijl zij zat te huilen en door te ratelen in Carols kamer.) Zij is stapel, dacht Carol. Ze is vast stapel.
„Het schijnt," ging Moti voort, „dat ze oorspronkelijk niet van plan was ze in Bombay van de hand te doen; maar ze zat dringend om geld verlegen. Toen heeft ze geprobeerd een armband te verkopen. Eenvoudig te dwaas om alleen te lopen, natuurlijk. De hele geschiedenis had in geuren en kleuren in de kranten gestaan: dat zij een zuster van de maharani van Chandragar was en dat haar man voor een zwendelaffaire in Engeland in de gevangenis zat. De bladen beweerden dat zij een vriendin van u was en dat u hier in Bombay voortdurend in haar gezelschap was gezien."
„Dat is waar – en *niet* waar. Ze is nooit een vriendin van mij weest. Ik had met haar te doen. Waar is ze nu?"
„In de gevangenis."
„Ze hoort niet in de gevangenis. Ze is gek – arme ziel."

Plotseling ging Carol een beangstigende gedachte door het hoofd.
„Wat vertelt uw vrouw op dit ogenblik aan Buck?"
„Niets van deze hele geschiedenis. Zij praat met hem over het inzamelen van gelden voor zijn werk. Ik had haar verzocht hem mee te nemen. Ik vond het beter dat hij er niet bij was terwijl wij deze aangelegenheid behandelden."
„Inderdaad. Dank u."
Dus dan wist Buck op dit ogenblik niet méér dan zij er zelf van had geweten. Misschien kwam hij het later wel te weten; maar het kon evengoed zijn dat hij nooit iets zou vernemen van de hele geschiedenis en haar vreselijke bijzonderheden.
„Naar mijn mening zou het het beste zijn dat u nu dadelijk terugging naar Bombay en u tot de politie wendde."
„Ik kan niet teruggaan naar het Taj Mahal – dat kan ik niet." (Ik zou het niet uithouden – al die gezichten, die me zouden aanstaren!)
Kalm vervolgde Moti: „Ik heb de politie moeten beloven dat ik u vanavond naar het bureau zou sturen."
Enige tijd bleef zij stilzitten, zonder een woord te uiten. Zij werd zich ervan bewust dat zij de kleine hand nog altijd in de hare hield. Merkwaardig, welk een rustig gevoel haar dit bezorgde. Het was bijna alsof Buck naast haar zat.
Eensklaps werd haar verstand weer helder.
„Wilt u aan de politie telefoneren dat ik om zes uur in mijn kamer in het hotel zal zijn?" vroeg zij. „Ik zal toch niet gearresteerd worden, nietwaar? Ze zullen me toch niet meenemen naar het politiebureau?"
„Er bestaat voor de politie geen enkele reden om u te arresteren. En wat dat naar het politiebureau meenemen betreft – ik geloof dat ik invloed genoeg bezit om te kunnen zorgen dat men iemand naar uw hotel stuurt."
„Ik geloof dat het beter is er op het ogenblik nog niets van tegen Buck te zeggen."

„Zoals u verkiest.” Er kwam iets vriendelijks in de blik van de kolonel. „Hebt u uw kamer in het hotel aangehouden?”
„Nee.”
„Vermoedelijk is het beter dat ik door mijn secretaris een kamer voor u laat bespreken. Dan kunt u het hotel aan de zeezijde binnengaan.”
„O ja – dat zou uitstekend zijn.”
„Dan ga ik nu maar,” zei Moti, opstaand. „Ik zal tegen Buck zeggen dat u op hem wacht.”
„Nee, nu nog niet. Laat hem eerst maar zijn zaken afwikkelen.”
Zij wilde alleen zijn om haar zelfbeheersing terug te krijgen. Nauwelijks had Moti haar verlaten of zij begon te wenen, niet van zelfmedelijden, maar van wanhoop en overspanning. Bij het zien van haar tranen klemde de hand van de jongen zich vaster in de hare. Hij begon snel tegen haar te praten. Zij kon geen woord verstaan van hetgeen hij zei, doch zij begreep wel dat hij zijn best deed haar te troosten. Toen drongen twee woordjes tot haar door: „Sahib Buck”. Hij had het dus over Buck. Zij dacht: Hij heeft gelijk. Buck moet me zo niet zien. Met aanwending van al haar wilskracht slaagde zij erin haar tranen te bedwingen en zij drukte Ali's hoofd tegen het hare. Daarop stapte zij naar het venster en begon bij het schemerige licht haar gezicht op te maken.
Toen zij weer naar de divan terugkeerde, trad Buck binnen met een telegram in de hand.
„Ik heb alweer een telegram gehad uit Jellapore. We zullen morgen moeten vertrekken.”
Met haar gezicht verborgen door de schaduw antwoordde Carol rustig: „Zo spoedig kan ik niet weg. Ik heb hier in Bombay nog een paar zaken in orde te maken.”
„Wat voor zaken?”
„Officiële aangelegenheden; kolonel Moti weet ervan. Maar ik kan je wel over een paar dagen nareizen.”
Zij dacht voortdurend: Dan heb ik tenminste wat tijd vóór

mij. Als hij maar eenmaal weg is, zal ik alles wel zien op te knappen. Maar dat kan ik niet zolang hij in Bombay is. Misschien is dat telegram een oplossing.
Het licht viel op zijn gelaat, en daarop zag zij een uitdrukking verschijnen die zij er nog nooit op had gezien. Het was een eigenaardige uitdrukking van verwarring, zelfs van achterdocht. Zij begreep dat hij zich gekwetst voelde omdat ze iets voor hem verborg.
„Wat is dat dan wat je te regelen hebt?" vroeg hij.
„O – iets over juwelen, dat in orde gebracht moet worden. Ga jij maar vast naar Jellapore, dan kom ik wel na."
„Nee. Daar voel ik niets voor. Ik wil je niet zo lang missen."
„Dat is zo erg niet, het zal maar voor een paar dagen zijn, en het zal zoveel uitmaken voor die arme mensen daar."
Zijn gelaat nam een andere uitdrukking aan, toen hij zei: „Ik heb je nooit gevraagd of je lust had mee naar Jellapore te gaan. Misschien heb je daar in het geheel geen lust in. Misschien heb je er zelfs een hekel aan."
„Zelfs dàt zou niets hinderen, lieveling. Ik zou evengoed gelukkig met je zijn. Het enige is, dat ik je daar misschien in het geheel niet van nut zou kunnen zijn."
„Daarover maak ik me niet bezorgd."
„Hoe dan ook," sprak zij, „ik ben genoodzaakt vannacht in Bombay te blijven."
„Je gaat toch niet naar het Taj terug?"
„Dat hindert niet."
„Green zou toch beter zijn."
Ze herinnerde zich wat Moti had gezegd; ze was een legendarische figuur in Bombay – „de grote blondine" – en antwoordde: „Het komt er niet op aan; het ene hotel is niets beter dan het andere."
Op dit ogenblik kwam kolonel Moti binnen met de woorden: „Uw kamer is voor u besteld."
„Laten wij dan maar gaan," antwoordde zij.

Mevrouw Moti ging op Ali toe, wisselde enkele woorden met hem en deed het verband weer voor zijn ogen.
„Hij moet elke dag gedurende enige tijd het verband omhouden," zei ze, „tot zijn ogen aan het licht gewend zijn. Dat is het voorschrift van dokter Bliss."
Het eerste gedeelte van deze waarschuwing bleef in Carols afgemat brein weerklinken: *„Hij moet elke dag gedurende enige tijd het verband omhouden, tot zijn ogen aan het licht gewend zijn."* Misschien was dat in haar geval ook wel zo. Misschien was het niet mogelijk geluk en liefde, zoals zij die genoten hadden in de tuin van Jai Mahal, zo maar ineens deelachtig te worden. Misschien moesten die wel verdiend worden.

Tijdens de lange rit naar Bombay door de fabriekswijk en de achterbuurten bleven ze bijna voortdurend zwijgen. Het was alsof haar lichaam, zelfs haar indrukken, versuft waren, zoals stervende mensen suf en onverschillig worden. Ze merkte niets van de hitte of van de stank; ze gaf zelfs niet om het woeste rijden van de chauffeur. Haar hoofd deed pijn en haar brein was moe van zoveel nadenken, waaraan ze niet gewend was. Aldoor dacht ze maar: Ik moet dat overdenken; ik moet dat ontwarren. Als ik het niet doe, ben ik verloren.
Ze zaten een eindje van elkaar af, alsof er een slagboom tussen hen was opgericht. Aan zijn kant van die slagboom werd Buck gekweld door de nevel van twijfel over Carols verleden, over haar terughouding aangaande die officiële zaken, over haarzelf. In Jai Mahal had er geen andere wereld bestaan dan de hunne, er was ook geen verleden of toekomst geweest maar alleen het tegenwoordige, dat niemand anders dan hen aanging. Nu was plotseling met het dichtslaan van het tuinhek alles veranderd. Hij kon niet begrijpen dat ze hem nu ontglipt was. Waarom had zij er zo op aangedrongen dat hij dadelijk naar Jellapore zou terugkeren? Waarom had zij zulke vage inlichtingen gegeven over de zaken die zij in

Bombay had af te doen? En toen kwam de ontzettendste twijfel bij hem op – dat zij misschien in het geheel niet de bedoeling had gehad met hem te trouwen. Misschien was zij aldoor al van plan geweest een tijdje met hem weg te gaan en hem dan, als het haar verveelde, aan zijn lot over te laten. Doch zij mocht hem niet in de steek laten, want zonder haar kon hij niet meer leven, wilde hij niet meer leven.
Plotseling hoorde hij haar stem en voelde hij de druk van haar hand.
„Je voelt je toch niet ziek?"
„Nee, schat."
„Zit toch niet te piekeren, baby! Al wat ik nodig heb, is een paar dagen in Bombay. Ik beloof het je. Maar zit dan niet langer te piekeren!"
Hij greep haar hand.
„Waar jij heen gaat, lieveling, wat er ook gebeurt, ik ga met je mee."
Zij wendde het hoofd om en keek naar buiten, opdat hij de tranen niet zou zien die in haar ogen opwelden.
Kort daarop hield de taxi stil en zij wist dat zij terug waren in het Taj Mahal.
Zij gingen het hotel aan de kant van de haven binnen en bestegen zwijgend de stenen trappen naar de etage, waarop zich Carols kamer bevond. Toen zei ze tot Buck: „Maak je nu over mij niet ongerust. Ik heb slechts een paar uur nodig. Ga jij nu maar wat slapen; ik zal je komen roepen als het tijd is om te gaan eten."
Hij antwoordde niet, doch bleef haar verward aanstaren. Beangst dacht zij: Ik heb hem gekwetst – en toch houd ik meer van hem dan van wie ook ter wereld.
„Heb toch vertrouwen in mij, Buck," smeekte zij. „Toe, heb toch vertrouwen in mij!"
Maar de uitdrukking op zijn gelaat veranderde niet. Hij sloeg de armen om haar heen en kuste haar.

Toen herhaalde zij nog op zachte toon: „Over een paar uur kom ik je roepen," en snelde naar haar oude kamer. Voor de deur zat Krisjna, met gekruiste benen. Toen hij haar zag, sprong hij op en maakte een salaam alsof er niets gebeurd was, alsof hij in het geheel niet weggelopen was.
Dat moet een goed voorteken zijn, dacht ze, want de jongen wilde op Indische manier de hele episode beschouwen als iets dat nooit was voorgevallen. Dat was nog zo'n slecht idee niet, als er onaangename dingen waren gebeurd. Zelfs als ze hem erover gesproken had, zou hij toch maar gelogen hebben dat zijn moeder ziek was, of dat zijn grootvader gestorven was. Hij was gedienstig en vroeg of zij iets wenste te gebruiken en of haar koffers moesten worden uitgepakt.
„Breng mij maar een gin sling," zei zij. Dat zou haar helpen het onderhoud met de politie te doorstaan.
Toen hij vertrokken was, belde zij de directeur op dat zij terug was en dat zij de politiebeambten op haar kamer te woord zou staan, als zij kwamen.
Krisjna bracht het bestelde en verliet het vertrek, rustig, beleefd en zo beschaamd als een Indisch bediende maar zijn kan. De drank wekte haar wat op.
Er klonk een tikje op de deur en Carol riep: „Binnen."
Daarop traden de twee politiebeambten binnen, die de vorige keer reeds bij haar waren geweest – de grote Engelsman en de donkerbruine Pathan.
„Goedemiddag, miss Halma," zei de Engelsman. „Wij kwamen voor die zaak met de juwelen."
De Pathan boog, doch zei niets.
„Dank u. Wilt u plaats nemen?"
De Engelsman ging op een stoel zitten, de Pathan nam plaats op een koffer en Carol op de rand van het bed.
„We zouden reeds eerder zijn gekomen, doch wij konden u niet vinden," ging de Engelsman voort.
„Ik ben weg geweest," antwoordde Carol.

„Jammer, dat u zo spoorloos was verdwenen. U hebt ons daardoor veel last bezorgd."
Zijn stem klonk koel.
„Het is een onaangename geschiedenis. Ik vermoed dat u al hebt gehoord wie de juwelen had gestolen?"
„Jawel." Carol kreeg een ingeving om iets vleiends te zeggen. „Heel knap van u, om dat te ontdekken."
„Zo knap was dat niet. Integendeel, heel eenvoudig. Mevrouw Trollope is geen handige dievegge. Zij heeft geprobeerd de juwelen te verkopen bij een opkoper in Bombay. Die zijn allen bij ons bekend. Hij heeft ons onmiddellijk gewaarschuwd. Haar vingerafdrukken stonden nog op het juwelenkistje." Hij voegde erbij: „Ik geloof dat u niet gelukkig bent geweest in de keuze van uw kennissen in Bombay."
„Ik was op de hoogte van de situatie van mevrouw Trollope. Ik wist dat zij aan de grond zat, maar ik had nooit gedacht dat zij tot diefstal zou vervallen. Het doet mij leed voor haar. Ik geloof dat zij haar hoofd is kwijtgeraakt. Ik wens geen klacht tegen haar in te dienen. Als ik de juwelen terugkrijg, is dat voor mij voldoende. Waar is zij nu?"
„In het huis van bewaring. Zij heeft naar u gevraagd. U behoeft de zaak natuurlijk niet te laten vervolgen. Maar de autoriteiten zouden een voorbeeld willen stellen."
Wat hij zei, vervulde Carol met afgrijzen. Mevrouw Trollope op zichzelf was onuitstaanbaar, maar God was haar niet goedgezind geweest. Zij had iets weg van een lelijk dier, dat overal weggejaagd werd.
„Ik zal naar haar toe gaan," hoorde Carol zichzelf zeggen. „Ik wilde wel dat we haar vanhier weg konden krijgen."
Plotseling schoten haar de kranten te binnen.
„Als ik haar ga bezoeken, behoeven de kranten dat toch niet te weten, nietwaar?"
Het gelaat van de politieman nam een andere uitdrukking aan.
„Dat de bladen er zoveel aandacht aan hebben geschonken,

is zeer betreurenswaardig," zei hij. „Maar daar kunnen wij niets aan doen, miss Halma. Wij zullen ons best blijven doen om de zaak zo stil mogelijk te houden. U kunt de juwelen terugkrijgen als u met ons mee gaat om ze te identificeren."
„Ik zou ze gaarne zo spoedig mogelijk terughebben." (Dan kon zij Botlivala zijn verwenste diamanten teruggeven, om een eind aan de zaak te maken.)
„U kunt vanavond komen als u dat wenst."
„Vanavond of morgen."
Zij had verwacht dat beide mannen weg zouden gaan, nu de zaak afgelopen was. Doch hij zei: „Ik vrees dat we nog iets af te handelen hebben. Het is een zeer onaangename boodschap."
Wat kon dat nu nog zijn? Had zij nog niet genoeg geboet voor haar dwaasheid?
„En dat is?" vroeg zij.
„De autoriteiten staan erop dat u zo spoedig mogelijk naar Europa vertrekt."
Gedurende enige ogenblikken kon Carol haar oren niet geloven. Toen maakte toorn zich van haar meester.
„U wilt toch niet zeggen dat zij mij uit Bombay willen zetten?"
„Ik heb getracht het zo zacht mogelijk uit te drukken, doch waar het op neerkomt, is, dat u uitgewezen wordt. Het stoomschip ‚Rajputana' vertrekt overmorgen. Men zou graag zien dat u daarmee vertrok. Het doet mij leed dat ik u die onaangename tijding moet overbrengen. Ik hoop dat het uw plannen niet in de war stuurt."
Zij trachtte zichzelf te beheersen. Met vuurrode wangen antwoordde ze: „O nee. Ik was tòch voornemens om te vertrekken."
Dat was dus het einde. Er bleef haar geen keus. Zij kon niet de minste hoop meer koesteren dat er een wonder zou geschieden en dat alles nog in orde zou komen. Zij dacht: Ik heb Buck voor de laatste maal gezien. Zij kon hem nooit

meer onder de ogen komen. Hij kon zich niet vertonen met een vrouw die uit Indië gezet was. Zij trilde van woede; toen werd zij ijskoud.
Zij dacht: Maar vechten zal ik. Ik laat me niet uit het land zetten.
„Ik heb niets misdaan," sprak zij. „Ze kunnen me niet uitwijzen."
„Ik vrees dat men het recht heeft u uit te wijzen alleen reeds op grond van het feit dat u een ongewenste vreemdelinge bent en dat u omgang hebt met personen van verdachte reputatie," antwoordde de Engelsman rustig. „En u gaat niet alleen, miss Halma. De meesten van uw vrienden en vriendinnen zullen u gezelschap houden. De barones vertrekt ook, evenals een zekere Portugese heer."
Carol liet de vrije loop aan haar toorn en riep uit: „Ik ga niet! Ik zal verzet aantekenen!"
Hij hernam koeltjes: „Ik geloof dat het onverstandig en nutteloos zou zijn. Het zou u niets helpen; en als u er niet van houdt ruchtbaarheid te geven aan de zaak, dan bereikt u op die manier niets anders dan het tegenovergestelde."
Zij begreep dat hij gelijk had. Zij kon niets doen. Zij stond op. „Dank u, heren. Ik kom straks mijn juwelen halen. Ik heb mijn koffers reeds gepakt. En wordt er van mij verwacht dat ik mijn eigen overtocht zal betalen?"
De beide mannen stonden eveneens op.
„Het gouvernement betaalt uw overtocht derdeklas tot Marseille," antwoordde de Engelsman. „Nogmaals, ik hoop dat u het mij niet kwalijk zult nemen dat ik u zo'n onaangename tijding heb moeten brengen."
Carol antwoordde niet, doch hield de deur voor hem open. Met een kleine buiging verliet de Engelsman het eerst het vertrek. Toen de grote Pathan hem volgde, glimlachte hij even. Hij zei niets, doch zijn brutale ogen spraken een welsprekende taal.

Daarop hoorde Carol Krisjna zeggen: „Zoëven heeft een jongen een brief voor memsahib gebracht.”
Zij nam de brief van hem aan. De deur achter zich sluitend, bleef zij met brandende ogen tegen de deurpost leunen. Een vage lucht van patchoeli zei haar dat de brief van de barones kwam. Ze opende het couvert en las:

„Beste kind,
Ik verneem dat jij ook met de ‚Rajputana’ vertrekt. Wat een meevaller dat ik zulk goed gezelschap heb op de terugreis. Ik ga niet naar Caïro, maar naar Marseille. Bel me even op, als je hier bent. Ik ben blij dat ik uit Bombay wegga. Het is een smerig gat. Ik zal wel voor alles zorgen, zowel hier als in Parijs. Maak je maar niet bezorgd. Wat een geluk dat je je juwelen terug hebt! Wat een wijf, die mevrouw Trollope.

Je vriendin,
barones Stefani.”

Carol scheurde de brief in kleine snippers. Zij dacht dof: Wel ja, waarom ook niet? Daarop opende zij de deur en zei tot Krisjna: „Breng mij een gin sling en bestel een taxi om me af te halen aan de achterzijde van het hotel bij de haven.” Vervolgens schreef zij een briefje aan Buck, nam de telefoon en belde de barones op.

Om negen uur kwam Bill met de trein aan. Drie dagen en twee nachten had hij tussen de wielen gezeten op zijn reis dwars door Indië, van Calcutta naar Bombay. Hij was verhit en bedekt met fijn rood stof, het zat in zijn ogen, zijn haar, zijn oren en in zijn mond. Terwijl hij het drukke perron afliep, gevolgd door Silas en de koelies die zijn bagage droegen, verlangde hij slechts naar één ding: een bad.
Doch in zijn hart was hij opgelucht, bijna gelukkig zelfs. Hij had zijn taak zogoed als ten einde gebracht – en met succes.

Over vierentwintig uur zou nu alles achter de rug zijn en overmorgen zou hij met de „Rajputana" terugreizen. De oude heer had zich bedacht. Hij behoefde niet in het Oosten te blijven, hij ging naar Londen terug.
In de taxi onderweg naar het hotel vroeg hij zich af hoe het met Carol en Buck zou zijn gegaan. Waar zouden ze zijn? Wat zou er met hen zijn gebeurd? Toen dwaalden zijn gedachten af naar het probleem van de markiezin – want dat was het geworden. Op dit ogenblik zat zij in een andere taxi, die haar naar het hotel zou brengen. Zij was bij hem gebleven van het ogenblik af waarop de trein het station van Bombay was uitgestoomd en hij in haar coupé zat opgesloten als in een val. Het verhaal van een bezoek aan Delhi was een leugen geweest; ze was daar zelfs niet uitgestapt, maar was met hem naar Calcutta doorgereisd.
Nijdig dacht hij: Waarom bezit ik zoveel aantrekkingskracht voor vrouwen waar ik niets van moet hebben? In elk geval zou hij aan het diner geen last van haar hebben, want hij had voorgegeven dat hij voor zaken weg moest. Met een beetje geluk zou hij er ongemerkt met de „Rajputana" tussenuit knijpen, want hij had haar wijsgemaakt dat hij pas over een maand zou vertrekken. Als hij maar aan haar dacht, kreeg hij een gevoel van walging.
In het hotel aangekomen, ging hij de sleutel van zijn kamer halen. Silas bleef achter om voor de bagage te zorgen. Bill moest even wachten op de lift die juist naar beneden kwam. Toen de deur openging, stond hij plotseling tegenover Buck. Zijn haar zat in de war en zijn ogen stonden verwilderd. Hij keek Bill aan, zonder hem te herkennen.
„Hallo," riep Bill uit, „ik vroeg me al af waar je zat."
Buck nam hem bij de arm en zei schor: „Carol is verdwenen."
Daar heb je het al, dacht Bill. En het is nog erger dan ik dacht dat het zou worden. Doch hij trachtte zich te houden alsof het niets bijzonders was.

„O, die komt wel weer terug."
„Nee, ze komt niet terug. Je moet me helpen haar terug te vinden."
„Goed, goed. Maar kom eerst mee naar mijn kamer; moet eerst een bad nemen." Hij duwde Buck de lift in. „Houd je kalm, man. Het komt wel in orde."
De lift hield stil op zijn etage en samen gingen ze naar zijn kamer. Toen zij daar eenmaal waren, zei Bill: „Vertel me nu eens wat er aan de hand is."
Buck haalde een verkreukt briefje uit zijn zak en gaf het aan Bill. Deze streek het glad en las in Carols krabbelpootje:

„Lieveling,
Alles is voorbij. Probeer niet me terug te vinden. Ik kom niet meer terug. Wat wij gedaan hebben, is dwaasheid. Ik ben dwaas geweest en jij ook. Denk maar dat het een grap is geweest en dat nu alles voorbij is. Denk nog maar eens aan me.

Veel liefs.
Carol."

Hij las het nog eens over en dacht: Er is iets voorgevallen waar ik geen idee van heb. Iets ergers dan al het andere bij elkaar. Toen liet hij zijn blik op Buck rusten en begreep dat hij zich schrap moest zetten.
„Wacht even terwijl ik het bad gereedmaak," zei hij, „en vertel me dan wat er is voorgevallen sedert ik weg ben gegaan. Dan kom ik misschien iets verder."
Inwendig kookte hij. Terwijl hij over het bad heen boog om de kranen open te zetten, dacht hij: Carol had er genoeg van en nu laat ze hem zitten. Verduiveld! Ze heeft zijn leven kapotgemaakt.
Toen hij zichzelf weer voldoende meester was, ging hij de kamer binnen en zei: „Vertel nu maar op."
Buck probeerde hem in onsamenhangende woorden te ver-

tellen wat er in Jai Mahal was gebeurd. Doch dat was niet nodig. Bill las op Bucks verwrongen gelaat wat er was voorgevallen. Misschien zou hij ervan bovenop komen – maar misschien ook niet. Bill kwam ervan onder de indruk. Hij dacht: Dat is iets dat mij nooit is overkomen. Dat gaat mijn verstand te boven. Het is niet te geloven.
Hij hoorde Buck zeggen: „Nadat we Jai Mahal hadden verlaten, is er iets gebeurd. Ik vermoed dat het bij Moti is gebeurd. Daarna was Carol helemaal veranderd. En toen we hier terugkwamen, zei ze dat ze me zou komen roepen als ze gereed was voor het diner. Daar zij niet kwam opdagen, heb ik haar tegen acht uur opgebeld. Toen ik geen antwoord kreeg, ben ik naar haar kamer gegaan. De bediende was er wel, maar hij wist niet waar zij heen was gegaan. Toen ging ik naar binnen. Een van de koffers stond open. Zij was er niet; en toen vond ik het briefje." Er kwam een uitdrukking van vreselijke angst in Bucks ogen. „Zij zal toch niet getracht hebben een eind aan haar leven te maken? Dat geloof je toch ook niet?"
„Nee," antwoordde Bill. „Dat geloof ik ook niet. Maar wat denk je dat er met haar gebeurd kan zijn?"
„Ik weet het niet; maar misschien weet Moti het."
Bill dacht snel na. Vermoedelijk had Carol genoeg van Buck en was ze weggelopen. Het enige dat erop zat, was, het Buck met een zacht lijntje aan het verstand te brengen. Als hij Buck weg kon krijgen, zag hij misschien wel kans haar op te diepen en te zien hoe de zaken stonden.
Silas klopte aan en bracht de bagage binnen. Bill zei tot hem: „Loop vlug naar beneden en haal een fles whisky en een paar glazen. Gauw!"
Daarna ging hij de badkamer binnen en draaide de kranen dicht. Toen hij er weer uitkwam, stond Buck uit het raam te kijken; hij beefde als een riet.
„Je hebt toch niet weer een aanval van malaria?" vroeg Bill.

„Nee, dat is het niet," antwoordde Buck. „Waar zij ook heen is gegaan, ik ga met haar mee. Zo gemakkelijk komt ze niet van mij af."
Bill gaf hem niet dadelijk antwoord. Enkele ogenblikken later zei hij: „Ik heb in de krant gelezen dat de cholera weer lelijk huishoudt in Jellapore."
„De cholera en Jellapore kunnen naar de duivel lopen," viel Buck uit. „Wat er met mij gebeurt, komt er niet op aan, Bill, maar wat er met Carol gebeurt. Begrijp je dat dan niet? Ik denk niet aan mezelf."
„Dat bedoelde ik ook niet."
Bill wist wel wat er met Carol zou gebeuren. En als zij naar de bliksem ging, zou het geen half werk zijn.
Silas kwam terug met de whisky en Bill schonk er Buck een flink glas van in.
„Drink uit," sprak hij, „en ga dan Moti opzoeken. Ik ga op zoek door heel Bombay. Zij zal zich niet van kant maken. Zij is niet van dat slag."
„Ik ben bang omdat ik weet dat ze van me hield, Bill. Ik wéét dat ze van me houdt. Geen enkele vrouw zou zich zo maar kunnen houden."
„Ik ben er zeker van dat ze van je houdt, Buck. Maar ze is zonderling. Dat is ze altijd geweest." Doch bijna onmiddellijk daarop dacht Bill: Ik ben een idioot om me de schijn te geven of ik iets van haar af weet. Hij riep Silas en stuurde hem weg om een sandwich; hij had trek.
„Dus wat ga je nu doen?" vroeg hij.
„Ik ga Moti opzoeken."
„Ik ga eerst een bad nemen en dan trek ik eropuit om haar te zoeken. Wat moet ik tegen haar zeggen?"
„Dat ik nooit van haar afzie." Hij nam zijn topee op en sloeg op Bills schouder. „Je bent een fijne kerel, Bill," zei hij.

Bill vond geen spoor van Carol in het hotel. Hij dacht dat ze wellicht naar Green was gegaan, doch ook daar was ze niet te vinden. Daarop dacht hij aan de Willingdon Club. Hij riep een taxi aan en ging daarheen op weg, langs de zeeboulevard. De taxi nam de weg langs het paleis van de gouverneur en de Tempel van Parvati. Plotseling kreeg Bill de verlichte vensters van Jelly's paleis in het oog en dacht: Misschien is ze daar wel. Hij gaf de chauffeur opdracht naar het „huis met al die lichten" te rijden.

Hij kreeg haar bijna onmiddellijk in het oog.

Zij zat aan de speeltafel en had blijkbaar veine, want voor haar op tafel stond een hele stapel fiches. Achter haar stoel stond Botlivala en aan het andere eind van de tafel zag Bill de barones zitten in haar voorhistorische japon met pailletten. Carol had een wit avondtoilet aan en was behangen met juwelen – de juwelen die de schuld waren van al het gebeurde. Op hetzelfde ogenblik dat hij haar zag, kwam Bill tot de overtuiging dat er iets met haar was voorgevallen. Zij was nog mooier dan anders, doch zij had iets buitengewoon teers over zich, dat hij vroeger nooit bij haar had opgemerkt. Zij zag er magerder uit en onder de blauwe ogen vertoonden zich zwarte kringen. Zij had gedronken; naast haar stapel fiches stond een glas champagne. Zij hield de bank en zag niet op toen hij binnenkwam. Zij trok een kaart en won de slag, waarop Joey haar een grote stapel fiches toeschoof.

Bill liep op haar toe en zei zachtjes: „Doe de bank over. Ik moet je spreken."

Zij keerde zich om en zag hem met verschrikte, angstige ogen aan. Daarop zei zij: „Goed. Joey, verkoop de bank maar voor mij."

Zij stond op, nam haar glas champagne mee en volgde hem. Botlivala wilde meegaan, doch Bill sprak: „Hou jij je er maar buiten."

Toen hij zich omkeerde, bemerkte hij dat de markiezin hem scherp gadesloeg. Hij sprak geen woord tot haar.

Zij begaven zich naar een klein vertrek en zetten zich in de hoek aan een tafeltje.
„Ik dacht dat je in Calcutta zat," zei Carol.
„Ik ben vanavond juist teruggekomen."
„O." Snel liet zij erop volgen: „Hoe is de markiezin je bevallen?"
Hij schrikte op bij deze vraag, doch vroeg: „Hoe kom jij daaraan?"
„De barones heeft het me verteld. Bovendien had ik het toch al begrepen uit de manier waarop de markiezin me behandelt."
„Wat doe jij hier?"
„Ik probeer wat geld te maken."
„Weet je wat er met mevrouw Trollope is gebeurd?"
Zij gaf hem niet dadelijk antwoord. Zij dacht voortdurend: hoe moet ik beginnen? Er viel een benauwende stilte.
Toen zei Bill: „Ik heb Buck gezien."
Zij wendde de blik af.
„Zo."
„Je moest je schamen. Weet je wel wat je Buck hebt aangedaan?"
„Nee."
„Je had veel beter gedaan als je een revolver had genomen en hem had doodgeschoten."
Zij gaf geen antwoord en Bill dacht: Hoe kan ik de zaak aanpakken? Hij had haar nog nooit zo gezien; ze was ongevoelig, ze was dood. Er was niets van haar oude geestkracht overgebleven.
„Laat nog wat champagne komen."
„Je zult niets meer gebruiken voordat we uitgesproken zijn."
Ze haalde de schouders op.
„Waarom ben je van hem weggelopen?"
„Er bleef me niets anders over."
„En wat ben je verder van plan?"
„Ik vertrek overmorgen met de ‚Rajputana'."

Deze mededeling overviel hem; het eerste ogenblik herleefde de hoop in hem dat zij weer bij hem terug zou komen. Doch deze hoop verdween weer even spoedig, toen hij bedacht dat datgene, wat er was voorgevallen sedert hij haar voor het laatst had gezien, haar verder dan ooit van hem had verwijderd.
„En daarna?"
„Ik ga voor de barones in Parijs werken. Zij vertrekt met dezelfde boot."
„Weet je wat de barones is?"
„Daar heb ik wel enig idee van. Maar trek je van mij niets aan. Ik ben altijd wel in staat geweest op mezelf te passen."
„De barones wordt uit het land gezet. Zij is erop betrapt toen zij probeerde Indische meisjes naar Alexandrië te smokkelen."
„Zij heeft het bevel tot uitzetting reeds gekregen. Daarom vertrekt ze met de ‚Rajputana'."
„Hoe weet jij dat?"
„Van de politie." Plotseling viel ze uit: „Wat wil je eigenlijk van me? Denk je soms dat ik zo graag van Buck afzie? Denk je dat ik niet van hem houd?"
„Waarom ga je dan weg?"
„Hoe kan ik nu met hem trouwen," vroeg zij, „na alles wat er over mij in de kranten heeft gestaan? Moti beweert dat ik een berucht type ben in Bombay, zelfs in Jellapore. En Buck staat juist op het punt de vruchten van zijn werk te plukken. Het Engelse gouvernement zal hem een officiële functie geven. Hij kan zich niet vertonen met een vrouw zoals ik ben."
De tranen sprongen haar in de ogen. Bill dacht: Zo, nu schieten we op. Misschien houdt ze werkelijk van hem; misschien evenveel als hij van haar.
„Maar je komt er niets verder mee, met op die manier van hem weg te lopen. Zo gaat hij evengoed naar de haaien. Hij zei dat hij je zou volgen, onverschillig waar je heen ging, en dat hij zich door niets zou laten weerhouden. Dat is nog erger."

„Dat zegt hij maar."
„Ik ken Buck heel wat beter dan jij, hij meent wat hij zegt."
Haar gelaat drukte doodsangst uit.
„Maar dat kan hij niet doen, Bill. Dat mag je hem niet laten doen."
„Heb je weleens geprobeerd Buck iets uit zijn hoofd te praten, als hij denkt dat hij niet anders kan handelen? Ik wed dat je kunt proberen wat je wilt, maar dat hij met je op de ‚Rajputana' vertrekt. Toen ik het met hem wilde hebben over de cholera, zei hij: ‚De cholera en de dorpen kunnen voor mijn part naar de duivel lopen.' Dat is alles jouw schuld."
Zij stond op en liep naar het raam. Hij liet haar stil begaan; hij begreep dat ze trachtte zich te beheersen en wachtte rustig af.
Tenslotte keerde zij zich om en zei: „Bill, jij zou het zo kunnen schikken dat hij hier moet blijven en naar Jellapore teruggaan."
„Hoe dan?"
„Door weer met mij te trouwen. Wil je dat doen, Bill? Dan zal hij toch wel moeten begrijpen dat alles afgelopen is. Hij zal nooit proberen tussen jou en mij te komen."
Hij had zijn antwoord onmiddellijk gereed, omdat hij deze vraag reeds in zijn hart had beantwoord. Hij had Carol en Buck beiden gadegeslagen en begrepen dat zijn rol was uitgespeeld. Hij hield van hen beiden. Toch kostte het hem buitengewoon veel moeite om de woorden over zijn lippen te brengen die zijn hart hem ingaf.
„Nee, dat doe ik niet. Op de een of andere manier komen Buck en jij wel weer bij elkaar."
„Nee," antwoordde zij. „Dat is onmogelijk. Er is niets meer aan te doen. Bill, trouw toch met me!"
„Dus het kan je niet schelen dat je mij dan naar de haaien helpt?" vroeg hij glimlachend.
„Ik zal mijn best doen het niet zover te laten komen, Bill. En bovendien: voor jou komt het er niet zo erg op aan als voor

Buck. En niet alleen voor Buck, maar voor al de mensen die hij helpt en al geholpen heeft."
„Er is nog iets dat je me niet hebt verteld," zei Bill, die plotseling een ingeving kreeg.
Zij wendde de blik af en zei met doffe stem: „Ja, dat is er ook. Ik kan niet hier blijven en hij kan me ook niet volgen, want ik word het land uitgezet, net als de barones."
Gedurende enkele ogenblikken stond Bill sprakeloos. Toen riep hij uit: „Het land uitgezet – jij? En waarom?"
„Als ongewenste vreemdelinge."
Hij stond op.
„Daar kun je verzet tegen aantekenen. Ik zal je wel helpen."
„Dat geeft niets. Het is al erg genoeg. Als dat ook nog in de krant komt, verergert het de zaak maar. Buck zou onmogelijk kunnen trouwen met een vrouw tegen wie een bevel tot uitwijzing is uitgevaardigd."
„Dat is waar." Bill zag wel in dat er in die richting niets te bereiken was.
„Ze zetten me aan boord van de ‚Rajputana' in de derde klas," ging zij voort. „Daarom ben ik vanavond hierheen gekomen – om zoveel te winnen dat ik kan bijbetalen voor de eerste klas. Ik voelde er niets voor om het van de barones te lenen."
„Dat is een leugen," sprak hij.
„Ja," antwoordde zij eenvoudig. „Ik ben hierheen gekomen omdat de hele boel me geen steek meer kan schelen en omdat ik wilde proberen, Botlivala zover te krijgen dat hij me de juwelen laat houden. Die kan ik nu best gebruiken."
Bill had ernstig zitten nadenken, terwijl zij aan het woord was. Nu zei hij: „Er is maar één ding dat ik nog kan proberen. Ik kan trachten de gouverneur te pakken te krijgen en hem over te halen het bevel tot uitwijzing in te trekken."
„Hij zal je niet eens willen ontvangen."
„Hij kent me. Ik ben al eens in het paleis geweest."

Hij had reeds een plan gereed. Hij zou de jonge adjudant met zijn schitterend witte uniform opzoeken, die hij bij zijn aankomst aan boord had ontmoet. Hij zou hem verzoeken, hem een onderhoud met de gouverneur te verschaffen.
„In elk geval zal ik het proberen," zei hij. „Vanavond nog."
Zij begon zachtjes te snikken. „Bill... Bill..."
Hij kuste haar teder. „Ga nu met me mee naar het hotel."
„Nee, nee – daar is Buck. Als je niet slaagt, durf ik hem niet onder de ogen te komen. Ik ga naar de maharani terug. Daar ben ik heen gegaan toen ik uit het hotel kwam."
„Wat??"
„Daar kan ik nog het beste heen. Wil je mijn mantel halen en mijn fiches inwisselen bij Joey? Ik wil me nooit meer in die zaal vertonen."
„Goed. Ik ontmoet je wel bij de uitgang."
Zij verliet snel het vertrek en Bill ging de zaal in waar gespeeld werd. Terwijl Joey hem het bedrag van de fiches uitbetaalde, stond Botlivala somber toe te kijken. Plotseling stond de markiezin op en kwam op Bill toe.
„Ga je met haar weg?" vroeg zij, met van jaloezie vlammende ogen.
„Ja."
Zij glimlachte, een gemeen, vals glimlachje, dat een gevoel van haat in Bill opwekte.
„Overmorgen vertrekt zij met de ‚Rajputana'," sprak zij. „Ze gaat weg – omdat ze moet. Blijf hier bij mij!"
„Geen kwestie van."
Hij wendde haar de rug toe en hoorde Jelly op fluwelige toon zeggen: „Wat is er vanavond aan de hand met Carol?"
„Ik weet er niets van," antwoordde Bill. Toen liet hij erop volgen, omdat hem niets anders te binnen schoot: „Ik breng haar naar huis. Ik kom straks terug."
„Ze was vanavond verduiveld gelukkig. Ze heeft aardig wat gewonnen. Ongelukkig in de liefde..."

Doch Bill hoorde niet meer wat Jelly nog verder vertelde.

De taxi zette Carol af aan het paleis van de maharani. Daarop ging Bill weer terug naar de stad.
Buck was niet in het hotel teruggekeerd. Bill belde het paleis van de gouverneur op, doch de adjudant die hem te woord stond, zei dat luitenant Forsythe geen dienst had; hij dineerde in het Taj Mahal Hotel. Bill dankte hem voor de inlichtingen en begaf zich snel naar de eetzaal.
Het gezelschap was nog niet opgebroken. Het was een groot diner met veel vervelende mensen. Er werd gedanst. Zij, die nog aan tafel zaten, sloegen de dansers gade. Achter in de zaal zat luitenant Forsythe.
Bill wenkte een kelner, schreef enkele woorden op een stuk papier en droeg hem op dit briefje te brengen aan de blonde jongeman aan de lange tafel. Doch dadelijk dacht hij: Dat krijg ik nooit gedaan. Hij keek op zijn horloge. Het is reeds bijna elf uur. De gouverneur zal wel in bed liggen.
Luitenant Forsythe verscheen.
„Neem me niet kwalijk dat ik u ben lastig gevallen," zei Bill. „Maar het is voor een buitengewoon dringende aangelegenheid. Kunt u even meegaan naar de bar voor een borrel?"
Luitenant Forsythe aarzelde. „Het is moeilijk het gezelschap in de steek te laten."
„Het is een kwestie van leven en dood. . . of bijna."
Na enig nadenken zei hij: „Goed dan."
In de bar zei Bill, toen ze een borrel hadden besteld: „Ik zou u niet zijn lastig gevallen, als het niet zo dringend was geweest. Het gaat over miss Halma. Ik wilde graag een onderhoud met de gouverneur over haar hebben. Ik weet niet of u ervan op de hoogte bent wat er is voorgevallen."
„Jawel," antwoordde de ander. „Ik ben op de hoogte."
„Zij is een buitengewoon goede kennis van mij. Ik wil mijn best doen om haar te helpen."

„Heeft zij er iets op tegen zonder opzien te verdwijnen?"
„Zeker."
„Waarom? Bestaan daar goede redenen voor?"
„Inderdaad. Maar daar weet in Bombay niemand van."
De kelner bracht de bestelde borrels. Nu moet ik er een pracht van een verhaal van maken, dacht Bill.
„Kent u iemand die Homer Merrill heet?" begon hij.
„O jawel. Die is in heel Indië bekend."
„Hij is een buitengewoon goede vriend van mij. We hebben samen gestudeerd."

In de bungalow van het instituut zaten Moti en zijn vrouw samen. Indira Moti zat te werken aan een sari, die zij zou dragen bij een van de dansen die zij had ingestudeerd.
Van onder haar lange, donkere wimpers sloeg zij kolonel Moti gade, die zijn wetenschappelijke tijdschriften zat te lezen. Zij voelde een grote tederheid voor hem, omdat hun huwelijk gelukkig was. Huwelijken in Indië kunnen zo'n verschillende keer nemen. Zij had geluk gehad. Moti was nooit vervelend. Hij was alleen onuitstaanbaar als hij probeerde voor God te spelen.
Haar enige zorg was dat zij geen kinderen hadden. En bij de gedachte aan kinderen viel haar blik op Ali, die op een rieten stoel zat, met zijn marmotje op de knieën. Even later drong het tot hem door dat zij naar hem zat te kijken en hij zei: „Denkt u dat sahib Buck morgen werkelijk naar Jellapore teruggaat?"
„Ja, dat geloof ik wel."
„Is het waar dat hij mij dan meeneemt?"
„Jawel, jou neemt hij mee."
Meer scheen hij niet te verlangen.
Daarop hoorde mevrouw Moti de poort aan de ingang van het instituut open- en dichtgaan en het geluid van een auto. Zij keek Moti aan. Hij was zo in zijn lectuur verdiept dat hij

niets had gehoord. Zij stond op en verliet het vertrek om te gaan zien wie de late bezoeker was.
Ali had het geluid ook gehoord en richtte zich luisterend op. Toen hij voetstappen in de gang hoorde weerklinken, straalde zijn gelaat van vreugde. Hij stond op en liep naar de deur. Toen hij deze bereikte, kwamen Indira Moti en Buck binnen. De jongen sloeg zijn armen om Buck heen en vroeg: „Sahib Buck, gaan we vanavond weg?”
Op het geluid van de stemmen zag Moti op. Toen hij Buck herkende, kreeg hij, evenals Bill vroeger op de avond, een schok. En hij dacht: Het is gebeurd. Zij heeft tegen hem gezegd dat zij wegging.
Buck antwoordde de jongen: „Vanavond nog niet, Ali. Ik ben alleen gekomen om met kolonel Moti te praten.” Daarop zei hij in het Engels tot Indira: „U moest hem maar naar bed brengen; hij begrijpt veel meer dan we denken. Ik zal wel naar hem toe gaan om hem goedenacht te zeggen.”
Toen zei Buck tot Moti: „Zij is weg. Weet jij waar zij heen is?”

In Ali's kamertje bracht Indira Moti de jongen naar bed; daarop ging zij zijn marmotje halen, bracht hem een glas water en verzekerde hem dat Buck hem goedenacht zou komen zeggen voordat hij wegging. Doch haar gedachten waren niet bij Ali. Zij had voortdurend Bucks afgemat, angstig gezicht voor zich. Zij begreep de taal die erop geschreven stond en dacht: Moti heeft weer eens te veel voor God willen spelen. Moti was een goede man, een briljant, bekend geleerde, maar er waren ogenblikken dat hij niet menselijk handelde. Hij had verstand van serums en sociale aangelegenheden en economie, maar van mensen had hij geen verstand. Zonder zich in te spannen om te luisteren hoorde zij Buck schreeuwen: „O, je hebt het zo gewild! Nu, dan heb je je zin! Je kunt naar de hel lopen, met Indië erbij! Ik moet en ik zal haar terugvinden en ik volg haar, waar zij ook gaat.”

Zij dacht: Dat mag niet gebeuren! Dat zou hun beider ondergang zijn. Zij liep snel naar de veranda. Toen zij deze bereikte, kwamen Moti en Buck juist de deur uit. Op het gelaat van Moti lag een uitdrukking die ze daar nooit gezien had, een uitdrukking van verwondering, bijna van verbijstering; ze had een aanvechting om te lachen.
„Wij gaan naar Jai Mahal," zei Moti.
Aan Moti's fonkelende ogen zag zij wat er gebeurd was. Zij sprak tot Buck: „Vergeet Ali niet. Hij ligt te wachten tot je hem goedenacht hebt gewenst."
„O ja, natuurlijk," antwoordde Buck, zich verwijderend in de richting van Ali's kamertje.
Snel fluisterde zij Moti in: „Nu is het te laat. Je moet trachten haar te vinden en ervoor zorgen dat zij met hem naar Jellapore gaat. Je speelt te dikwijls voor voorzienigheid."
Moti gaf haar geen antwoord. In zijn ogen lag dezelfde uitdrukking die zich daarin vertoonde wanneer hij, na talloze proefnemingen, een nieuwe ontdekking had gedaan in zijn laboratorium.

In de bar van het Taj Mahal Hotel zat luitenant Forsythe vol belangstelling te luisteren naar Bills verhaal.
Toen Bill tenslotte zei: „Nu begrijpt u wel dat er iets moet worden gedaan, nietwaar?" vertoonde zich een zonderlinge uitdrukking op het gelaat van de knappe adjudant.
„Ja – en het zou vanavond nog moeten gebeuren. De ouwe is niet gemakkelijk. Hij houdt er niet van om 's avonds laat te worden lastig gevallen. Eigenlijk zou ik u aan het verstand moeten brengen dat het absoluut onmogelijk is – maar dat wil ik niet. Laten we maar dadelijk opstappen. Ik ga met u mee."
Op dat ogenblik zag Bill over Forsythes schouder heen Botlivala aankomen, die zich tussen de tafeltjes door een weg baande. Hij dacht: Nog meer moeilijkheden op komst! Er

behoefde nog maar één schandaal bij te komen, dan was voorgoed alle kans verkeken om de zaak nog in orde te brengen.
Forsythe stond op en liep naar de uitgang, gevolgd door Bill. Botlivala had geen erg in Forsythe – vermoedelijk wist hij niet wie hij was.
Bill sprak op vriendschappelijke toon: „Hallo, Botlivala."
Doch Botlivala was door het dolle heen. Zijn donkere huid was grauw en het geelachtige wit van zijn ogen was geheel te zien.
„Waar is zij?" riep hij uit. „Zij behoort mij toe. Waar heb je haar heen gebracht?"
„Houd je gemak," sprak Bill. „Ik heb haar hierheen teruggebracht. Zij voelde zich niet goed. Kom mee naar de hal, dan kunnen we verder praten. Je behoeft je niet zo op te winden."
„Ik wil weten waar ze is – dat is alles. Je hebt me éénmaal een figuur laten slaan, maar dat zal geen tweede keer gebeuren."
Bill slaagde erin, Botlivala naar de hal te loodsen. Als hij hem maar aan de achterzijde van het hotel bij de haven kon krijgen, dan kwam het er niet op aan wat er gebeurde. Daar zou niemand iets zien.
Buiten stond Forsythe te wachten.
„Excuseer mij enkele ogenblikken, dan ga ik mee," zei Bill.
„Maak het niet te lang, anders is de gouverneur al in bed en is de kans verkeken," zei Forsythe.
„Een enkel ogenblik." En zich tot Botlivala wendend, zei hij: „Kom mee, dan kunnen we praten."
Hij voerde hem mee tot achter de grote trap.
Botlivala's woede had haar toppunt bereikt; er stond schuim op zijn lippen.
„Ik heb er nu genoeg van," schreeuwde hij, een revolver te voorschijn halend.
Als Bill niet zulk een haast had gehad, zou hij misschien hebben getracht de man naar rede te doen luisteren. Doch hij

moest naar de gouverneur, zo spoedig mogelijk. Hij had geen tijd om te parlementeren.
Zijn vuist kwam op het donkere gelaat terecht, een eindje terzijde van de dikke kin. Er vertoonde zich een uitdrukking van verbazing in de omfloerste ogen. Het hoofd viel opzij. De revolver beschreef een boog door de lucht en Botlivala zakte in zittende houding tegen de muur, met het hoofd op de borst. Hij was buiten gevecht gesteld.

Het paleis van de gouverneur bood geen bemoedigende aanblik. Het was geheel duister, met uitzondering van drie of vier verlichte vensters in de vleugel die op zee uitzag. Bij het zien van de taxi lieten de grote Sikhs in het rood en goud hun lansen dreigend zakken, tot zij Forsythe herkenden.
In de hal zei de adjudant: „Wacht nu maar hier tot ik hem heb gesproken. Ik zal er al mijn overredingskracht voor nodig hebben."
Bill nam plaats op een teakhouten stoel en wachtte tot Forsythe weer te voorschijn zou komen.
Hij begon na te denken; in de laatste paar uren had hij daar geen gelegenheid voor gehad. Van het ogenblik af dat Carol hem had gevraagd: Bill, wil je met me trouwen? had hij precies geweten wat hem te doen stond; hij handelde niet uit overweging, maar bij instinct, alsof hij gedreven werd door iets buiten zijn denken. Nu in de duisternis dacht hij: Misschien ben ik weer eens dom geweest, misschien had ik ja moeten zeggen; we waren dan met de „Rajputana" vertrokken en alles zou in het reine zijn geweest en Carol en ik hadden een prettig en gelukkig leven kunnen opbouwen. Misschien stuur ik haar nu naar Buck terug voor hun beider ondergang.
Maar hij kon dat toch niet goed geloven, omdat dezelfde macht die hem ertoe gebracht had zo te handelen, hem zei dat het niet waar was. En de gedachte kwam bij hem op dat Carol misschien op de juiste weg was na al die jaren aan de

andere kant van de wereld, vanwaar ze afkomstig was. Misschien behoorde ze daar, dat Zweedse boerenkind, naast Buck werkend in de afgelegen dorpen. Ze was gezond en krachtig en niet dom en ze werd door liefde gedreven. In dit leven moest je een richting volgen, moest je een doel hebben. Dat was ook altijd een fout in zijn eigen leven geweest – de onbestemdheid en dat gebrek aan bestemming hadden Carol in al die moeilijkheden gebracht. Misschien ging ze nu de juiste richting in, als hij dat maar teweeg kon brengen.
De herinnering die hij aan de gouverneur had, stemde hem niet optimistisch. Hij kon de kleine man duidelijk voor zich halen – verveeld, koel, onsentimenteel, efficiënt en minachtend.
Toen ging de deur open en kwam Forsythe naar buiten. Hoe zou hij hem ooit kunnen danken? Hij moest het uit pure vriendelijkheid gedaan hebben; er was geen reden voor hem om voor twee vreemden als Carol en hemzelf tussenbeide te komen.
„De zaak is in orde," zei Forsythe. „De gouverneur is bereid u te ontvangen, als u er niets op tegen hebt dat hij u in zijn kamerjas ontvangt."
„Voor mijn part heeft hij in het geheel niets aan," antwoordde Bill. En toen deed hij iets dat al heel buitengewoon voor hem was en de adjudant gênant vond. Van blijdschap omhelsde hij Forsythe.
Deze ging hem voor en hield een deur voor hem open.
„Als u er niets op tegen hebt, ga ik naar mijn gezelschap terug," zei hij. „Nu moet u zelf voor de rest zorgen."
„Dank u," antwoordde Bill. „Ik zie u later nog wel."
Het vertrek waarin hij zich bevond, was de bibliotheek. De gouverneur zat achter een bureau. Toen Bill binnentrad, legde hij het detectiveboek, dat hij zat te lezen, neer en stond op.
„Meneer Wainwright?" zei hij vragend.
„Ja," antwoordde Bill.

„Neemt u plaats." Hij liet erop volgen: „Ik herinner me dat u eens hebt deelgenomen aan de lunch. Mijn oude vriendin Dorothy heeft me over u geschreven. U schijnt een goede kennis van haar te zijn."
„Inderdaad," antwoordde Bill en bij zichzelf dacht hij: een buitengewoon goede kennis zelfs.
„Ik ben erg op Dorothy gesteld," merkte de gouverneur op. Uitstekend, dacht Bill. Zonderling, dat de lunch, waaraan hij zich zo had verveeld en de brief die hij in stukjes had gescheurd en op een asbakje bij Green had verbrand, hem nu zo goed te pas kwamen.
De gouverneur begon: „Luitenant Forsythe heeft me verteld dat u tussenbeide wenst te komen ten behoeve van miss. . ." Hij aarzelde.
„Van miss Halma – Carol Halma," sprak Bill snel. „Dat is eigenlijk een aangenomen naam; haar ware naam is Olga Janssen."
„Naar uw mening zou deze jonge dame unfair behandeld zijn?" vroeg de gouverneur.
„Inderdaad," zei Bill. „Doch er is nog meer."
„Als u mij de zaak eens vertelde?" stelde de gouverneur voor. „Forsythe gaf mij te verstaan dat zij niet zo gewoon was."
Vooruit dan maar, dacht Bill.
Hij leunde voorover in zijn stoel en begon. Hij wist niet dat wat Forsythe de gouverneur had verteld, hem nieuwsgierig had gemaakt naar meer bijzonderheden. De gouverneur luisterde aandachtig toe.
Bill deed zijn verhaal hier nog beter dan hij het aan Forsythe had gedaan. Hij dacht: Ik moet alles vertellen. Het moet zijn volle belangstelling wekken. Daarom vertelde hij zelfs over de rol die hij persoonlijk in Carols leven had gespeeld; dat hij nog van haar hield en dat de stap die hij thans ondernam, werd gedaan ter wille van Carol en van Buck. Zijn verhaal nam meer dan een half uur in beslag.

Toen hij ophield met spreken, zei de gouverneur: „De geschiedenis is niet kwaad. Nu begin ik te begrijpen waarom ook Forsythe er zo van onder de indruk was. Ik begrijp volkomen uw gevoelens. Nu ik alles weet, ben ik niet ongenegen enkele concessies te doen. Ik heb het grootste respect voor Merrill. Hij is in Indië voor ons van grote waarde. Ik ben er niet zo zeker van dat die vrouw geschikt voor hem zal blijken te zijn."
„Dat was ook mijn indruk, excellentie, en die van kolonel Moti. Doch wij hebben beiden onze mening gewijzigd. Het zal veel erger voor hem zijn wanneer zij het land wordt uitgezet, want dan gaat hij haar achterna."
Bill nam zijn toevlucht tot een kleine misleiding, door kolonel Moti's naam ter sprake te brengen, want hij wist er niets van of de kolonel van gedachten was veranderd of niet.
„Het gezelschap waarmee zij zich heeft omringd," merkte de gouverneur op, „is compromittant, om het zacht uit te drukken. Met Jellapore hebben we voortdurend last gehad. En die Botlivala is een berucht individu. Wat de barones betreft en mevrouw Trollope. . ."
Bill viel hem in de rede.
„Wat dat aangaat, vrees ik dat het voor een goed deel mijn schuld is, excellentie. Ik heb Carol in kennis gebracht met mevrouw Trollope en de barones. Zij zijn hierheen gekomen met dezelfde boot waarmee ik reisde. Zij zijn geen van beiden wat men zou kunnen noemen vriendinnen van haar."
„Het schijnt dat die mevrouw Trollope heel wat mensen last heeft bezorgd. Op het ogenblik bezorgt zij ons moeilijkheden. Verder hebben wij uit goede bron vernomen, dat miss Halma in dienst is bij de barones."
„Dat is beslist onwaar. De barones heeft wel getracht haar te engageren, doch daarop is zij niet ingegaan."
Daarop vroeg Bill: „Is het ook geoorloofd, te informeren naar de bron waaruit die inlichtingen afkomstig zijn? Dat zou misschien veel kunnen ophelderen."

„Die kan ik u niet noemen," antwoordde de gouverneur. „Ik kan u alleen zeggen dat deze inlichtingen afkomstig zijn van een hooggeplaatste dame, die bekend is met het doen en laten van de barones in Italië."
Bill richtte zich op in zijn stoel. Het woord „Italië" gaf hem een vingerwijzing. Hij begreep alles. De markiezin! Gedreven door haar zonderlinge, verdorven passie voor Bill had zij zich op die wijze van Carol willen ontdoen, omdat zij haar als mededingster beschouwde. Dit was de snelste en gemakkelijkste manier: de barones te ontmaskeren en Carol voor te stellen als haar medeplichtige. Daarom wist zij ook dat Carol zich zou inschepen op de „Rajputana". Hij dacht: Laat ik het nu vooral voorzichtig aanleggen. Maar hij wist dat hij de sleutel thans in handen had.
„Ik vrees, excellentie, dat de bron niet onverdacht is," sprak hij.
„Waarom zegt u dat?"
„Omdat markiezin Carviglia de barones haat. De markiezin is haar loopbaan begonnen als meisje in een van de etablissementen van de barones."
Voor het eerst toonde de gouverneur meer dan officiële belangstelling, hij boog zich over zijn schrijftafel en vroeg: „Hoe weet u dat alles!
„Dat heeft de markiezin mij zelf verteld."
„Waarom zou een zo hooggeplaatste dame dergelijke intieme dingen aan een man vertellen?"
Er was niets anders aan te doen. Hij moest wel opbiechten. Hij zei: „Omdat ik haar toevallig. . . intiem ken. Zéér intiem, sedert ik in Indië ben. Ik ben juist met haar in Calcutta en Madras geweest. Ik vermoed dat zij jaloers is op miss Halma."
De lippen van de gouverneur plooiden zich tot een glimlach, die een onvermoede zin voor humor verraadde.
„Ik begin te geloven," zei hij, „dat ik miss Halma onder mijn hoede zal moeten nemen om haar tegen haar vriendinnen te beschermen, in plaats van haar het land uit te zetten."

„Ik heb u alles verteld, excellentie," zei Bill. „Ik heb niets verzwegen."
„Zo is het al mooi genoeg," merkte de gouverneur droogjes op. Maar de gouverneur dacht aan iets anders, iets dat hem als Engelsman grappig voorkwam – het idee dat een vooraanstaand fascistisch leider een vrouw uit een bordeel getrouwd had.
De gouverneur werd weer ernstig.
„Doch dat alles heeft niets met ons probleem te maken," sprak hij. „Terwijl u aan het vertellen was, heb ik zitten nadenken. Ik denk dat we tot een compromis zouden kunnen komen. Het komt mij voor dat de mogelijkheid bestaat dat miss Halma unfair is behandeld – en aan de andere kant willen wij Merrill niet verliezen. Daarom stel ik voor dat wij het bevel tot uitwijzing van miss Carol Halma intrekken" (Bill hield de adem in) „op voorwaarde dat zij met Merrill in het huwelijk treedt, met hem naar Jellapore vertrekt en zich verbindt om in drie jaar niet naar Bombay terug te keren."
„Ik ben ervan overtuigd," zei Bill, „dat zij er niet het minste bezwaar tegen zal hebben zich daartoe te verbinden. Ik twijfel er zelfs aan of zij lust zal voelen nog ooit naar Bombay terug te keren."
„Ik heb er geen bezwaar tegen dat ze naar Madras of Calcutta gaat, maar ook Delhi moet ze gedurende die periode niet bezoeken."
Bill dacht: Ik heb het erdoor gehaald! Het is erdoor! Doch in zijn trots en voldoening mengde zich toch een weinig droefenis.
De gouverneur was nog niet uitgesproken. Hij vervolgde: „De mensen vergeten spoedig. Over drie jaar zijn zij vergeten dat mevrouw Merrill vroeger miss Halma is geweest. Wat zou u denken van een dergelijk compromis?"
„Het komt mij zeer aannemelijk voor, excellentie."
De gouverneur vervolgde: „Ik moet u zeggen, meneer Wain-

wright, dat u een interessant verhaal uitstekend weet voor te dragen."
Bill stond op: „Ik ben u zeer verplicht, excellentie," sprak hij. „Ik waardeer hetgeen u gedaan hebt meer dan ik kan zeggen."
„Ik heb getracht redelijk en rechtvaardig te zijn," sprak de gouverneur. „Goedenavond."
„Goedenavond," antwoordde Bill.
Hij ging vlug de deur uit, en toen hij deze achter zich sloot, voelde hij zich vermoeid. Hij dacht: Ik hoop dat er bij de maharani iets te drinken is.
Onderweg in de taxi, die de Malabar-heuvel opreed, liet hij al het gebeurde nog eens aan zijn geestesoog voorbijgaan. Thans begreep hij ook waaraan hij zijn overwinning te danken had. Niet aan het verhaal dat hij had gedaan, maar aan hetgeen hij had gezegd over de markiezin. In dit geval was boontje tenminste eens om zijn loontje gekomen, dacht Bill.
Hij trof Carol aan in de kleine salon, waar de kogel uit de revolver van de maharani de lichtkroon had geraakt. Aan een tafel onder de kroon zat de maharani met drie vrouwen mahjong te spelen. Carol, die een andere japon had aangetrokken, zat toe te kijken.
Bill groette de maharani, werd voorgesteld aan de drie vrouwen en zei tot Carol: „Het is in orde. Ik kom je halen."
„Goed," antwoordde zij kalm, opstaand om hem te volgen. Zij wenste de drie vrouwen goedenacht en dankte de maharani voor de genoten gastvrijheid.
„Het ga je goed," antwoordde de maharani.
Daarop nam Carol haar juwelenkistje op en twee pakjes, in wit papier gewikkeld.
„Ik zal het kistje wel dragen," zei Bill.
Toen zij buiten waren, vroeg Carol: „Dus je hebt alles in orde gebracht?"
„Ja," antwoordde Bill en vertelde haar zijn onderhoud met de gouverneur.

Toen hij zijn verhaal had beëindigd, bleef zij geruime tijd zitten zonder een woord te spreken. Tenslotte zei zij: „Zonderling toch, hoe de dingen zo verward kunnen raken."
Bill begon te lachen.
„Inderdaad!"
„Je bent een prachtkerel, Bill." Zij begon zachtjes te wenen, zonder geluid te maken.
Hij greep haar hand en zei: „Doe dat nu niet. Wij gaan naar het hotel. Beheers je."
„Laat mij maar uithuilen, Bill. Ik ben zo bang geweest. Ik huil omdat ik me zo opgelucht voel."
„En zul je nu voortaan in het rechte spoor blijven?"
„Ja, lieveling. Ik verlang niet beter."
„En Buck het leven niet moeilijk maken?"
„Hoe kun je dat vragen! Waar is hij? In het hotel?"
„Dat weet ik niet," antwoordde Bill. „Buck is eropuit getrokken om je te zoeken. Hij zou naar Moti gaan."
„O, Bill, ik houd zoveel van hem. Er kan hem toch niets overkomen zijn?"
„Welnee, natuurlijk niet. Morgen zijn jullie onderweg naar Jellapore." Er volgde een korte stilte; toen ging hij voort: „Heb je weleens een cholera-epidemie meegemaakt?"
„Nee."
„Vrolijk is het niet. Integendeel, het is verschrikkelijk."
„Dat is mij onverschillig – zolang ik bij hem ben."
„Ik bereid je maar voor. Denk niet dat je naar een aards paradijs gaat."
De taxi stopte aan de achteringang van het hotel bij de haven en zij stapten uit. Bill opende de deur voor haar en bleef staan. Het was reeds laat en de hal was leeg.
„Hier neem ik afscheid van je en wens je goedenacht," sprak hij.
Carol staarde hem verwonderd aan.
„Moet je Buck dan niet spreken?"
„Jawel – maar ik ontmoet hem liever alléén."

„O, juist." Zij hield de twee in papier gewikkelde pakjes omhoog. „Bill, je bent een schat voor me geweest. Ik durf je verder bijna niets vragen, maar ik weet niet goed hoe ik hiermee aan moet."
„Wat zit erin?"
„De juwelen. Het grootste pakje is voor Botlivala en het kleinste voor de broer van Jellapore. De namen staan erop."
„Ik zal ze wel voor je bezorgen. Ik zal de zaak door de advocaat van de maatschappij laten regelen." Hij liet erop volgen: „Buck behoeft niets te weten van dat bevel tot uitwijzing."
„Nee. Ik zal het hem nooit vertellen."
„Schrijf me nog eens en laat me weten hoe je het maakt."
„Zeker. Jij ook."
„Wel te rusten."
Zij keerde zich verlegen om en ging heen. Hij keek haar na tot zij om de hoek verdween om in de lift te stappen.
Beneden aan het bureau gaf hij opdracht het hem te laten weten, zodra de heer Merrill aankwam. Daarna begaf hij zich naar de bar en bestelde een gin sling. Hij wilde wel dat er iemand was geweest om hem gezelschap te houden. Hij voelde zich eenzaam in de volle, drukke zaal.

Het was bijna twee uur toen hij Buck aan de ingang van de zaal ontwaarde, met een wanhopige uitdrukking in de ogen. Bill stond op en Buck liep haastig op hem toe.
„Heb je haar gevonden?"
„Ja," antwoordde Bill. „Alles is in orde. Zij is boven in haar kamer. Zij gaat morgen met je naar Jellapore."
Buck ging zitten. Hij was doodsbleek geworden.
„Drink mijn glas maar leeg. Dat zal je opkikkeren."
„Okay." Buck dronk de gin sling uit. „Bill, je bent een prachtkerel."
„Loop heen!"
Toen stond Buck op.

„Goedenacht,” zei Bill. „En vaarwel.”
„Wat wil je daarmee zeggen – vaarwel?”
„Jij vertrekt morgen – en ik overmorgen. Daarom is het beter nu afscheid te nemen.”
„Ik geloof dat je gelijk hebt,” zei Buck, die weer de oude verhouding tussen hen voelde. „Ik geloof dat je gelijk hebt. Wanneer kom je weer over?”
„Dat weet ik niet. Op een goede dag. Schrijf me eens.”
„Beslist. En schrijf mij ook eens. Het ga je goed.”
„Jou ook.”
Buck ging heen. Bill zag hem zo lang mogelijk na. Toen bestelde hij een nieuwe borrel. Maar hij kon het niet langer uithouden in de zaal, dus ging hij naar bed.

De geur van jasmijn en andere bloemen bleef nog op de „Rajputana” hangen, lang nadat het schip de haven had verlaten. Bill stond op het achterdek tegen de verschansing te leunen en zag Bombay in een nevel van hitte verdwijnen.
Plotseling werd hij zich ervan bewust dat er iemand naast hem was komen staan, en boven de geur van vertrapte jasmijn uit drong hem een zwoele patchoeli-lucht in de neus. Hij draaide zich om en de barones zei: „Zo – daar gaat ze, die smerige stad. Ik heb er geen spijt van dat ik wegga.”
„Nee, ik heb er ook genoeg van.”
„Merkwaardig,” ging zij voort, „dat wij samen weer met dezelfde boot terugreizen.”
„Ja, nietwaar?” antwoordde Bill.
„Hebt u het gehoord van mevrouw Trollope?” vroeg de barones.
„Nee.”
„Ze heeft zich van kant gemaakt.”
„Hoe?” vroeg Bill, uit zijn onverschilligheid opgeschrikt.
„Vanmorgen. Carol ging haar bezoeken, maar het was te laat. Zij had zich in haar cel opgehangen.”

Bill wist niet wat hij zou zeggen. In elk geval had mevrouw Trollope op die manier het probleem voor de gouverneur opgelost. Zij zou hem geen overlast meer veroorzaken en ze zou ook zichzelf niet meer in de weg zijn. Hij hoorde de barones zeggen: „Het was een vervelende vrouw en een idioot. Ze wist nooit wat ze wou. Tenslotte wist ze niet meer hoe of wat."

Toen zag hij hoe Elephanta door de nevel werd verzwolgen, zoals eerst reeds Bombay. Het water veranderde van kleur. De modderige tint van de baai verdween, om plaats te maken voor het schitterende purper en diepblauw van de Indische Oceaan. De geur van Indië – die eigenaardige geur, een mengsel van jasmijn en rook van brandende koemest, specerijen en stof – werd zwakker. Op korte afstand van het schip dartelden drie of vier vliegende vissen. Zij sprongen in en uit de met schuim bedekte golven als lichtende pijlen. Ondanks zichzelf kreeg hij een gevoel van vrede en opluchting. Het was voorbij.

Hij begon te grinniken. Charlie de boemelaar was dood. Toch kreeg hij een min of meer treurig gevoel over zich. Hardop zei hij: „Vaarwel, fuifnummer!"

„Zei je wat?" vroeg de barones.

„Nee, ik praatte in mezelf."